岩体工程学科性质透视

薛守义　刘汉东　　著

黄河水利出版社

图书在版编目(CIP)数据

岩体工程学科性质透视/薛守义,刘汉东著.—郑州:黄河水利出版社,2002.7

ISBN 7-80621-572-7

Ⅰ.岩…　Ⅱ.①薛…②刘…　Ⅲ.岩体力学-研究

Ⅳ.TU45

中国版本图书馆 CIP 数据核字(2002)第 031387 号

出 版 社:黄河水利出版社

地址:河南省郑州市金水路 11 号　　邮政编码:450003

发行单位:黄河水利出版社

发行部电话及传真:0371-6022620

E-mail:yrcp@public2.zz.ha.cn

承印单位:河南第二新华印刷厂

开本:850 毫米×1 168 毫米　1/32

印张:10.75

字数:270 千字　　印数:1—2 000

版次:2002 年 7 月第 1 版　　印次:2002 年 7 月第 1 次印刷

书号:ISBN 7-80621-572-7/TU·20　　定价:28.00 元

序

近年来，国内出版了许多有关岩石力学与工程领域的佳作，有的探讨本构定律，有的发展分析理论和计算方法，有的阐述具体的工程问题和经验，如高边坡稳定、坝基处理与地下洞室等，可谓成果累累，目不暇接。薛守义和刘汉东教授所著的《岩体工程学科性质透视》一书，却具有些特别之处。所谓特别是指，这本书并不是研讨某个具体课题，而是在更高的层次上探讨岩体工程的一些基本概念和处理的方法。例如岩体(Rock Mass)* 是什么性质的材料，具有什么行为特征，对这种材料应如何对待，采用什么方法研究、分析和设计，有关学科的理论框架和性质等。这些问题在已出版的专著中也常有涉及，但集中深入研究的尚属少见。因此，我认为本书具有特色。

在工程设计中，我们要面临和处理众多不同的材料，从金属、混凝土到流体和沙、土、堆石，但最不可捉摸的还是岩体。岩体似连续又不连续，像固体又不是真正的固体，即使表面完整的岩体，内部也隐含着十分复杂、变化多端的因素，不论做多少勘探工作，难以完全查清，即使查得清，也不好处理。因此，岩体工程科学是在摸索中前进与发展的，迄今还难令人满意，至少还不能满足实践提出的各种要求，经验和类比还起有重要作用。我有时看到一些年轻的工程师，应用大型程序算出“精确”的结果后十分满足，认为

* 岩体与岩石是两个不同的词，岩石力学应称为岩体力学，涉及岩体的工程可称为岩体工程。

是个确定性的结果,并与规范要求对比(那里也有许多确定性的规定),以判断设计的正确性,总不免若有所失。其实,所有这些"精确"成果,在某种程度上,都是建立在沙滩上的。在岩体工程中,应该说并不存在"确定性"的东西。

"不识庐山真面目,只缘身在此山中"。为了摆脱困境,最好暂时从细节研究中脱身出来。我们必须经常回顾并检讨岩体工程各学科的基本概念,对其研究的途径与方法进行哲学反思。本书的主要内容正是在这些方面。书中首先对岩体、岩体结构和岩体工程的基本概念进行了全面分析,明确这些概念的内涵和外延,并从总体阐述了岩体工程诸学科的理论框架和学科性质。其次,在科学方法论的背景下,论述了岩体行为预测的原理和建模等基本问题。然后,全面探讨了求解岩体工程问题的经典力学途径和系统科学途径;前者包括经典力学分析的基本原理、岩体材料的强度理论和本构理论以及岩体力学试验的原则问题;后者包括系统范式的基本概念、混沌理论、突变论、专家系统、神经网络、综合集成等非线性科学理论及其在岩体工程中应用的有效性。最后,在对岩体工程问题中的不确定性进行详细分析的基础上,论述了岩体工程设计与施工的基本原理与方法,并对岩体工程科学研究的原则进行简要的探讨,这显然是很有意义的。

在新世纪中,我们将面临一些重大的岩体工程问题,诸如数百米的高边坡的稳定、300m量级高坝的地基处理、巨型地下洞室施工和深部矿山的开挖,等等。在这种背景下,本书的出版是很有益的。相信这样一本著作的问世,一定会引起读者们的兴趣。作者们针对岩体工程领域中一些有争议的问题进行探究批判,提出自己的看法,也必然会引起讨论。鉴于岩体工程问题的复杂性以及学科发展尚不完善,学术界存在不同观点是正常的。我并不是岩体工程专家,更无资格把作者们的看法捧为定论,只是觉得这类研究对于弄清岩体工程学科的轮廓、明确问题的实质、确定研究方向与途径,确实具有重要意义,所以乐见其问世。我认为,如果本书的出版能引起岩石力学界的注意并触发讨论,作者们的目的也就达到了,是为序。

中国科学院院士
中国工程院院士 潘家铮

2002年4月30日

前 言

岩体工程科学是随着现代岩体工程实践迅速发展起来的新兴学科,主要包括岩体力学、岩体工程地质学、岩体工程学和基础工程学。尽管这些学科在岩体工程中的应用已经非常广泛,所发挥的作用也日趋重大,但学科发展远非完善,甚至其中一些基本概念模糊不清,学科体系仍不健全,对最基本的问题还缺乏实质性的研究。

岩体工程问题的复杂性要求我们必须经常地回顾并检讨岩体工程各学科的基本概念,对其研究途径与方法进行审慎的哲学反思。本书的任务就是对岩体工程科学的基本概念和方法论进行系统的学术探讨,主要是想通过对学科发展史的反思,考察基本概念的形成与辩证发展过程,阐述学科的基本理论与实际问题,批判地审查学者们所提出的各种观点,以便使我们在提高对岩体认识的共同努力之中,有目的地进行自己的工作,明晰地思考所面临的问题,并在弄清岩体工程学科轮廓的基础上总体地把握学科的发展。

全书共 18 章,分别阐述科学方法论探讨的目的和意义、岩体和岩体结构的基本概念、岩体工程诸学科的理论框架和学科性质、岩体行为预测的基本原理和模型、岩体工程问题求解的经典力学途径和系统科学途径、岩体工程设计的基本原理以及有关岩体工程科学研究的若干问题。

本书是作者近些年来对岩体工程学科性质反复思考的结果。在研究过程中得到了国际工程地质学会主席、中国岩石力学与工程学会理事长、中国工程院院士王思敬先生的亲切指导。中国工程院副院长、两院院士潘家铮先生为本书作序。在此，对两位德高望重的学界前辈表示衷心感谢。

本书得到教育部高校骨干教师资助计划、河南省创新人才基金和河南省杰出青年科学基金资助。书中引用了国内外专家和同行的研究成果，在此一并致谢。

限于我们的阅历与水平，本书在基本理论观点的表述方面肯定会有疏漏，讨论也可能有不当甚至谬误之处，恳请读者批评指正。

著　者

2002年4月

目 录

Perspective on the Nature of Rock Mass Engineering Disciplines

Contents

第1章　关于方法论探讨

1.1　前言

岩体工程科学是随着现代大型岩体工程实践迅速发展起来的一系列学科，主要包括岩体力学、岩体工程地质学和岩体工程学。尽管这些学科在工程中的应用非常广泛，所发挥的作用也日趋重大，但学科发展远非完善，甚至其中的一些基本概念模糊不清，学科体系仍不健全，最基本的问题还缺乏实质性的研究。

岩体工程问题的复杂性要求我们必须经常地回顾并检讨学科的基本概念，对其研究途径与方法进行审慎的哲学反思。我们不时地会在各种有关文献中看到著名科学家们的真知灼见，然而这不能说是带有学术性的方法论研究。当目的是根据自己的思考和经验提出一种观点，或在鼓励读者向自己认为最有希望的途径进行工作时，这是非常适当的。但当讨论牵涉到前人的观点或学科思想发展史时，读者就有充分的理由希望讨论具有学术研究的性质。这方面在我们所讨论的学科中显然是非常欠缺的，而且各种看法相互混合，使人分不清是作者自己的判断或推测，还是文献中已证明的事实。

本书的任务就是对岩体工程科学的基本概念和方法论进行系统的学术探讨，主要是想通过对学科思想史的反思，严密地观察基本概念的形成与辩证发展过程，清晰地阐述学科的基本理论与实际问题，批判地审查学者们所提出的各种解答。研究的目的在于审度那些指导我们理论探索与工程实践的基本原则和思想前提，以便使我们在提高对岩体认识的共同努力之中，有目的地进行自己的工作、明晰地思考所面临的问题，并在弄清岩体工程学科轮廓的基础上从总体上把握学科的发展。

1.2 探讨的内容

首先，岩体工程科学工作者必须明白，任何科学中的基本概念都不单单是名词而已，它们凝结着科学理论，而且学科核心概念之间的内在联系也决定着学科理论体系的逻辑结构。其次，岩体工程问题的复杂性要求我们不断地探讨专门的研究方法。我们在本书中所要探讨的主题就是岩体工程各学科的基本概念和方法论。

1.2.1 基本概念

科学的实质性发展往往是通过修正学科基本概念的方式发生的，这是因为学科的核心概念反映着作为对象的事物的本质。任何学科都应以自己研究对象的内在本质为基础，对事物本质的不正确认识所得出的概念是虚假的概念。

20 世纪初期，各种不同学科都有一种倾向醒觉起来，就是把研究工作移置到新的基础之上。数学这门皇冠科学陷入了“基础”危机，深层次的追索导致了逻辑数学的诞生。物理学也失去了它那经典大厦的根基，从而迫使人们寻找自然本身那种“自在”的方式，量子力学和相对论就产生于这种追寻。

晚些时候，岩体工程科学也在实践中摸索前进。不过，直到最近人们才真正找到它的基础，也就是岩体本身那种存在方式，或更简单地说就是岩体的地质特征。人们认识到，要使岩体工程学科成为科学，只能从岩体本质属性的研究开始。就这方面而言，岩体工程学科产生于岩体与岩石相区别之际。从其他学科借用方法和手段，其有效性必须根据是否适用于岩体这种物质实体的基本问题来加以判断。所以，在缺乏对研究对象基本认识的情况下，对虚假的岩石概念进行论述，引进各种方法甚至高深的理论进行研究都无助于学科的发展，而岩体力学正是经历了这一途径的学科。

在科学中无论某种概念或模式如何有感染力,或已被广泛接受,我们都应该把它当做工作假说。一种理论可以赢得巨大的胜利,也可能造成很大的损害。这是由于人们的思维具有一种经济性:总是习惯于用已确立的理论尽可能解释更多的现象。由于它易于解释一切,所以它倾向于使我们对理解极少的事实也轻率对待。

1.2.2 研究方法

研究方法也是任何科学工作者不能不严肃考虑的问题,因为研究工作是否能够达到科学水平,关键在于能否自觉地把握正确的方法。科学史表明:研究方法每前进一步,科学水平就提高一步;方法的革命必然导致科学的革命。

学科具体的研究方法取决于研究对象的性质。只有当方法适合于研究对象的性质时,它才可能是有效的。为了解决岩体工程问题,人们引进和发明了很多专门的概念与方法。我们的任务是要考察这些方法的基础和效能,弄清它们的实质以减少实际应用的盲目性。

在任何研究领域中,引入有价值的新方法都是必要的。但我们必须注意这样一种倾向,即某些方法的引入常会使热心人宣告:此后所有的研究必须遵循这些方法,否则研究工作就毫无价值。事实上,对某些观点的广泛而不加批评的承认可能具有破坏性。

科学方法论探讨的是方法体系的实质,这方法体系与研究对象和问题的整体性相对应。只有具备这种体系的观点,方能恰当地评价某种方法在具体学科中的地位。

1.3 探讨的意义

依靠传统或利用前人的发现,对任何研究者来说都是明智的程序。但是,如果我们不对学科的基本概念和方法进行批判性的研究,那就有可能使研究工作误入歧途。当然,在科学发展过程中创造虚假的概念、采用不适当的方法是不可避免的。但我们有理由探讨怎样才能形成正确的概念和方法,并通过以往的科学道路和成就,寻找优化科学进步的过程。

岩体工程各学科主要是近几十年来迅速发展起来的新兴学科。尽管其应用非常广泛、作用日趋重大并已成为土木建筑、采矿工程和地学三大领域的基础理论学科,但远未达到成熟的水平,甚至其中的一些基本概念模糊不清,对最基本的问题还缺乏实质性的研究。因此,这就要求我们“清晰地阐述人们的问题,批判地审查所提出的各种答案”,把我们的研究工作建立在坚实的基础上(薛守义,1998)。

1.3.1 明晰轮廓

通过对岩体工程学科思想史的讨论,更加清楚地阐述各学科的基本概念,了解并估计发展到现在为止的学科轮廓,使岩体工程工作者在把握总体知识的基础上,有目的地进行自己的工作并明晰地加以思考。

就学科的发展而言,我们必须允许学术观点的自由产生,而不能强迫所有人员追随那些指导前人工作的基本概念和方法。但是,如果我们为了避免重复发现以前就有的旧观点所浪费的精力与时间,以及为了避免经常无益地改变方向而浪费精力,就必须了解并估计发展到现在为止的学科轮廓。由于缺乏这种认识,新观念的提倡者得以再三地劝诱一批岩体工程科学研究者从事崭新而吸引人的题目的研究,所获得的成果最初亦被誉为是开创性的。但到了后来,研究工作所基于的概念被证明是误入歧途的,研究成果也很少有用。因此,提倡新观点的人必须首先评价前人的思想和工作。这样做不但为自己和读者节省许多时间,而且能够很好地推进那些合理的革新。

1.3.2 寻求共识

我们必须试图寻求共同点，因为只有在基本问题取得一致意见的基础上,才能更好地进一步展开合作,并对其他概念和方法论问题进行深入的、富有成效的探讨。

由于岩体工程问题的复杂性,人们的观点和方法五花八门,在学术界和工程界都引起了广泛的争论,而且使得那些漫不经心或初入门的岩体工程科学工作者感到迷惑无所适从。在科学发展的现阶段,要对各种观点的正确性和最终结局做出裁决是不可能的。但是,无论哪一学派,人们都在做着同一件工作,都在探讨着同一对象。因此,我们有理由问及各种观点之间有什么相同相似之处,哪些是共同关心的问题以及各自对这些主要问题提供了什么样的解答。这就要求我们分别考察各种观点,细心阅读他人的著作,努力建立共同点。在谅解的基础上对待不同之处,并正确地表达批评意见,这将大大地促进学科的发展。事实上,在基本概念和基本问题上取得较大程度的一致,对于学科的发展是非常有益的。例如,有利于为进一步的科学研究提供指导方针,有利于集中力量攻克难题,等等。

1.3.3 把握方向

对任何研究工作者来说,重要的是正确地把握自己的研究方向,恰当地评价自己所从事的具体研究的意义。要做到这一点,哲学方法论研究是必需的。

岩体工程科学是实践性极强的学科,新的概念和方法只能从具体的工程实践和科研活动中产生。提高科学水平不能仅仅谈论“如何做”、“为什么”,等等,但是科学工作者不能够,亦不应该丢开学科的基本概念和方法论不管。诚然,方法论对学科的知识并不增加什么,但它不仅可以帮助我们了解学科的知识,而且能帮助我们在把握总体知识方向的基础上进行卓有成效的科学研究。我们应该看到,在岩体工程科学界只注意具体的、孤立的研究,而看不到它们背后指导思想和基本观点的现象到处存在。事实上,高水平的学者总是愿意将自己的研究与学科总体发展联系起来,而从中看出研究的必要性和意义。这就要求我们必须在某种系统中，进行有关的具体问题研究。当然，任何人都不可能是万事通，但如果我们没有从整体上抓住事物的本质，那么我们的专门研究也还是孤立的，而且我们也无法恰当地评价这些研究成果对知识总体的贡献。

1.4　探讨的方式

对学科的反思性认识主要有两种基本形式：一种是对学科发展史的研究；另一种是学科的元理论探究，即对学科的基本概念、性质及方法的哲学式探讨。实际上，这两种研究方式是相互联系着的。无论是学科史的方式，还是元理论的方式，都必须坚持史论结合的原则。没有论，学科史将变成流年老账；没有史，元理论就会流于空头议论。我们的研究具有元理论的性质，同时兼顾学科思想史的分析。

严肃的学术性研究要保证其质量，最重要的问题就是必须充分占有方法论方面的资料，特别是那些对学科发展有重大意义的奠基性文献。那些著名学者的观点值得特别重视，这当然不是因为他们的观点都正确，而是因为他们具有丰富的经验和看问题的深度。此外，我们要着重了解各方面的专家就其专长领域所进行的研究和评论，因为只有在这里才能表现出他们的深度。最后，应特别注意那些长期存在的问题和学者们对这些问题的持续研究。

关于学科基本概念和方法论的探讨，属于哲学反思与批判性研究。我们试图向读者提供一种严肃的学术著作，尝试解决若干混乱的概念与方法问题。从目前的学科发展状况看，完成这一任务所需要的条件已经基本具备，因为岩体工程科学领域内那些著名的专家学者都非常重视基本概念和研究方法，很多重要的问题在过去都经过了比较充分的讨论。在我们的研究中，既要从事否定性的批判，又要强调肯定性的结论。

1.5　结语

对于任何学科来说,都需要不断地进行关于学科的性质与方法论方面的学术研究。实际上,任何一门学科对自身的认识,都是该学科发展到一定阶段的必然要求;而且也只有在对学科的本质内涵获得深刻认识的基础上,它才能获得充分发展的理性自觉以及更加显著的进步。遗憾的是,善于反思自己学科基本概念与研究方法、审视自己活动的信念与前提假设的科学家并不很多。事实上,大多数人都是一头扎进自己的研究活动里,根本无暇去抬头看路。显然,为了达到研究工作的自觉,这种状况应该有所改变。

就刚刚兴起且不断发展着的学科而言,其概念和方法体系不可能是完善的。任何学者或学派亦不应该为人们规定研究的范围和方法。所以,讨论的目的应是为了澄清各种概念,试图公正地对以往工作进行评价,不能够也不可能为岩体工程科学工作者指出一条不偏不倚的道路。

第2章 岩体及其结构概念阐释

2.1 前言

对基本概念的严密定义是任何学科发展到成熟阶段的标志。岩体工程科学的研究对象是岩体工程系统。全面地讲,这种系统包括岩体工程的勘察、设计、施工及运营期间的维护。该系统中的实体部分可以简化为岩体结构体系,这种结构体系的地质特征、工程性能及力学行为是岩体工程科学研究的主要任务。显然,岩体工程各学科的核心概念是岩体、岩体结构体系和岩体工程系统。

科学史表明,实质性的科学发展往往是通过修正基本概念的方式发生的,而学科的基本概念都应以自己研究对象的内在本质为基础。岩体工程科学的迅速发展在很大程度上取决于岩体和岩体结构这两个概念的形成与发展。认识到岩体不同于作为材料概念的岩石,这是岩体工程科学的一次革命;把岩体视为结构物或结构物体系的一部分,并发现其结构与力学性能和行为密切相关,这是岩体工程科学的一次更深刻的革命。可以说,岩体和岩体结构这两个基本概念凝结着岩体工程科学的科学理论,决定着学科理论体系的逻辑结构。因此,对岩体和岩体结构具有正确的概念在岩体科学研究中是至关重要的,学科和新概念的明确界定也是科学水平提高的重要标志。

科学概念的发现和科学理论的形成是一个逐步积累和纯化的过程,也就是说,一个新的科学事实并不是一下子就能理解透彻和解释清楚的;一个新的科学概念也并不是一下子就取得明确规定的。概念的最后严格表述和精细加工固然与某位科学家的创造性的思维成果分不开,然而其发现和形成的本质都是一个认识的历史发展过程,此间,科学家可以运用各种逻辑方法对其雏形进行反复地推敲琢磨。岩体和岩体结构概念的产生,正是缘起于对客观现象的解释和对岩体的认识过程。在此,我们不打算详细讨论它们的形成过程,而把重点放在对其内涵的逻辑考察上。

2.2　岩体工程

在详细论述岩体和岩体结构概念以前,我们先简要探讨岩体工程的概念。这是因为:一方面,现代岩体概念与岩体工程分不开;另一方面,岩体工程系统本身就是岩体工程学的研究对象。

2.2.1　岩土工程

在水利工程、交通工程、建筑工程、地下工程、采矿工程、地质灾害防治工程中都会遇到天然地质体,它们或作为地基,或作为边坡,或作为围岩。这些工程通常被称为岩土工程。王钟琦(1987)给岩土工程下的定义如下:"岩土工程就是根据工程地质、土力学及岩体力学理论、观点与方法,为整治、利用和改造岩土体,使其为实现某项工程目的服务而进行的系统工作。"

在国内,岩土工程的概念已经被广泛接受。但是近些年来,有些学者极力倡导地质工程。他们认为,地质体的变形、破坏以及渗流现象对工程有重要影响,甚至对整个工程具有控制作用。但是,在传统上地质体被视为工程建筑的环境,并没有受到与其重要性相称的对待。现在,人们已经认识到上述工程中的地基工程、边坡工程、地下工程等与建筑工程有显著的不同。对这些工程特殊性的认识使得人们把它们作为一种独特的工程类型来看待。

2.2.2　地质工程

孙广忠是地质工程的积极提倡者,他把地质工程定义为以岩土做建筑材料,以岩土体做工程结构,以地质环境做建筑环境修建起来的一种特殊工程,包括地基工程、边坡工程、地下工程以及地质灾害防治工程等。地质工程的显著特点是工程的经济与安全主要由地质条件所控制，地质工作是这类工程的基础性工作（孙广忠，1988，1993，1996）。

有人不赞成地质工程的提法，仍然采用岩土工程。孙广忠之所以提出地质工程的概念来代替岩土工程，主要是为了强调这种工程对地质条件和地质环境的巨大依赖性。他认为把地质体称为岩土，容易引导人们在工作中只考虑岩土，把地质环境忽略掉。地质工程似乎不包括石料建筑和填土工程，因为在这种情况下，没有地质控制的问题。可见，把填土工程归类为一般的建筑工程更合适，而它是岩土工程的一部分。此外，从历史上看，岩土工程是以土力学与基础工程为基本内容发展起来的，后来加入了岩体力学与工程的内容。

此外，人们通常所理解的岩土工程，其规模并不是很大，不包括山体和区域地质体的稳定性评价与控制，而这些正是地质工程所要处理的重大问题。殷跃平（1995）也指出，这些工程的最大特点是从广义的工程选址到工程建设都面对复杂地质体，并且必须对这些复杂地质体进行改造与控制。

为什么要强调地质问题和地质工作的突出重要性？孙广忠（1993）指出，当前国际国内都存在这样一个问题：重大工程建筑中出现的灾害性事故，与地质有关的比例越来越大。出现这一情况的原因有两个：一方面是与工程地质勘察工作深度不够和质量不高有关；另一方面是工程设计和施工人员对地质条件和地质环境的重要性认识不足，从而使得设计和施工方案相对于地质条件的针对性不强。我们认为，孙广忠等学者强调地质工程的特殊性对于解决地质与设计和施工相互脱节这一重大难题是有积极意义的。

其实，地质工程本身并不是独立的工程类型，而是主体工程的组成部分。要保证主体工程实现其功能，必然对地质体有一定的要求,即要求地质体具备特定的功能。地质工程之所以能成为地质工程学的对象,一方面是由于地质工程不同于建筑工程的特殊性,另一方面也是由于地质工程具有相对独立性。也就是说,地质工程的勘察、设计、施工及运营构成相对独立的系统。

2.2.3 岩体工程

孙广忠所说的地质工程包括岩体工程和土体工程,而且主要是岩体工程。梁炯鋆等(1992)也倡导地质工程,以强调环境因素与工程的相互影响。他们把地质工程定义为:"用工程措施控制地质体,使之成为具有服务功能的工程",把地质工程系统规定为:"由岩体、环境、调控技术、投资、规划、勘察、试验、工程论证、设计、施工、验收等要素组成而且具有整体功能和综合行为的统一体。"但是,他们的地质工程概念是相对于岩体工程而提出来的。在他们看来,工程地质体是由岩体与环境因素组成的,环境即工程影响所及的范围。"岩体工程与地质工程的主要区别在于如何对待环境因素。岩体工程是相对于结构工程而言的,它强调人们要重视岩体的特性,特别是其自稳能力,不要将岩体单纯作为荷载,而应将其也作为承载结构的一部分。地质工程则是相对于岩体工程而言的,它强调人们要重视环境因素与工程的相互影响,忽视环境因素的影响,将造成不良后果甚至引起破坏。"

由于地质工程规模越来越大,人工改造往往引起环境的变化。如果这些变化使环境不能保持其自身稳定,则尽管工程本身已趋于稳定,仍然会影响或破坏系统的整体功能。梁炯鋆等(1992)说:"在规定地质工程系统的要素时,我们把环境要素列入其中,其意义就在于,明确环境稳定性对整体功能的制约关系,以确保系统的稳定性。"实际上,孙广忠在谈论地质工程时,也总是把工程与环境的相互作用放在特别重要的位置上。他没有忽略区域地质环境对具体工程的影响(例如活动断层对具体工程地质体稳定的影响),也没有忽视工程建筑对地质环境可能造成的影响(例如建筑破坏当地居民点的饮水等)。

无论我们称呼岩体工程、地质工程,还是岩土工程,它并不是独立的工程类型。事实上,独立的工程类型通常都是以功能命名的。例如,涉及到岩土的有水利工程、建筑工程、铁路工程、采矿工程、环境工程、防灾减灾工程等,地质工程只是它们的一部分。之所以在这些工程名称之外还提出地质工程之类的称呼,是由于岩土体的特殊性。在本书中,我们把岩体工程看做地质工程的一部分。但是,如果把天然土体视为特殊类型的岩体,那么岩体工程实际上就等同于地质工程。我们在不得已的情况下也使用岩土工程这一术语,但仍然强调地质条件对工程的控制性。术语的统一是很困难的,即使可能也将需要很长期的过程。

2.3 岩体概念

岩体概念的系统化主要体现在岩体的严密定义、岩体结构概念的形成以及岩体力学体系的初步建立。

岩体和岩体结构概念由于谷德振等人的强调,已经引起岩体工程科学领域内学者们的高度重视。但是,很难说这些基本概念已经普遍地深入人心,更不能说在实践中得到了很好的贯彻执行。从文献中岩体一词的用法可以看出,人们对这一概念并没有统一的见解。我们认为,岩体概念产生的背景应该加以强调。由于岩体力学有过忽视岩体特性的阶段,因此全面阐述它们仍然具有现实意义。

2.3.1 岩体概念的形成

岩体的概念有什么样的含义?这种称呼到底具有怎样的实际意义?我们认为只能通过回顾这一概念产生的思想背景,才能回答上述问题。

岩体的概念是人们在逐渐认识岩体基本性质的基础上建立起来的。大约在 20 世纪 60 年代以前,人们把岩体当做材料进行研究,也就是说把岩石与岩体等同起来,按照评价材料优劣的标准对岩体进行评价。那时,现代岩体的概念是很微弱的。事实上,直到20世纪70年代,人们"考虑问题还经常基于岩块的性质而不是岩体的性质。许多岩石力学实验室把大部分的研究和试验活动仍然用在岩块上,而只把远远少得多的力量花在复杂岩体的力学性质研究和试验上,在这方面就是很典型的。"(Müller,1974)。

随着工程建设的普遍展开、工程规模的增大以及研究的逐步深入,人们发现经验不足,把关于岩石的知识用于解决岩体工程问题也是远远不够的。这样,逐渐形成了裂隙岩体的概念。在这一阶段的发展中,马尔帕塞坝和瓦依昂水库失事等惨痛事件促使人们开始注意裂隙岩体基本力学性质的研究。认识到岩体的最大特点是其内大量发育着各种不同规模的地质界面,如断层、节理及层面等。这些地质界面统称为裂隙,它们对岩体的力学性质具有头等重要的影响。奥地利地质力学学派和中国岩体工程地质力学学派对此作出了较大的贡献。

在新中国的岩体工程实践中,遇到了很多复杂的地质条件,如断层破碎带、软弱夹层、节理密集带、喀斯特溶洞、地下水等。新中国成立初期进行工程建设时,主要侧重岩性、构造和地下水等对工程的影响。20世纪60年代初期,一个具有坚强花岗岩坝基的大坝所发生的局部变形破坏,给人们一个深刻的启示:不管基础岩石如何坚强,只要岩体中存在着不利的软弱地质不连续面,岩体就失去它的完整性,就有可能沿着这软弱面发生变形破坏。王思敬曾经回忆说:善于从实际中捕捉问题核心的工程地质学家谷德振,在人们普遍认识到"岩性、构造、地下水"是岩体工程地质评价的三个重要因素时,敏锐地指出构造是关键。

从结构观点出发,李四光很早以前就把地质体中的切割面命名为结构面,谷德振和孙玉科进一步扩充了这一概念,将岩体视为结构物,将岩体中的切割面和其他弱面(如层面)统称为结构面,把结构面切割成的岩体单元称为结构体,结构面和结构体称为岩体结构单元。与之相应,岩体就是由结构体和结构面组合而成的地质体,岩体的结构就是不同类型的岩体结构单元在空间的排列、组合及相互联结方式。这样,在工程实践和理论研究的基础上,逐步形成了具有中国特色的岩体结构学说(谷德振,1979;王思敬等,1984;孙广忠,1988;孙玉科等,1988)。

2.3.2 岩体不是岩石

以上简述了岩体概念的形成过程,现在开始探讨岩体的逻辑概念。在地质科学中,把具有一定化学成分及结构的化合物称为矿物;由一种或几种矿物组成的具有一定结构构造的集合体称为岩石;由岩石组成的具有一定结构并赋存于一定的地质环境中的实体称为地质体。在岩体工程科学中,这种地质体称为岩体。

这样,岩体是具有一定矿物成分、一定结构型式、一定赋存状态及赋存环境的地质体。Müller(1974)和谷德振(1979)等都强调岩体与岩石材料的区别。岩体往往受到宏观地质界面的切割,具有复杂的结构;而且其范围一变,控制性的岩体结构模式就会改变,因而岩体各向异性、不连续性和不均质性也都发生变化,分析问题的理论和方法也得改变。

必须指出,强调岩体是地质体,不仅是在言明岩体工程中地质因素的基础性和重要性,而且也指出了岩体与其他工程结构物的区别:岩体赋存在一定的地质环境中,其中的地应力、地下水、地温等地质因素既是岩体的一部分,又是岩体的状态参量,从而构成岩体作为结构物的特殊性。在给岩体所下的定义中,孙广忠(1988)特别提到岩体是"赋存于一定的地质环境中的地质体",但他所说的"一定的地质环境"包括地应力、地下水和地温。显然,他把地应力、地下水和地温看做是岩体的赋存环境。实际上,地下水是岩体物质组成的一部分,地应力和地温在岩体力学分析中则被认为是岩体本身的属性。因此,将地应力、地下水、地温看成岩体赋存环境因素似乎是不恰当的。

应该强调指出，岩石和岩体具有本质区别。将两者等同起来既看不到岩体的结构特征，也看不到其赋存状态和赋存环境的特殊性。岩石是材料的概念，其性质也比较单一，它只是岩体的一种材料。岩体是由各种岩石所组成的，是经受过变形、遭受过破坏的地质体(孙广忠，1988)。岩体最明显的特征，即使是对岩体工程问题不熟悉的人也能立即知道，即经受过各种地质界面的切割，具有不连续性或说多裂隙性。正是由于岩体中一般都含有地质不连续面，因此岩体常常被称为不连续岩体(Discontinuous Rock Mass)，或节理岩体(Jointed Rock Mass)，或裂隙岩体(Fractured Rock Mass)。

2.3.3　岩体是结构物

卡斯特奈(1971)曾经指出：在地下工程中，应当把地层视为支护结构的共同承载部分，因此结构体系由支护结构与地层共同组成。"地层的共同静力作用很重要，如果没有这种作用，隧道和坑道建筑就只能在不大的范围内实施。假如地层没有承载作用，那么支护结构必须按地层重新恢复到开挖前存在的那种应力状态来计算。也就是说，支护结构应当能承受垂直压力 p_v 和水平压力 p_h，以及承受地层的构造应力。"在现代岩体工程中，这种把岩体视为结构物的观点已经被普遍地接受。事实上，岩体的确是整个工程结构体系的一部分或全部。例如，边坡岩体是独立的结构体系，围岩和地基则是结构体系的一部分。

岩体既然是结构物，就不应当把它仅仅看成是荷载，而是能够承担一定荷载作用的体系。正是由于这种看法，我们在工程中才尽力发挥岩体的潜能，与之进行合作。当岩体作为结构物体系的一部分时，必然与建筑结构发生相互作用。很多情况下，这种相互作用是至关重要的，必须加以考虑。而且，岩体在结构物体系中通常是较薄弱的一部分，因而决定着整个系统的安全。

岩体结构物和建筑结构物相比有显著的区别(古德曼,1980)。建筑结构物的材料性质、构件类型、几何尺寸及结构型式都是清晰确定的,是人为安排的,因此其力学分析相对说就容易得多。而作为结构物的岩体就困难得多了。①动态地考察岩体,其历史可分为建造过程和改造过程。详细的岩体地质历史是很难搞清楚的。②岩体的物质组成和结构型式都无法彻底搞清楚。③不可能用确定别种工程材料性质的同样精度来确定岩体材料的性质。④岩体赋存在复杂的地质环境中且没有明确的边界。⑤通常情况下,岩体是多相体系(即固相、液相和气相),承受应力场、温度场和渗流场的共同及耦合作用。

2.3.4　岩体与土体

作为工程作用对象的地质体可以是岩体,可以是土体,也可以由部分岩体和部分土体组成。例如,风化地质剖面具有三层结构:表层强烈风化的土层、强风化和弱风化的过渡带以及含有不连续面的新鲜岩体;坡积物及其下卧基岩组成的岩土体。不论是岩体还是土体,都是具有一定矿物成分、一定结构型式、一定赋存状态及赋存环境的地质体。Müller(1974)和谷德振(1979)等都强调岩体与岩石材料、土体和土的区别。

天然土体也是有结构的,其中存在软弱层面、软弱夹层;特别是在老黄土中普遍存在构造节理。一般是把“土”定义为松散的颗粒堆积物,而“土体”则是具有一定物质组成、一定结构型式,并赋存于一定地质环境中的地质体。事实上,天然土体可以看做为某种特殊类型的岩体,而且同一般的岩体没有严格的界限:残积土体可认为是极度风化的岩体;土体可认为是正在经历成岩作用过程的沉积岩。不过,通常情况下,岩体和土体在介质特征、结构类型、勘察试验方法、力学分析方法、施工条件等方面均有很大差别。

2.3.5　岩体的范围

岩体本身是由三相物质组成的实体,同时又总是处在一定的地质环境之中。岩体是我们多少有些武断地从中划分出来的研究对象。因此,岩体工程中所涉及的岩体并不具有尺寸大小的严格限制,也没有明确的自然边界,其范围视研究课题的需要而定(谷德振,1979)。现阶段岩体力学研究的岩体可从完整的岩石块体到区域地质体。例如,对构造形迹的追索、地震的力学机制探讨需要在区域范围内进行分析;而对具体工程中某些部位进行分析,则范围就小多了。一般说地质学研究的范围比岩体工程科学研究的范围要大得多,因此也有人把岩体称为地质体的一部分。

在实际工程中,外部荷载或开挖总是作用于地质体的某些部位,影响到一定的范围,而在此范围之外影响甚小,可以认为仍保持原始状态。这种受工程显著影响的部分地质体就是岩体。因此,边坡、地基、围岩等都是有限范围的岩体,其边界通常都可以根据理论计算和经验加以很好地确定。研究表明,岩体的范围与开挖尺度或荷载作用面的尺度有关,通常数值计算时,两者之比取3或4即能满足精度要求。

上述说明只是针对岩体的最终形态而言的。实际上,在施工过程中岩体的范围是逐渐变化的,因为工程作用的影响范围不断变化,直到施工结束时形成地基、边坡或围岩。很多情况下,不仅要求我们知道运营期间岩体的变形和稳定性,还要考虑施工过程中岩体的变形和稳定性,因此应该把岩体视为变结构体系。

2.3.6 岩体概念的表达

现在我们根据以上的分析说明,把岩体概念表述如下:岩体是赋存于一定地质环境中的地质体,是工程作用或力学分析的对象。从工程或力学角度把岩体看做是工程或力学作用对象,易于被人理解与接受,并可大致给人提供一个界定岩体范围的标准。当然,工程岩体的边界并不总是能够容易地确定的。岩体赋存于地质环境之中,没有特定的自然边界,而依解决岩体稳定问题的需要所圈定。随着工程地质勘测阶段的不同,所针对的问题不同,以及工程性质的不同,所需考察和分析的岩体范围就不一样。必须指出,强调岩体是地质体,不仅是在言明岩体工程中地质因素的基础性和重要性,而且也指出了岩体与其他物体的区别:它是赋存在一定的地质环境中的,其中的地应力、地下水、地温等地质因素既是岩体本性的一部分,又是岩体的状态参量,从而构成了岩体的特殊性。另外,岩体工程的设计必须从岩体这种地质体的现状出发,而很少有选择的余地。

岩体具有一定的结构型式并被视为结构物或结构物体系的一部分。岩体既然是结构物,那它就不仅仅是荷载,而是能承担一定的荷载作用。正是由于这种看法,现在我们在工程中是尽力发挥岩体的潜能,与之进行合作;岩体既然是结构物,就不能称其为材料,因为材料特性不会与其体积大小有关,而岩体不是这样。岩体受地质界面的切割而具有复杂的结构型式;而且其范围一变,控制性的岩体结构模式就会改变,因而岩体的各向异性、不连续性和不均质性也都发生变化,分析问题的理论和方法也得改变。因此,正确确定岩体的尺度是岩体力学分析的前提;岩体作为工程结构物系统的一部分,必然与建筑结构发生相互作用。很多情况下,特别是在大型的地质工程中,这种相互作用是至关重要的,必须加以考虑。另一方面,岩体在结构物系统中通常是较薄弱的一部分,因而决定着整个系统的安全。

动态地考察岩体,其历史可分为建造过程和改造过程。详细的岩体地质历史是很难搞清楚的,其未来行为的预测也极为艰难,这又是同其他工程材料和结构物不同的地方。一般结构物的材料性质、构件类型及结构型式都是清晰的,是人为安排的,因此其力学分析相对说就容易得多。而岩体是天然形成的,其历史过程和地质现状很难搞清楚,各类结构单元的力学性质及相互作用,研究起来就复杂得多。工程岩体是天然岩体在条件发生变化时的结构物,重要的是探讨岩体的动态发展过程。因此,不应以静态的观念看待岩体。

2.4 岩体结构

从地质构造的概念发展到岩体结构的概念,看似简单而实则是以大量的岩体工程实践为基础的。事实上,结构思维是人类认识事物的一种普遍的思维方式,岩体结构概念的形成也是在此背景下靠类比和移植完成的。

2.4.1 岩体结构的概念

在岩体工程中,认识到地质构造乃至岩体结构对岩体稳定的突出重要性并不是件容易的事情。谷德振及其同事通过大量自然地质现象和工程地质现象的观察,认识到岩体的失稳与岩体内的某些地质界面有着密切的联系,并由此产生了结构面及其空间分布控制岩体稳定的基本概念(谷德振,1963a)。此后,他们便有意识地探讨岩体变形破坏与岩体结构之间的关系。

在岩体工程领域中,以往人们是怎样评价岩体之工程性能的呢?古德曼(1976)指出,以往在评价岩体的性能时,很少注意到软弱地质界面的存在。而要了解岩体中软弱面对岩体力学性态的影响,只有当精确地弄清它的产状和相对于工程的位置时才有可能。早在1963年,谷德振就指出岩体中存在的结构面破坏了岩体结构的完整性,这些结构面的空间分布直接影响着岩体的稳定性。因此,在岩体稳定性分析时,必须研究结构面和建筑物的依存关系(谷德振,1963a)。此时,他还没有形成完整的岩体结构概念,但已有“岩体结构”的说法。

我们知道,在建筑结构领域,“结构”一词通常具有两种含义,即“结构物”和“结构型式”。我们可以说一栋建筑物是框架结构,也可以说这栋建筑物具有框架结构。同样,谷德振等人一方面把岩体看做结构(物),另一方面说岩体有结构(型式)。由于他们把岩体作为结构来看待,因此就把地质界面统称为结构面,而被这些结构面切割而成的岩块或块体则称为结构体。岩体结构就是结构面与结构体以不同形式的相互结合(谷德振,王思敬,1979)。

结构面是指岩体中各种地质界面,包括物质分异面及不连续面。结构体就是由各级结构面所包围的断块体、块体集合体、块体以及岩块(谷德振,黄鼎成,1979)。“结构体一般看做相对均一的连续体,其次一级的不均一性和不连续性在力学参数或力学模型的选择中加以考虑”(谷德振,王思敬,1979)。结构面也是物质实体,这在语言学上是一个歪曲,但在数量上这个歪曲是微小的,而且能形象地表明它的作用机制(孙广忠,1988)。

回顾岩体结构概念的形成过程,我们会发现既有经验事实作为它归纳概括的依据,又有理智的创造活动作为它的基础。同时,科学中已有结构概念的移植嫁接也肯定在岩体结构概念的形成中起到了一定的作用。实际上,结构是一个普遍的概念,从小到原子,大到宇宙都具有结构。结构概念在各门具体科学中具有重要地位。可以毫不夸大地说,如果取消“结构”这一范畴,各门科学体系就无法建立。事实上,结构观点基本上已成为关于世界及其事物的一种思维方式。

2.4.2 岩体结构的属性

岩体结构同其他物体的结构一样,具有一系列的属性。首先,岩体的结构是岩体所具有的,不是人们思想从外面加给岩体的东西。当然,我们所抽象出来的结构模型只反映岩体的本质要素,不是将全部因素都纳入其中。正因为如此,我们建立的岩体结构模型是否符合实际,还要受到实践的检验。

其次,结构是一个整体性的概念。事物的结构不是其构成要素或组成部分的机械堆砌,而是按照一定的规律有机结合的整体。岩体的结构单元受一整套内在规律的支配,这套规律决定着结构的性质和结构单元的性质,它在结构之内赋予各单元的属性要比这些单元在结构之外单独获得的属性大得多,也就是说,岩体结构单元不会以它们在结构中存在的同样形式真正独立地存在于结构之外。

第三,岩体结构具有多层次性。虽然岩体中各种因素之间是相互联系着的,但联系的紧密程度并不都是一样的。这里所谓层次是指内部各因素之间的不同程度的联系。若干因素联系十分紧密,形成一种相对独立的统一性,这便是一个层次。在这个统一体的外部可能又有若干因素,它们之间的联系程度相对紧密,于是这些因素又构成另一个层次。岩体的结构具有明显的层次性。到底着眼于哪级结构,与我们所关心的问题有关。可以说,不同层次的结构反映岩体的不同属性。反映全部属性的结构模型或许是超出我们认识能力之外的。从实际的观点讲,我们不论研究的是任何范围的岩体,都是只针对其中的某个或某些方面进行的。研究大地构造的科学家不会将规模很小的断层等地质界面引入其构造模型;研究工程岩体的科学家也不会将岩石材料中的微小裂隙视为岩体结构的要素。

2.4.3　岩体结构理论

岩体结构理论的基本内容在国内和国外几乎是独立地、同时地发展起来的。在国外,奥地利学派具有代表性,其基本观点可表述如下:岩体是由不连续面切割形成的不连续体即裂隙岩体;岩体的强度取决于岩块之间的摩擦与咬合程度;岩体变形主要决定于组成岩体的岩块的活动程度,而不是决定于岩石本身。充分表述这一理论的国内著作有谷德振的《岩体工程地质力学基础》(1979)和孙广忠的《岩体结构力学》(1988)。

经过大量的实践和科学研究,证明岩体结构对岩体的力学性能和力学反应的影响往往大于岩石材料的影响。谷德振(1979)指出:“岩体的特性以及所处的应力状态,实际上是岩体内在结构的反映,是受岩体结构制约的。也就是说,岩体受力后变形及破坏的可能性、方式和规模受岩体自身结构所制约。”谷德振及其同事建立起来的岩体结构学说可简要地被表达为:岩体的地质条件特别是岩体结构,决定着岩体变形破坏机制和力学介质类型,影响着岩体的工程力学性能,决定着实际岩体的力学反应,从而也就控制着岩体的稳定性。

岩体结构理论也被称为岩体结构控制论。孙广忠(1988)明确提出岩体结构控制论是岩体力学的基础理论。的确,我们将会看到,组织岩体力学试验、开展岩体力学分析、进行岩体改造等都离不开岩体结构控制论的指导。

2.4.4 岩体结构的应用

根据岩体变形和破坏机制以及岩体内应力特点来划分介质类型,其基础是岩体结构。人们在对岩体结构类型的认识方面还不完全一致,但就工程岩体而言,岩体结构一般可划分为五种主要类型,即完整结构、块裂结构、碎裂结构、板裂结构和散体结构。据此,并考虑岩体受力特点,孙广忠(1988)将岩体划分为四种力学介质类型,即连续介质、块裂介质、碎裂介质和板裂介质。就此而言,可以说岩体结构是地质与力学相结合的"桥梁"。岩体结构类型的划分,使看起来杂乱无章的岩体具有了严整的层序和类别,并且与其工程力学性能及现象密切关联;同时也为岩体力学工作者提供了介质类型划分的依据,地质和力学在这里找到了结合点。

岩体结构型式的定名与岩体规模有关。例如,同一地质体,在大范围时可看成层状结构;而在具体工程部位则可视为块状结构(谷德振,王思敬,1979)。在对同一岩体采用不同方法进行分析时,我们可以建立不同的岩体结构模型。例如,在极限平衡分析中,结构模型中只包括那些软弱结构面是合适的;而在岩体变形分析中,节理必须显式地或隐式地引入结构模型。

岩体结构概念及其学说的形成,极大地推动了人们对岩体变形破坏机制、岩体力学介质类型及力学分析模型的探讨。孙广忠(1988)以岩体结构控制论为基础,初步建立了岩体力学的基本体系，即岩体力学是由连续介质力学、块裂介质力学、碎裂介质力学和板裂介质力学组成的体系。岩体力学计算突破了连续介质弹塑性理论，已发展了碎裂介质力学分析、块体理论、散体单元法等多种不连续介质力学方法。

2.4.5　结构理论的有效性

美国科学哲学家Kuhn(1996)认为，当某种科学发现要求对科学的规范和知识体系进行一系列的调整，而且这些调整越来越明显时，我们就可以把它看做是科学革命。如果我们对岩体力学和工程地质学的发展情况加以考察，就会发现岩体和岩体结构概念与学说的形成已在岩体工程科学中引起了一场革命。因为它修改、调整了岩体工程科学的知识体系。

然而，我们对岩体的认识，可以说刚刚摆脱了幼稚态度，岩体结构的现实模式和概念以及结构控制论都是岩体工程及其科学发展至今对经验和理论的概括、总结，而并非普遍的、永久有效的概念。我们应当时刻牢记，经验科学的概念和理论，只是在它所经验的范围之内有效。一旦问题超出经验的范围，一旦人们对老问题有了新的考虑，那么这些概念和理论就可能不再有效，或由主导地位退居次要地位，或改变它们原来的内涵。例如，人们已经发现在高地应力条件下，岩性是重要的，甚至对岩体的变形破坏起控制作用。这是因为岩层承受高压，即使存在不连续面，也不会产生松动，而呈现出紧密状态；不论是变形特性，还是强度，与其说决定于不连续面的存在，不如说决定于岩石本身的性质。另外有些情况，岩体中虽然存在着结构面，但这些结构面并不是岩体中最薄弱的环节。例如在一些第三纪泥质砂岩中，砂粒间的胶结是那样的微弱，以致当岩体受力后，通过岩石材料本身的破坏比沿节理发生的滑移破坏还容易得多。页岩和泥岩岩体也往往具有这样的破坏形式，即破裂趋向于通过岩石材料发生。在这些情况下，宏观的岩体结构就不再具有控制作用了。

第3章 岩体工程科学的基本框架

3.1 前言

人类以岩石作为工具和建筑材料远比其他简单材料要早,以坚固的岩层作为建筑物地基也被认为是理所当然的。在与岩石和岩体打交道的长期实践中,逐步积累起来的经验使得人们比较熟悉其特性,以至于很长时期内感到没有必要对其进行专门研究。

然而,把岩石当做建筑材料,总是选用好的,被切割成小块的岩石避开了天然裂隙,强度很高;由于岩体工程规模较小,同时也选择较为坚实的岩层作为地基,因此在安全上没有多大问题,人们根据经验就可以解决问题。但是,当大型的水利工程、地下工程、铁路工程、矿山工程等开始发展时,就提出了很多靠以往经验不能解决的地质、力学和工程问题,感到需要了解比直观掌握的更多的岩体特性以及工程设计与施工理论。这种需要无疑会推动岩体工程科学的发展。事实上,与岩体工程有关的各种学科正是近几十年才逐渐形成与发展起来的新学科,主要是出自土木和采矿工程的实际需要,出自使岩体工程更加经济和安全方面的需要。这些需要已经成为,而且将继续成为促进岩体工程科学作为独立学科向前发展的原动力。

现代岩体工程的规模越来越大,有效地解决这类工程中遇到的问题要求我们必须具有坚实的理论基础和丰富的工程经验。本章讨论岩体工程科学的学科划分以及各相关学科的基本概念和理论框架,目的是使我们增进对岩体工程科学的基本概念与学科轮廓的深刻理解。

3.2 岩体工程学科的划分

在科学领域内,科学家们是怎样划分学科的?科学史告诉我们,基本的学科划分方式有两种:一种是根据所研究的现象进行划分,即集中研究某种现象形成某门学科,例如光学研究光学现象、力学研究力学现象、化学研究化学现象、电磁学研究电磁现象,等等。另一种方式是根据事物种类划分研究对象形成学科,例如动物学研究动物、植物学研究植物、生物学研究生物、天文学研究天体,等等。

显然,研究同类事物的不同学科是以现象的不同来划分的。由于同类事物的不同现象之间完全可能存在着相互关联,因此多个研究领域的交叉必将导致交叉学科的诞生。

3.2.1 分析研究

对于任何复杂系统的研究,重要的是弄清系统的性质、内在机制及其整体行为。但是,我们不可能一下子研究所有的事情,任何学者或学者集团也不可能具有分析所有相关问题的必要能力。因此,就需要把实际上统一的认知对象多少有些武断地划分为若干领域,对于其中的每个领域都有一个学者集团集中他们的训练和研究,从而获得专门化的好处。

如上所述,学科领域划分或确定专门化领域的一种方法是抽取某种对象或现象并集中研究它。在对这种特殊对象或现象进行研究时,或者暂不考虑它与其他对象或现象的相互联系,或者从那些相关性因素对该对象或现象的影响出发加以研究。

岩体工程系统是岩体工程科学的研究对象,我们知道即使不包括工程管理方面的因素,也已经十分复杂。例如,岩体作为地质体,有其形成和演变的历史并且总是在不断地变化着;岩体作为岩体工程结构体系的一部分或全部,在外部荷载作用下可能表现出极为复杂的力学行为。由于岩体的复杂性,就构成了很多分支学科研究同一对象的局面。只不过不同学科研究的现象、侧重点不同,例如岩石学和矿物学研究岩石的成因类型、组织结构以及矿物成分;地质学研究地层的形成与演变历史;地质力学则从力学观点出发研究地壳的运动及变形现象。从工程观点出发研究岩体的有岩体工程地质学、岩体力学和岩体工程地质力学。前两个学科基本上属于分析研究的产物,它们的分界是比较清楚的:工程地质学的主要任务是查清工程建设场地的工程地质条件,并对此工程地质条件及工程建筑对地质环境的影响进行定性、定量评价;岩体力学则是研究岩体在工程作用下的力学性能和力学反应,这是力学的分支学科。

3.2.2 综合研究

尽管上述划分学科领域的方法有助于学科分化,并使每门学科研究程度不断深入。但是,这不是学科领域划分的惟一方法。就某种对象划分成若干种学科分支,并将所有相关研究成果集合到一起,似乎可延伸到关于此对象的整个知识领域,但是这种知识的简单集合并不能告诉我们所需要知道的全部。因此,这种分析研究必须有其他研究加以补充。于是有第二种划分学科领域的方法,即根据所关注的现象,就研究对象的各个方面进行历史性、全面性的综合考察。具体到岩体工程问题来讲,岩体工程地质力学就是这种性质的学科。它是将岩体的地质方面、力学方面、工程方面综合起来加以研究的产物,绝不是对工程地质学、岩体力学进行简单组合而得到的。这门学科要用地质力学的理论和方法来搞清岩体结构的形成机理和性质;再用岩体力学的理论和方法探讨裂隙岩体在外部作用下的变形与破坏;并结合工程要求做出岩体稳定性分析和评价(谷德振,1979)。

岩体工程地质力学观点是一种比较完善的方法论。它首先认为岩体研究不能脱离其地质背景和大的环境,因为它们对岩体的力学性状具有宏观控制意义。大范围地质体的地质力学分析有助于搞清岩体的结构以及岩体的天然应力状态，而这对岩体力学研究来说是最基础、最根本的资料。这种从整体入手把握局部的思维具有很强的逻辑性。其次，它强调地质、力学和工程的密切结合。实际上，岩体工程地质力学既是一门学科，又是解决岩体工程问题的一种跨学科方法论。我们认为，谷德振提出岩体工程地质力学是有深远意义的，遗憾的是现在很少有人能够体会这种意义。

岩体工程地质力学的综合还是有限的，它的对象是岩体。当我们把整个岩体工程系统作为研究对象时，便产生了更高综合性的学科，即岩体工程学。岩体工程系统是很复杂的，不仅涉及到自然与人造的结构体系，而且还涉及到人文因素，因此岩体工程学与岩体力学和工程地质学不在同一层面。

3.3　岩体力学

岩体工程给学者们提出了无穷无尽的数学力学问题。人们已经清楚地认识到，岩体工程的核心问题是岩体的变形与破坏，因此其实质性的理论问题属于岩体力学。

岩体力学是近几十年内迅速发展起来的新学科。当某种学科一旦形成且发展到一定阶段时，人们往往自然而然地关注它的定义、性质、范围以及在科学分类中的地位。为了弄清某种学科的性质，我们应当进行两种探索：一是研究学科的发展历史；二是考虑学科的基本研究方法以及学科在总体中的逻辑位置。

岩体的力学现象无疑是一个认识领域，但这样的认识领域是否具有独立性却是我们必须回答的问题。并非所有不同的对象，都可以形成独立的学科领域。例如，各种金属是互不相同的，它们同混凝土的差别则更加显著，但是金属和混凝土等都是材料力学的研究对象，我们并没有建立多种材料力学。可见，学科的独立性不仅仅取决于研究对象的特殊性，更重要的是这种特殊性所要求的不同研究方法。我们的分析清楚地表明，岩体力学在科学上的独立性主要在于岩体的特殊性所要求的特殊方法。

3.3.1 学科的形成与发展

岩体力学的形成与发展越来越表现出复杂性。根据孙广忠(1988)的观点,20 世纪 90 年代以前的岩体力学大致可分为材料力学、碎裂力学和结构力学阶段。这种阶段划分当然是模糊的,但总的趋势确实如此。20 世纪 90 年代以来,为了克服岩体力学面临的困境,人们对复杂系统科学在岩体力学中的应用越来越重视。

(1)连续介质力学阶段:早在 20 世纪初,就有人对隧道围岩进行了力学研究。1946 年 K. Terzaghi 出版了《隧道地质入门》一书,标志着岩体力学的初步形成。1956 年在美国的科罗拉多矿业学院举行的一次专业会议上,开始使用"岩石力学"这一名词,并由该学院汇编了"岩石力学论文集"。在论文集的序言中说:"它是与过去作为学科而发展起来的土力学,有着相似概念的一种学科,对这种有关岩石的力学方面的学科,现取名为岩石力学"。塔洛布尔 1957 年在巴黎出版的专著《岩石力学》是这方面最早的一本较系统的著作。

岩体力学的研究和应用有一个时期(20 世纪 60 年代以前)是将岩体当做材料进行研究,取孤立的岩块为研究对象,按照评价材料优劣的标准对其进行评价,选择岩石的弹性常数和强度参数,并按连续介质力学基本理论进行分析。这时,真正岩体和岩体力学的概念是很微弱的。虽然当时也有少数人认识到了地质不连续面在力学上的重要影响,但由于没有能力把这种复杂对象作为不连续介质来对待,人们只能做出简化以使得我们能够对其进行力学分析。另外,岩体力学工作者对岩体的工程地质条件不够重视,在工程建设领域也并没有对岩体力学引起更多的注意。这是因为在工程规模较小时,工程师不进行岩体力学分析单凭经验就可解决工程建设中遇到的岩体力学问题。即使发生事故,造成浪费,因规模小也是无关紧要的,很多国家的情况都是如此。

视岩体为连续介质而发展岩体力学的状况,在不同的地方又持续了不同的时期。例如,苏联早在20世纪50年代就从事与矿山有关的岩体力学研究工作,他们多借用连续介质力学的理论。由于工程地质界不重视研究岩体力学,因此工程地质与力学相结合的工作进展迟缓。一直到20世纪70年代末才开始注意裂隙岩体。其他国家的实践也都反映了由连续介质理论走向裂隙岩体理论的过程。Müller(1974)曾经指出,直到20世纪70年代,人们"考虑问题还经常基于岩块的性质而不是岩体的性质。许多岩石力学实验室把大部分的研究和试验活动仍然用在岩块上,而只把远远少得多的力量花在复杂岩体的力学性质研究和试验上,在这方面就是很典型的。"

(2)碎裂介质力学阶段:随着工程建设的普遍展开、工程规模的增大以及研究的逐步深入,人们发现经验不足,连续介质力学的知识用于解决岩体工程问题也是远远不够的。但是,真正扭转人们对岩体认识,并在工程建设领域引起人们对岩体力学问题关心的是法国马尔帕塞(Malpasset)坝的失事。该坝为薄壳拱坝,于1954年建成。坝基岩体为片麻岩,左岸夹有绢云母板岩。1959年12月2日夜,当水库蓄水水位达100.12m(坝顶标高102.55m)时大坝突然崩溃。经调查,溃坝的主要原因是坝的左翼有被交叉的软弱结构面切割成的楔形岩块,由于坝的推力和高水头压力的作用而发生滑移。这一事件使坝工技术人员认识到坝基岩体的稳定同坝身一样具有重要意义,甚至比坝身的稳定具有更重要的意义。因而有组织地研究岩体力学的呼声顿时高涨起来。1963年10月9日,意大利的瓦依昂(Vajont)水库左岸山体由于水库蓄水而产生浮托力,使石灰岩层理强度减弱而发生大规模滑动,在1min内大约有2.5亿m^3的岩体滑入水库内,顿时击起250m高的涌浪漫过坝顶,死亡3 000人。

马尔帕塞坝和瓦依昂水库失事等惨痛事件促使人们开始注意

裂隙岩体基本力学性质的研究。认识到岩体的最大特点是其内大量发育着各种不同规模的地质界面,如断层、节理及层面等。这些地质界面对岩体的力学性能具有头等重要的影响。在裂隙岩体概念的形成中,以 Müller 和 Stini 为首的奥地利地质力学学派对此作出了巨大贡献。该学派的主要贡献之一就是认识到岩体变形性状和强度方面的不连续性具有头等重要意义。

构造地质学家们早就认识到地壳是被强烈破坏过的不连续地质体,有些工程地质学家和工程师例如 Stini 早在 1929 年也认识到这一点,并主张在设计中要考虑这些地质不连续性的影响。但是,很多人却长期假设岩体为均质、各向同性的连续介质。1951 年,Stini 和 Müller 等在奥地利的萨尔茨堡组织了第一个国际岩石力学协会,并形成了独具一格的奥地利地质力学学派。Müller 多次强调指出:岩体不是连续介质,而且它的性状是由不连续面,如断层、节理和层面所控制的。正是这个学派促使了岩体力学向非连续介质力学方向发展,其基本观点可表述如下:岩体是由不连续面切割形成的不连续体即裂隙岩体;岩体的强度取决于岩块之间的摩擦与咬合程度;岩体的变形主要决定于组成岩体的岩块的活动程度,而不是决定于岩石本身。

(3)多种介质力学阶段:岩体概念的深化,特别是岩体结构概念的提出大大推动了岩体力学的发展,主要表现在对岩体变形破坏机制、岩体力学介质类型及力学分析模型的探讨。人们认识到不同的岩体可能表现为不同的力学介质;岩体力学是由多种介质力学组成的。孙广忠(1988)以岩体结构控制论为基础,初步建立了岩体力学的基本体系,即岩体力学是由连续介质力学、块裂介质力学、碎裂介质力学和板裂介质力学组成的体系。目前,岩体力学计算早已突破了连续介质的弹塑性理论,发展了碎裂介质力学分析、块体理论、散体单元法等多种不连续介质力学方法。可以说,岩体力学的基本理论也已初步建立,岩体结构控制论是其基础理

论,具体可归纳如下:

岩体是经受过变形、遭受过破坏的地质体或地质体的一部分,它具有一定的物质组成、结构型式、赋存状态并处于一定的地质环境之中。在岩体工程中,岩体是结构物或结构系统的一部分;岩体结构及其天然应力状态的不同,可使得岩体表现为连续介质,或块裂介质,或碎裂介质,或板裂介质。因此,岩体力学是不同介质力学的组合;岩体的强度等于岩石的残余强度,而残余强度主要取决于岩块镶嵌程度。岩体的变形主要取决于岩块移动,而不是岩石的变形。只有在岩体比较完整或岩石质量甚差属于软弱疏松岩类的情况下,岩石的性质才上升为主要因素。

岩体力学作为一门学科的成熟性还表现在对岩体力学研究工作系统性的认识上。“岩体稳定分析不是简单地进行数学计算,而最主要的是首先在岩体结构研究的基础上,对岩体破坏方式及破坏机制做出判断,正确鉴别岩体的力学模型,制定出合理的研究岩体力学性能及分析岩体稳定性的方法,以指导岩体力学研究工作的全部过程,这是保证岩体稳定性分析的可靠性的基础。”(孙广忠等,1982)。

(4)多种研究途径:自从岩体力学诞生以来,基本上是沿着经典力学的途径发展的。这种途径通过对经典力学的改造以及在岩体工程中的广泛应用,在岩体基本特性的理解和分析方法等方面获得了长足的发展。但是,岩体力学处理的实际问题属于数据有限或定义不良的问题。在岩体地质模型的建立、变形破坏机制的推断、材料本构模型及其参数的确定等方面都遇到了很大的、有时似乎是难以克服的困难。面对这种复杂介质与结构的力学问题,人们目前正沿着两种途径加以探索(郑颖人等,1996)。一是仍然对经典力学加以改造和发展,使之适用于岩体这种复杂介质;二是将现代非线性系统科学引入岩体力学,建立非线性静力和动力系统理论。

3.3.2 学科的名称与定义

拉丁语中有句谚语:“正名就是求知”。目前,有关岩体的力学之名称有多种,如岩石力学、岩体力学、岩体结构力学等,其中最基本的是岩体力学和岩石力学。仅仅术语本身并不能说明问题,但是每个术语的应用都有一定的概念背景作为基础,而且每个应用的术语都需要并得到解释。岩体力学的学科术语和定义包含着对这种天然地质体的认识,也包含着不同的工程领域与该学科发展的问题(薛守义,1997)。

(1)学科的名称:如前所述,1956年在美国科罗拉多矿业学院举行的一次专业会议上,人们开始使用“岩石力学”这一名词。那时,现代岩体以及岩体力学的概念是很微弱的,把天然地质体作为材料来研究,取孤立的岩块为研究对象,按照评价材料质量优劣的标准对其进行评价,应用连续介质力学的方法进行力学分析。在工程建设领域也并没有对岩体力学引起更多的注意。这是因为在工程规模较小时,工程师不进行岩体力学分析单凭经验就可解决工程建设中遇到的岩体力学问题。

法国马尔帕塞坝的破坏使人们认识到坝基岩体的稳定同坝身一样具有重要意义,甚至比坝身的稳定具有更重要的意义。从此人们开始注意到裂隙岩体基本力学性质的研究,并逐渐认识到地质弱面在岩体变形和破坏中所起的作用。在国外,以Müller为代表,强调岩体与完整岩块的区别,主张发展现场大体积岩体力学试验和非连续介质力学。在国内以谷德振为代表的科学家们明确了岩体的内涵,提出了岩体结构的概念,发展了岩体结构学说。

在这种情况下,很多学者用“岩体力学”来称呼这门学科以强调与以往“岩石力学”概念相区别。可见,岩体力学这一名词似乎代表了学科的发展。然而,情况并不是这样简单。对岩体的研究是以岩块的力学性质为重点,还是以不连续面的力学性质为重点,这是与岩体工程的类型与性质有关的。在土木工程领域中,通常以地表附近的岩体为对象。这部分岩体所受的地应力较小,往往具有沿不连续面松动或产生滑动位移等特性,其变形性远比完整岩石为大,其强度则远比岩石为小。对此类工程而言,重要的是岩体的性质,而不是完整岩块的性质。但是,在有些深部的矿山及地下工程中,岩层承受高压,即使存在不连续面,也不会产生松动。不论是变形特性,还是强度,与其说决定于不连续面的存在,不如说决定于岩石本身的性质。因此,很自然人们对高应力条件下岩石的性质有兴趣。

日本在这两种不同领域内分别以“岩体力学”和“岩石力学”为名发展了这门学科。其他国家也或多或少如此区分这两个学科术语。不过,术语应用发展的结果却大不相同:在日本经过一番议论之后,将“岩体力学”和“岩石力学”进行合并,称为“岩力学”;在中国有“岩体力学”和“岩石力学”两种称呼;在欧美则一般只用“岩石力学”。但是,现在“岩石力学”的概念与学科发展初期的概念有本质的不同:这里的“岩石”要么是“岩体”的代名词,要么就包括“岩体”和“岩石材料”。

现在人们所说的“岩体力学”与“岩石力学”基本上是同义的。我们应该承认,“岩体”要比“岩石”传递给人的信息丰富得多。例如,岩体概念包含地质环境及空间范围的涵义,而岩石则很难给人传递这种信息。此外,“岩体力学”的研究对象是岩体,但这并不意味着不研究岩石材料,事实上为了弄清岩体的工程力学特性,任何有关因素都应加以研究。我们当然也可以给“岩石”加入现代“岩体”的概念,并采用“岩石力学”这一术语。但是,一个术语的普通含义常常是如此的根深蒂固,以致无论怎样重新定义或强调,都不能对其加以改变。通常情况下谨慎地取一个新名称要比在一个常用术语中加入新的意义更为恰当。因此,我们认为采用“岩体力学”这种称呼是必要的。在本书中,也只是在不得已的情况下才使用“岩石力学”这一术语。

(2)学科的定义:给岩体力学下定义似乎并不困难,但是仍然值得我们关注。Tsytovich 在 1975 年给 Geomechanics 下的定义为:“它是研究发生在地壳上的力学过程的科学,而这一力学过程是由自然原因和人类活动的影响两种因素引起的”(参见:Gerrard,1977)。显然这个定义是比较宽泛的,实际上包括了岩体力学、土体力学以及李四光倡导的地质力学。就岩体而言,这个定义类似于岩体工程地质力学的概念,因此作为岩体力学的定义并不恰当。

在国外特别值得重视的是美国国立科学院岩石力学委员会于 1966 年所下的定义:“岩石力学是岩石力学性能的理论和应用科学;是探讨岩石对其周围物理环境中力场反应的力学的分支。”这个定义的内涵也是相当广泛的,我们可以从中得到三条有用的信息:岩体力学研究包括基础理论研究和应用研究,但不包括技术研究;岩体力学属于力学分支,而不是地学的分支,也不是技术学科的分支;显然措辞“周围物理环境”表明定义者是把赋存于一定的地质环境中的岩体当作研究对象的,而不是孤立出来的岩石材料。另外,“力场”这一术语也没有特指工程作用,因此自然岩体的力学行为也在学科的研究范围之内。

我国很多学者曾经给岩体力学下过定义,但从根本上讲都是大同小异的。陶振宇(1981)的定义是:“岩石力学是研究地壳岩石在各种条件下的运动、变形和破坏规律的学科。”孙广忠(1983)先是说“岩体力学是研究岩体在其环境应力场改变时产生变形和破坏规律的科学。”后来他(1988)又说:“岩体是经过变形,遭受过破坏,由一定的岩石成分组成,具有一定的结构和赋存于一定地质环境中的地质体。岩体力学是研究环境应力改变时岩体再变形和再破坏的科学。”孙广忠在定义中强调“再变形”和“再破坏”是有意义的,因为它们确实体现了岩体力学的根本特点。

很显然,如果我们建立起现代岩体的科学概念,岩体力学可简单地定义为研究岩体的力学性能和力学反应的科学。我们会注意到,国外学者在给学科下定义时很少提到“规律性”,显然他们认为探索“规律性”或“因果关联性”是不言而喻的事情。

就岩体力学研究的内容和范围而言,国内外学者都是比较一致的。约翰(K. W. John)在1962年所表达的说法是有代表性的,他认为岩体力学应包括“对地质条件的工程解释;确定力学分析所用的原位岩体的工程特性;以及开展这些实质上与岩体相关之工程问题的力学分析。”陶振宇(1981)主编的《岩石力学》和孙广忠(1988)的《岩体结构力学》基本上都是如此。因此,就研究的主要方面而言,岩体力学应包括如下四大部分:岩体地质特征的工程解释、岩体及其材料的力学性能、岩体的力学反应分析以及岩体力学的应用。

3.3.3　学科在体系中的地位

这里我们通过探讨岩体力学与其他相关学科的关系,来分析它在科学体系中的地位。

(1)岩体力学与工程地质学:岩体力学与工程地质学之间的关系是明显可见的,两者研究同一个对象即岩体,而且都是从工程或力学观点出发。但是,它们研究的是同一对象的不同方面,研究内容是不同的,研究方法也明显有别。工程地质学的任务是用地质学方法查清岩土体的地质条件,从工程观点评价它们对工程的影响;而岩体力学则要分析研究这些业已查明的地质条件,建立分析模型,进行岩体力学试验和力学分析。岩体力学并不参与地质条件的勘察与预测,这项任务应由工程地质学完成。

现今的岩体力学工作者已经认识到,岩体力学的理论是建立在岩体地质基础之上的,要发展岩体力学,必须具备工程地质方面的知识,并借此来加强对岩体特性的宏观判断能力。这是问题的一个方面,从另一方面来讲,工程地质学要达到定量的水平,必须借助岩体力学。工程地质工作在两个重要方面需依靠岩体力学。

首先要查明岩体的地质结构,单靠工程地质勘察是难于做到的,必须采用岩体力学方法进行地质力学分析,并以此指导勘察工作。其次,要正确评价岩体的稳定性,单靠工程地质定性分析是不够的,必须用岩体力学方法进行分析,并结合工程经验,才能较好地完成任务。

地质特征作为岩体力学性能的影响因素而引入岩体力学的学科体系之中;同样地,岩体力学方法作为工程地质定量化的工具被引入工程地质学之中。可见,岩体工程地质学与岩体力学具有相互依赖的关系。就学科的发展而言,必须彼此渗透和融合,而又各有自己的主导体系。目前,学科间的合作已受到高度重视,国际工程地质学会、国际岩石力学学会和国际土力学与基础工程学会从20世纪70年代中期决定成立秘书长联席会议,目的就是解决地质与力学研究如何结合的问题。

从目前情况看,强调岩体力学以地质研究为基础,无论如何也不会过分。重大工程建筑中出现的灾害性事故,与地质有关的比例越来越大。这主要是工程地质勘察工作深度不够和质量不高;设计、施工对工程地质勘察资料认识不足,设计方案、施工措施与地质条件针对性不强。岩体力学与工程地质脱节是岩体力学研究中存在的大问题。十分有用的地质资料因岩体力学工作者不懂地质而得不到应用,这是脱节的具体表现之一。不解决这个问题,岩体力学研究仍然是脱离实际的。因此,与地质学研究相结合被学者们看做岩体力学发展的合理途径,这也是国内外的一致认识。

岩体力学以工程地质为基础的观点是历来为Terzaghi、Müller和谷德振等著名学者所重视的。孙广忠(1988,1993)曾多次抱怨岩体力学研究与地质研究脱节。Terzaghi生前曾遗憾地表示他试图阻止土力学与地质脱节的倾向而未能成功。在此,我们有必要重申Müller(1974)对岩体力学研究中无视不连续面的存在所表示的强烈抱怨:“我们总是被引诱去发展精确的或者表面上精确的以及表面上能够处理的东西,而忽视或丢弃那些还不十分明确的以及在公式中还不能掌握的东西。照这样去排除复杂性是危险的,并使那些逃避了我们注意的不准确的东西更加概念不清。看看岩石力学文献,人们不可讳言:大多数的研究者绞尽脑汁追求精致的和高级复杂的数学解释,但却经常以不恰当的宽容把更重要的基本原理和计算的输入值搁置一旁。对这种表面上科学的途径,一位专家公正地批评为'没有岩石的岩石力学'"。

(2)岩体力学与工程力学:岩体力学同经典的工程力学相比,不仅仅在于岩体的特殊性,更重要的是因此而引起的研究方法上的特殊性。

如上所述,由于岩体结构的特殊性,多属于不连续介质。因此,岩体力学不同于连续介质力学。同样,由于岩体的特殊性,岩体力学也不同于结构力学。岩体作为结构物或结构物体系的一部分,不同于通常的结构物。岩体的组成材料是自然形成的,不像一般结构物那样,由人工材料构筑而成。这样,岩体结构型式和材料的性质都具有不确定性。另一方面,岩体赋存于一定的地质环境中,其天然应力和地下水等状态参量对岩体的工程力学性质和力学反应影响巨大,这又是同一般结构物不同的地方。

此外,岩体受到过构造加载和卸载,产生过变形和破坏。这种加载历史在岩体中留下了记忆,对岩体的性能有重要影响。比如经过卸载的岩体在低应力条件下不发生变形或变形量很小,在高应力条件下才发生正常变形。这一特点同一般结构物也是不相同的。这些特殊性使得岩体力学比其他工程力学复杂得多。

(3)岩体力学与土力学:地质学家一般将所有的地质材料称为岩石,而工程地质学家和工程师则将岩体和土体区别开来。这样,人们通常将岩土力学分成两个部分或分支,即土力学和岩体力学。土力学的诞生以 Terzaghi 于 1925 年出版《土力学》为标志,它是岩土力学中发展较早、也较为成熟的一个分支;而岩体力学则主要是在20世纪50年代以后才逐步发展起来的一门新兴学科。

人们对岩体力学和土力学之间的关系有一个认识过程。在20世纪50年代以前,岩土是不分家的,基本的观念是把两者都看做是由矿物和有机物颗粒组成的地质材料,至多存在如下区别:岩石中的颗粒通常是胶结在一起的,在无侧限状态下剪切必须首先克服初始阻力;而土则被认为是松散的且在无侧限状态下没有真实的剪切阻力。的确,岩石和土都是矿物和有机质颗粒的集合体。区别在于岩石中的颗粒是胶结或粘结在一起的,而土则通常是散粒体。但是,这种区别也不是绝对的:吸引力和水膜及胶结物胶结也可使土颗粒结合在一起;处于成岩过程中的沉积物是岩与土之间的过渡物质;被强烈节理化的岩体呈散体结构时,与土更无本质的不同。因此,岩石与土并无严明的界限,仅仅表现为力学性质相异。这里很明显是在岩石块体与土之间谈论问题。在这种观念下,难怪人们将岩石的力学研究归属于土力学的范畴。

根据Müller(1974)的看法,岩体力学从土力学中分离出来而成为一个独立的学科,是由于人们认识到岩体与岩石材料的不同,从而岩体与土就有本质的区别。首先,是岩体的不连续性。岩体中存在节理、层面、断层等地质不连续面,因此通常为不连续介质。这是岩体区别于其他固体的主要特点,也是将岩体力学确立为一门独立学科而划出土力学之外的一个主要理由。所以,岩体力学问题通常应该用不连续介质力学分析,只有少数情况下才能用连续介质力学。而土一般是被看做连续介质并用连续介质理论进行分析的。其次,是岩体与土的水力学作用不同。尽管通常两者都是三相体系,但由于岩体中存在不连续面,使得岩体的渗透性常有强烈的方向性。另外,两种情况下,液体对固体的静力和动力作用是不同的:在土内形成各向同性的孔隙压力,而在岩体内形成定向的节理水压。第三,是岩体变形的独特性。岩体和土体的变形和破坏机制一般是不同的,这主要也是由于岩体的不连续性。岩体中的岩块一般沿不连续面滑动,而对内部转动的约束则大得多,即岩块可以承受力矩的作用,因而不能自由转动;而土颗粒在其所处的位置上几乎可以自由转动。

很明显,人们将岩体力学从土力学中独立出来,主要是观察到岩体与岩块和土之间的巨大差别。但是,天然的岩体与土体之间并不存在清楚而截然的区别。古德曼(1976)早就指出,有些岩体中虽然也存在着不连续面,但它们对岩体的力学特性而言并不是最薄弱的环节。例如,在第三纪脆性砂岩中,砂粒间的胶结是那样的微弱,以至于通过岩石材料本身的破坏比沿节理或层面发生的滑移破坏容易得多。人们也注意到这样的事实:天然的土体作为一种地质体也具有自己的宏观结构,即其内部往往存在各种地质不连续面,如断层、节理、层理、裂缝以及软弱夹层等,这些结构特征也可能会控制其稳定性。因此,土体也不是理想的连续介质,室内试验结果用于土体力学分析时也需格外小心。现在,人们逐渐认识到了岩体与土体作为力学介质的相似性,并试图发展土体力学(谷德振等,1979;Farmer,1983;孙广忠,1993)。

尽管如此,我们认为强调岩体力学的独特性还是非常必要的,因为岩体力学与土力学在研究对象的介质特性和方法上常常有本质的区别。就主要方面而言,岩体和土体的变形破坏机制及力学介质特征是不同的。例如边坡失稳的破坏面显示出:天然土质边坡的滑动面一般由最小能量原理所决定,而岩体边坡的滑动面往往是岩体中已存在的地质弱面;土体中即使存在宏观的不连续面,其材料的变形破坏也一般构成主要部分。一般地说,土力学问题的研究可以应用实验室内小试件的结果并用连续介质理论进行分析;而岩体力学问题,通常这种途径是行不通的。岩体力学的特殊性和独立性在于它的基础理论是岩体结构控制论。可见,岩体与土体的区别尽管不是绝对的,却是有实际意义的。力学分析方法和学科体系的某些重大差异说明这种区别是合理的。

3.3.4 学科的性质

人们对岩体力学的学科性质常有混乱不清之感,正如陶振宇(1981)所说:“从其科学思想体系,研究对象,服务领域,以及在工程技术上的广泛应用性的情况看,人们把它分别作为力学、地学和技术学科的分支是不足为奇的……这种情况突出地说明,岩体力学带有边缘学科的性质,既具有基础性研究的内容,又带有强烈的实践性特点。”对此,我们试图做出如下分析。

(1)基础理论学科:岩体力学首先应被视为基础理论学科,而不是技术学科,其研究任务和目的是探索岩体的力学规律和原理,而不是利用已经认识和可以掌握的科学原理和规律,使之成为生产的有效方法和手段。当然,岩体力学既有基础的一面,又有应用的一面。其实对于任何其他学科也不宜划分基础和应用两类。岩体力学作为经验科学当然要服务于工程建设和采矿工程领域,而且也服务于地学研究。重要的是,它要探讨规律,而不是像技术学科那样应用规律于技术研究。因此,应用岩体力学理论与方法进行工程技术研究应属于岩体工程学的范畴。

(2)力学分支学科:美国国立科学院岩石力学委员会把岩体力学视为力学的分支学科。尽管这个定义获得了广泛的承认,但我国的许多学者仍持有不同的意见。李铁汉(1993)指出:“由于岩体力学研究的对象是岩体,服务对象是工程,使用的理论是力学理论和地质学理论,采用的方法是地质与力学相结合的方法。因此,我们认为岩体力学是介于力学、地学与工程学之间的一门边缘学科。”孙广忠(1988)在谈到岩体力学的学科性质时也区分了两种不同的观点:一种主张岩体力学是工程力学的分支学科;另一种主张岩体力学是工程地质学和工程力学交叉的边缘学科。他自己持第二种观点,并且由于他强调力学向地质的渗透,因此也时常将岩体力学视为工程地质学的分支学科。

为什么把岩体力学看成是工程地质学的分支学科呢?这里可

能出于两种考虑:第一,岩体力学的基础是岩体的地质特征,没有岩体的这种独特性,岩体力学就没有存在的理由。第二,岩体力学在解决岩体工程地质问题中,被视为工程地质研究所采用的一种定量化手段或工具。这两种考虑都是事实,但是岩体力学的研究方法不是地质方法,岩体地质勘测由工程地质工作者完成。岩体力学则是根据地质资料,建立岩体的地质模型和力学分析模型,研究岩体的工程力学性质,发展合适的力学分析方法以及计算岩体的力学反应。可见,岩体力学是以地质为基础,以力学原理和方法为手段研究岩体的工程力学性质和力学反应的学科。因此,从本质上讲,它应属于力学的分支。但考虑到建立地质模型需要进行地质分析,这也是岩体力学的内容,故也可称其为工程力学与工程地质学的交叉学科。

前面已说明,孙广忠(1988)把岩体力学看成是“工程地质定量化的手段,是工程地质为工程设计服务的桥梁”这种观点无疑是正确的。但是,承认这种观点并不与将岩体力学视为力学分支学科相矛盾。反过来说,承认岩体力学是工程力学的分支也并不意味着把岩体视为连续介质,忽视岩体中断层、节理和裂隙的实际存在。相反地,将岩体力学视为力学分支学科的观点正好表明岩体的独特性,否则就没有岩体力学成立的理由。

3.3.5 学科的基本体系

我们看到,对岩体基本特性的认识越来越深入,岩体力学的基本轮廓也已逐渐清晰起来了。

(1)岩体结构控制理论:孙广忠(1983,1988,1993,1996)认为,“岩体结构”的发现对岩体力学的发展具有十分重要的意义,并明确提出“岩体结构控制论”是岩体力学的基础理论。

(2)岩体介质类型理论:岩体具有多种力学介质类型,而不同介质类型的岩体要求不同的分析原理和方法。孙广忠根据岩体变形破坏机制及地应力特点将岩体分为四种介质类型,即连续介质岩体、块裂介质岩体、碎裂介质岩体和板裂介质岩体。

(3)岩体材料本构理论:广义地说,凡是表达与材料物理构成有关的任何力学状态参量之间的关系都称为本构关系。例如,应力－应变关系、破坏条件下应力或应变分量之间的关系(即通常所谓的强度准则)、渗流速度与水力坡降之间的关系等。全面说明材料力学特性的理论就是本构理论。完整的本构理论概念涉及到材料力学机理的说明、数学模型的建立和模型参数规律性的研究。

(4)岩体力学分析原理:根据岩体的力学介质类型,岩体力学可以分为四部分,即连续介质岩体力学、块裂介质岩体力学、碎裂介质岩体力学和板裂介质岩体力学。目前,已经针对每种介质初步建立起了力学分析原理与方法。

(5)教科书的基本结构:岩体力学作为一门学科,其基本结构应当与该学科的逻辑结构相一致。就岩体力学的主体内容和逻辑顺序而言,应分别研究岩体的地质特征、岩体的力学性能、岩体的力学反应,以及岩体力学的应用。其中心部分是岩体的力学性能和力学反应分析。

岩体是一种地质体,因而其工程力学性能必然取决于其地质特征。应该强调指出,地质要素的规律性及其定量表达是岩体力学进一步分析、地质有效地服务于岩体工程的前提。岩体力学中研究地质特征是在工程地质工作者提供的地质资料基础之上进行的,其重点是分析各个地质要素的规律性,找出那些就工程力学观点而言是重要的地质特征并定量地表达它们,以便将其理想化地纳入分析模型中。岩体力学应专门开辟一章,介绍岩体的地质知识,以便为力学分析做准备并强调岩体力学的地质基础。

岩体地质模型确定以后,就要研究岩体的力学性能,以便作进一步的力学分析。岩体在外力作用下会发生变形甚至破坏。岩体的力学性能就是指岩体在外力的作用下所表现出来的性质和能力。它们是岩体力学分析计算和稳定性评价的前提条件,同时又是岩体力学研究结果可靠与否的重要因素。因此,研究岩体及其材料的力学性能是岩体力学的重要任务。论述岩体力学性能的部分可包括若干章,分别论述岩体的变形破坏及其力学介质属性、确定岩体力学性能的试验方法、岩体材料的力学性能、判断复杂受力条件下岩体是否破坏的岩体强度理论以及根据岩体力学性能而建立的岩体工程分类体系。

岩体力学分析的对象十分复杂,影响岩体力学性状的因素很多,要建立一种能适应各种条件的理论,得到计及各种因素的定量解答,这几乎是不可能的。因此,现阶段比较合理的办法是将问题分类解决。对每种特征不同的课题,突出主要矛盾,将问题适当简化,使之得到近似的解答(朱维申等,1995)。我们必须明白,在不能严格定量的情况下,半定量的结果也是十分重要的,特别当它能够对工程设计提供科学的指导原则时更是如此。本部分应遵循上述原则,分门别类地研究各种典型情况下岩体的力学反应分析。其中包括连续介质岩体力学、块裂介质岩体力学、碎裂介质岩体力学和板裂介质岩体力学。这些分章可以仅涉及静力学问题,至于岩体水力学、岩体流变学、岩体动力学以及岩体力学中的数值方法等问题可分别成章专门讨论。

3.4　工程地质学

谷德振(1979,1981)指出:工程地质学是岩体工程的基础理论学科之一,它是地质科学的一个分支,是一门与工程建设密切相关的应用性很强的学科,是解决岩体稳定问题的理论基础。它要研究的是工程建设地区的自然环境、建筑场地的工程地质条件、岩体稳定性评价及处理措施以及工程建筑对环境的影响。王思敬(1997)认为:“工程地质学作为一门应用性很强的学科,人们首先理解它是将地质学的知识应用于解决工程问题或可理解为解决工程建设中的地质问题。但是,我们不能忽视它的学科边缘性,即地质学科和工程学科大跨度交叉所形成的新的、独立的学科领域。”

岩体工程的特殊性就在于对地质条件的巨大依赖性。现在人们都认识到地质工作是岩体工程的基础。工程地质学服务于岩体工程,工程地质勘察工作必须在弄清工程设计意图的前提下进行,即充分考虑到设计与施工对地质资料的要求。毫无疑问,工程地质工作必须有理论指导,建立指导理论和方法原则是工程地质学的核心任务。

地质学家思维的最可贵之处在于从不静止地、孤立地看待岩体。他们研究岩体的过去,以作为了解现在和未来的钥匙;他们研究具体工程岩体的地质环境,以便搞清楚岩体地质特征。如果背离这种思维与方法而仅仅依靠地质勘察,那么要搞清楚岩体的地质特征是不可能的。

3.4.1 地质演化思维

任何事物都有其发生与发展的历史,要了解事物的现状并预测事物的未来,历史的考察是必需的。这种历史主义的态度已经成为一种普遍的思维方式,并被上升到哲学方法论的高度。

王思敬(1997)指出,每门学科都具有自己独特的学术思维。工程地质学是以地质学为基础的,“工程地质学家总是从地质介质的过去历史和现在状态来推测它在工程条件下可能的变化。”而土木工程师则总是注意到工程结构的尺寸和所受的荷载,总是考虑材料应力、变形和强度,而且追求问题的确定性答案。可见,地质成因和地质历史演化的思维方式是工程地质学家区别于土木工程师的独特思维方式,也是工程地质学家得以成功解决工程地质问题的独到功底。从这种思维方式出发,工程地质学家们认识到:对工程起控制作用的地质构造是在漫长地质历史时期中经多次构造运动复合而成的,只有弄清这种构造的复合机制,才能查清地质构造并确定各种构造要素的性质。在这种思想的指导下,工程地质学家发展了构造配套理论(谷德振,1979)。

在漫长的地质年代里，地壳始终经历着一系列复杂的演变过程。工程所涉及的地质体特别是岩体也往往经历过多次多种地质作用，产生过多种变化。这些变化表现为物质成分、结构型式及赋存状态的改变。岩体的动态变化是历史性的，而且还在继续。认识岩体必须从其形成过程和动态性来考察。不了解岩体的形成历史，就很难弄清其现状，也就更难于预测其将来的行为，这就是地质成因与地质历史的观点。地壳中的各种构造形迹是地质体遭受构造应力作用的结果。我们面临的任务是根据现今构造形迹的观察，去探讨它们的形成机制、演化过程以及相关联的地应力活动。

3.4.2 地质背景思维

具体工程岩体的范围是有限的，但这局部地区的地质条件与大的区域地质条件有密切关系。岩体结构、地应力、地下水等很多地质因素都不能脱离岩体的地质背景。如果不研究区域性的情况，它们是很难搞清的。将地质方法，特别是地质力学方法应用于岩体的研究，综合分析该区的最基本的构造体系，有利于宏观上把握岩体的状况，并了解构造应力场、构造结构面及其力学属性。谷德振(1965)指出：为了论证建筑区域的水文地质和工程地质条件及其评价岩体的稳定性，必须进行地质构造发展历史、构造体系的形成过程及力学机制的研究。为此，他将李四光的地质力学理论和方法引入了工程地质学。

那么，在解决具体工程问题时工程地质学家是否要进行区域地质研究呢？谷德振(1979)认为："工程地质工作者的主要任务是专门解决工程所在地区岩体结构特性的，不可能有更多的时间从事更大范围的区域地质的专题研究，但又不能脱离地质背景和地质发展历史而探讨岩体的工程地质特性，所以要善于运用已有的区域地质研究成果。"

3.4.3 地质结构思维

工程师也有自己独特的思维方式："他们总是注意到工程结构

尺寸和荷载，总是考虑材料应力、变形和强度，而且追求问题的确定解答”(王思敬，1997)。工程地质学家曾经为这种工程思维和地质思维之间的巨大差异而困惑过。以谷德振为代表的中国工程地质学家从土木工程师和地质学家思维中的差异点转向其间的共同点，提出并逐渐发展了地质结构思维。地质结构思维成为工程地质学家习用的基本思维，这标志着工程地质学的重要发展(王思敬，1997)。

人们早已发现，要正确地解释事物发展变化的机制、理解与把握事物的功能，必须搞清事物的结构，因为事物的结构决定着事物的功能。岩体结构的概念已成为当前岩体力学和工程地质学的核心概念，工程师和地质学家正是在这里找到了结合点。

3.4.4　学科研究内容

传统工程地质学是定性的，其主流以成因地质学为基础，强调野外的地质调查，描述岩体的工程地质条件，定性地提出工程地质分区分带的成果及稳定性评价。我国在 20 世纪 60 年代以后，工程建设规模不断增大，工程地质条件对大型岩体工程建设的经济及安全影响越来越显著，仅仅定性评价工程地质条件已显得不够。因此，提出了岩体稳定性分析的尝试(谷德振，1963)。在岩体力学发展起来以后，工程地质学特别重视岩体地质条件的定量化和岩体稳定性的定量分析与评价。

岩体地质条件的定量化是必需的，因为岩体工程设计要求计算岩体的力学反应，而岩体力学分析要求定量地描述岩体地质特征及环境因素。我国工程地质界在第一届全国工程地质大会上(1984)，就明确提出工程地质研究定量化是工程地质学发展的重要方向。这种定量化的任务主要包括工程地质条件与特征的定量化、工程地质作用分析的定量化。

地质勘察成果的主要图件是综合工程地质平面图和建筑物轴线地质剖面图。编制这些图件的主要依据是岩石类型、地质构造和水文地质等地质现象和问题。显然,从工程观点看,并不是图上反映的所有地质现象都具有同等意义,而且同一地质参数对不同的工程类型而言重要性也不同。因此,为了进行工程力学分析,还必须对成果进行工程处理,以便使地质与工程密切结合。

3.5　岩体工程学

大型工程的设计必须找到某种合理的设计原理与方法。这就意味着重要的工程判断都应该以对所有有关因素进行仔细的定性和定量分析为依据。显然,岩体工程的勘察、设计与施工都应当有理论作指导。岩体工程学所要建立的正是岩体工程的基本理论、岩体工程的设计原理、岩体工程的技术体系。

岩体工程学可以看成是由地质学科和工程学科大跨度交叉与综合所形成的新的独立学科,它有明确的服务对象和实践目标即岩体工程。显然这门学科要依赖于其他基础学科和工程实践的经验,可以说是一门综合性的学科。岩体工程学所面临的挑战是如何有效地综合有关学科的理论、方法以及工程技术,去解决复杂的岩体工程问题(薛守义,1999b)。

岩体工程的特点在于,工程地质工作是基础性的,而且是最重要的组成部分,工程设计与施工必须密切地与地质相结合。岩体工程的另一主要特点是岩体的力学特性和反应对工程具有控制作用。因此,力学观念在岩体工程中具有重要地位,正如 Müller(1974)所指出的,在岩体工程的各种观念和经验交流中,力学原则起着极为重要的作用。实践证明,岩体工程的成败在很大程度上决定于对岩体地质条件的认识深度及岩体力学反应的估算。王思敬(1997)指出:“地质工程思维是在雄厚的地质基础上建立起来的,并且它总是在整体上把握工程和地质的关系。”

3.5.1　**岩体工程问题**

当前,在岩体工程领域中出现了很多新的课题,例如,大跨度高边墙地下洞室、近千米的高边坡、高度 300 m 以上的大坝工程、大型及深部矿山开采等。要解决这些复杂岩体工程问题,必须是多学科、多手段协作才有可能。

岩体工程问题是复杂的系统工程问题,涉及到勘察、设计、施工、运营等诸多环节。但是,其问题的核心是岩体的稳定性。所谓岩体稳定是指在一定时间内,在一定的工程荷载条件下,岩体不产生破坏性的压缩变形、剪切滑移和拉张开裂(谷德振,1979)。这是一个相对的概念,稳定性就是稳定的程度。在这个稳定性概念中,包括着强度和变形两方面含义。例如,就围岩而言,不应有的顶板塌落、两帮挤入、底板隆起、围岩开裂、突发岩爆、围岩变形造成的衬砌裂开或支护等都是围岩不稳定的表现。从工程角度讲,岩体稳定问题要求我们解决工程地质预报、岩体的改造以及不良工程地质作用与过程的控制问题。

(1)边坡工程问题:很多工程领域都涉及到边坡岩体的稳定性。比如铁路线和公路线穿山越岭、陡坡筑路,边坡稳定性对运输安全十分重要;水电工程多数兴建在高山峡谷之中,库岸边坡的稳定性对大坝的安危有直接的影响;在露天采矿工程中,由于采掘技术的发展,开采深度越来越大,高边坡的坡角与矿山的经济效益和安全生产直接相关。

边坡工程中的关键问题是以最经济的造价修造人工边坡,或以最经济的造价防止自然边坡破坏。以往主要是采用工程类比法给出稳定坡角,进行边坡设计。所谓类比法就是根据地质条件,主要是根据岩性条件凭经验确定最终边坡角。显然,这种方法将本来复杂的问题过分地简单化了。任何边坡的地质条件不可能完全相同,这是类比法确定稳定坡角所存在的主要弊端。

(2)地基工程问题:建筑物的全部荷载都由它下面的地层来承担,从而使地基中原有的应力状态发生变化。这就必须运用力学方法来研究荷载作用下地基岩体的变形和强度问题。

在以往的岩土工程中,土基的沉降变形和失稳滑动问题异常突出,是地基稳定性研究的重点。一般说,岩基与土基相比,无论在强度、承载力及稳固性等方面均优越得多。但是,如果对岩基的特性认识不足,或施工不当,同样会产生各种地质病害。例如,岩基不均匀性导致基础差异沉降,进而导致建筑物的应力重分布,严重时引起建筑物开裂或整体破坏;岩基的失稳滑移、岩基深基坑的坑壁失稳等会造成重大的工程事故。为此,在岩基工程中,特别是大型的岩体工程,如坝基、高层建筑物地基,对岩体地基应给予足够的重视。

(3)地下工程问题:岩体内开挖洞室破坏了岩体原来的平衡状态,引起应力的重分布,使围岩产生变形。当岩体比较坚硬完整时,重分布以后的应力一般都在岩体的弹性极限以内,围岩应力重分布过程中产生的弹性变形在开挖过程中就完成了。当重分布以后的应力达到岩体材料单元的强度时,除弹性变形外还将产生较大的塑性变形。如果不阻止这种变形的发展,就会导致围岩破裂,甚至失稳破坏。另外,对于那些被软弱结构面切割成块体或极破碎的围岩,则易于向洞内产生滑落和塌落,使围岩失稳。

据国内最近隧道施工统计,由于塌方、涌水等地质灾害造成的停工时间大约占总工期的30%。这是一个十分可观的数字,它表明地下工程中地质灾害的预测与防治是亟待解决的一个重大课题(孙广忠,1996)。

(4)地质灾害问题:我国的上海、常州和天津等城市出现了严重的地面沉降问题。众所周知,地面沉降是大量开采地下水所引起的。但它不是在所有大量开采地下水的城市都发生,因此它与地层的力学特性有密切的关系。另外,岩土工程中还会遇到大型山体滑动与崩塌问题、采空区地面变形问题、水库地震问题、区域稳定性问题(断层活动性和地震活动性)等。

3.5.2 岩体工程学的概念

岩体工程学的研究对象是岩体工程系统,不仅仅是岩体或岩体—结构体系。它不仅仅涉及到安全问题,还涉及到社会问题、经济问题和技术上的可能性等。岩体工程是一种需要特殊强调的工程类型,也是一种复杂的工程系统,包括工程勘察、设计、施工、运营。

(1)学科的定义:在学术界我们会遇到下列术语:岩土工程学、地质工程学、岩体工程学。它们究竟具有怎样的联系和区别呢?

岩土工程和岩土工程学是被普遍承认的术语。但是,近些年来,地质工程和地质工程学也频繁地出现在学术界。1974 年,R. E .Goodman首先使用“地质工程”术语。1976 年 E. Hoek 提出了“岩石边坡工程”的概念。1984 年孙广忠给“地质工程”以明确的定义并开始积极地倡导地质工程。结果是,20 世纪 90 年代初在中国开始出现了地质工程公司、地质工程勘察设计院等机构;孙广忠先后发表了《工程地质与地质工程》(1993)和《地质工程理论与实践》(1996);1997 年国务院学位委员会和国家教育委员会在联合颁布的“授予博士、硕士学位和培养研究生的学科、专业目录”里,正式列出了地质工程学。

关于岩土工程和地质工程的区别在前章中已经做了探讨,岩土工程学和地质工程学之间的联系与区别显然也是类似的。在下面的讨论中我们不再进一步说明,但需指出的是岩土工程学被广义地理解,因此等同于地质工程学。至于岩体工程学则被视为地质工程学的一部分。

普遍地说,人们对岩土工程和岩土工程学是不加区分的。例如,黄文熙(1979)在岩土工程学报创刊号的题词中就将“岩土工程”称为科学技术。我国《岩土工程基本术语标准》(1998)也把“岩土工程”称为一门科学技术。同样地,地质工程和地质工程学也经常地被混同在一起。实际上,学科是学科,工程是工程,将两者区分开来还是必要的。岩土工程历史悠久,而岩土工程学的形成则是近几十年的事情。

对岩土工程学的理解会影响其作为独立学科的发展。例如,I. K. Lee在其《Geotechnical Engineering》的序言中将"岩土工程"视为"包含着那些直接应用于求解土与岩石工程问题的一系列学科"。高大钊等(2001)也认为岩土工程学并不是一门单一的学科,他们把土力学、岩石力学和工程地质学视为构成岩土工程学的基本学科。可见,在他们看来,岩土工程学是一门由一系列学科组成的综合性学科。我们则认为,将岩土工程学视为一系列学科是不恰当的。岩土工程学应该是"岩土工程"这种"系统工作"的理论。因此,岩土工程学应该发展成为一门独立的学科,而不是一系列学科。也就是说,必须建立描述岩土工程系统整体行为的理论体系,这样的理论体系绝不是各相关学科知识的简单组合或对接。

当然,岩土工程学是在工程地质学、岩土力学的基础上发展起来的综合性学科,但这只能说明工程地质学、岩土力学是岩土工程学的基础理论学科。就是因为如此,在陈雨波等主编的中国土木建筑百科辞典(1999)中,岩土工程学才被定义为"以工程地质学、岩体力学、土力学与基础工程学科为基础理论,研究和解决工程建设中与岩土有关的技术问题的一门新兴的应用科学。"但是,岩土工程学的对象是岩土工程系统,其基础理论学科除了工程地质学和岩土力学以外,还应包括工程学、系统科学等方面的理论。

(2)学科体系:岩土工程有多种类型,每种类型都有自己的特点和特殊要求,具体的工作要求可能很不相同。因此,谢定义(2000)建议岩土工程学包括总论和分论两个部分。总论主要以工作内容为线索,研究岩土工程勘察、设计、施工、检测以及管理诸方面带有共性的规律性及有关要求和方法。分论主要以工程类型为线索,研究岩土地基工程、边坡工程、洞室工程、支护工程和环境工程诸方面的勘察、设计、施工、检测和管理上带有个性的规律性及有关要求和方法。

我们认为,岩土工程学所研究的问题本身是综合性的,因此其理论也是综合性的。我们赞同谢定义(2000)的观点:岩土工程学应以总体思路和方法为主,不宜纠缠力学计算和具体方法等细节。

3.5.3 岩体工程学原理

任何技术领域的发展水平都与其基础理论的水平密切相关。没有理论指导的行动是盲目的行动;没有实践基础的理论是空洞的理论。岩体工程既然作为一种特殊工程,那就必然要求有自己的理论作指导。岩体工程理论研究当然以有效地解决岩体工程问题为目标,以减少岩体工程勘察、设计、施工、维护的盲目性。

孙广忠(1996)认为地质工程的基础理论包括:地质控制理论、地质超前预报理论、地质体改造理论。地质控制论是控制工程地质勘察、地质工程设计和施工的基本理论;地质超前预报理论是指导地质工程施工的理论;地质体改造理论是指导地质灾害防治的理论。实际上,地质工程的理论体系还没有完全地建立起来,但从地质工程实践中涌现出许多卓越的思维方式,值得我们深入地进行探讨,因为它们是形成地质工程基本理论的基础。我们曾经根据这一领域研究的现状以及问题的实质,提出地质工程学的基本思维方式和基本理论(薛守义,1999b)。这里仅仅对地质工程中某些最基本的原理进行阐述。

(1)地质控制论:任何具体事物都充满着各种各样的矛盾,在分析和解决问题时,应该抓住主要矛盾;对于主要矛盾应该抓矛盾的主要方面。这是毛泽东矛盾论哲学思想的基本观点,实际上它是解决任何问题的关键思维方式,对付地质工程问题当然也不能例外。

地质工程的主体是地质体,但在这类工程中地质体往往与建筑结构相互作用而构成一个整体如坝体与坝基、围岩与衬砌等。从整个工程以及科技发展的成熟程度来看,地质体常常成为大型地质工程的主要矛盾。也就是说,地质体对工程的经济、安全和技术起控制作用。就被开挖和加载的地质体之稳定性而言,地质因素构成矛盾的主要方面。也就是说,在影响稳定性的诸多因素中起控制作用的是地质因素。在岩性、构造、地下水及地应力等诸多地质因素中,对稳定性起控制作用的是地质构造。这种主要矛盾和矛盾的主要方面的分析在地质工程中特别重要,并形成了地质工程的基础理论,即地质控制论。

孙广忠(1993,1996)提出:地质工程的基本理论是地质控制论。地质控制论包括地质构造控制论、岩体结构控制论和土体结构控制论。地质构造控制论是地质控制论的核心理论。因此,它是地质工程理论基础的基础。地质构造控制论主要涉及活断层问题,是就地质工程环境而言的。著名大地构造学家张文佑和工程地质学家谷德振等认为,地质作用是受地质构造作用控制的,特别是在应用地质领域更是如此。谷德振《岩体工程地质力学基础》一书最核心的观点就是地质构造控制论。孙广忠概括说,地质构造一方面控制地质体的结构包括区域地质结构、岩体结构和土体结构,另一方面控制地质环境包括地壳稳定性、地质灾害以及地应力、地下水和地温等。火山、地震、洪水等自然地质灾害受地质构造控制。我国许多洪泛区(例如松花江松辽平原洪泛区、长江从宜昌到九江口洪泛区、黄河从花园口到济南洪泛区)都处于近代的地壳沉降带中。岩体结构控制论是对工程岩体而言的,一般不去研究活断层,这是岩体结构控制论与地质构造控制论的主要区别。简单地说,岩体结构控制论所表明的是岩体的力学性能以及在各种荷载作用下的力学反应,在很大程度上受岩体结构控制。应当指出,地质控制论是包括多层次内容的理论,不应片面理解。

(2)相互作用论:我们所面对的问题或对象可能涉及诸多的方面,而且各种事物往往处于复杂的相互联系之中,因而不可能把所有有关的事物作为一个整体来研究。这就需要理想化地将最关心的部分脱离出来作为研究对象,这种对象都可看成是由若干要素组成的系统,与系统相应而存在的外围则被称为环境。一般说来,系统是开放性的,必须考虑系统与环境的相互作用,这实际上也是人类一种普遍的思维方式。

在地质工程中,人们早就注意到工程环境地质研究的意义以及工程建筑对环境可能产生的影响,从而发展为工程系统与地质环境相互作用论。在现代大规模工程的背景下,这种思考问题的方式具有巨大的意义。以巨型水利工程为例,必须考虑区域性断裂可能引发的地震对枢纽的影响,也必须考虑水库蓄水对环境的影响,特别是对地质环境的影响,因为蓄水可能诱发水库地震,而水库地震又可能造成坝体震害。

(3)地质预报理论:长期以来,地下工程施工由于对掌子面前方地质条件了解不清,带有很大的盲目性,施工过程中地质灾害层出不穷。1986 年中国科学院地质研究所等在军都山隧道首次开展地质超前预报工作,接着大瑶山隧道九号断层地段也开展了地质超前预报。

地面勘察不可能彻底查清地下地质条件,尤其是深埋长大隧道地质工程地面勘察既困难又费钱。必然趋势是在地面搞清控制性的地质构造和环境条件,具体而细部的地质条件将由施工地质超前预报来完成。

没有地质超前预报,地质体稳定性预报则是没有根据的,进行地质体超前处理也是不可能的。

(4)岩体改造理论:对于失稳的或将要失稳的岩体必须及时采取防治和加固措施,这里的岩体改造是避免因岩体失稳而造成灾害的有效方法。自 20 世纪 80 年代以来,出现了许多新技术,可以对不良岩体进行改造,使之适应和满足工程建筑的要求。因此,今天的工程活动已不像以往那样受客观条件的限制,而是有了一定程度的自由性。事实上,随着工程建设的发展和规模的不断扩大,人们不得不在复杂的不良地质环境中从事建设活动。由于地质体改造技术的显著提高，现今地质工程很少会因地质条件的限制而不能进行。

岩体改造工作不是今天才有的，但是以往这项工作的指导思想是模糊的。过去解决不良地质条件的办法主要是支护，所建立的属于荷载支护体系。常说的支挡工程如隧道衬砌、边坡挡墙等就属此类。而今天可以采用各种技术对岩体加以改造，岩体改造的着眼点和目的是改善岩体本身的性能，提高岩体的自稳性。

岩体改造理论是关于改善岩体性能的原理与方法，最重要的是关于加固机理的理论。岩体改造的理论问题十分突出，很多实践上行之有效的技术，机理却不清楚。例如，喷锚机理就是公认有待研究的课题。也有很多的岩体改造实践失败了，大多是指导思想上的错误。例如，在未弄清岩体变形与破坏机制的情况下，盲目地实施改造。岩体材料与加筋材料之间的相互作用也是非常重要的理论问题，至今还不能说已经解决。

(5)工程维修理论：工程维修理论是指导维修的理论。任何工程在完工后的运营期间都需要维修和维护，以保证其正常的使用功能。事实表明，很多岩体工程的维修加固费用远大于建筑造价，因此工程维修理论的研究具有重大意义。维修理论涉及到状态诊断、灾害预报和可靠性评估以及在此基础上制订维修策略和方案。

3.5.4　工程环境与条件

我国大型岩体工程勘察、设计与施工中长期存在着严重的相互脱节现象。岩体工程勘察与设计也较国外保守，例如我国露天矿边坡角与国外相比要小4°～5°，大型水利水电工程中的地质勘察总量远远超出国外的同类工程。如何才能最有效地解决岩体工程问题？在影响岩体工程实施的各种因素中，制度的作用值得注意。

在我国长期的岩土工程实践中，岩土工程的勘察、设计、施工分属于三个不同的专业。在设计与施工过程中，工程地质人员并不参与工程问题的分析与评价，设计与施工人员也不很了解地质条件。事实上，勘察、设计、施工均为严格的专业分工，很难协同。此外，以国家行政命令的方式对工程系统的各个环节实施了过度控制，从而使系统以“被组织”的方式演化。

科学家已证明，只要有了必要的环境和条件，系统的自组织过程便会发生。因此，从外部讲，关键是为岩体工程系统提供一种自组织演化的环境。目前，我国正在推行的市场机制已经基本上解决了系统外部环境问题。从内部讲，对系统起推动作用的关键因素应该是系统内部各个要素的竞争与协同，因此岩体工程体制的性质与自组织演化密切相关。只有当这两方面的条件同时具备时，岩体工程系统才是有活力的、有效率的。

3.5.5 岩土工程体制

在大型岩体工程中，地质勘察、岩体力学试验、设计与施工之间相互脱节现象几乎普遍存在。实际上，如果设计与施工人员不懂地质，则必然造成设计施工与地质脱节。如果勘察和试验人员不清楚设计采用的分析方法和具体要求，则勘察与试验也必然具有盲目性。然而，在事前不了解地质条件的情况下，设计人员也无法确定设计计算方法。因此，对于大型而复杂的岩体工程来说，从开始就具有探索的性质。岩体工程的性质要求从工程开始，各方面就得通力合作，并且进行信息化勘察、设计与施工。陈德基(1989)指出：“工程地质、岩土力学和工程设计工作者都逐步意识到过去那种不深入切磋，简单引用对方成果的做法，已无法适应工程实践的需要，必须建立更加密切和协调的关系。”

为了解决相互脱节问题，孙广忠(1993)说：“我们认为应该从两个方面来解决。一方面，地质上应该尽量提高对地质工程认识水平，提高地质勘察水平，使所取得的地质勘察资料不仅有用，而且让设计、施工单位好用，以便设计和施工单位能充分地运用地质勘察工作取得的结果。另一方面,设计和施工要提高建筑对地质的依赖性的认识,应认识地质体是工程结构的一部分或全部,地质材料就是工程建筑材料,地质环境就是地质工程的建筑环境,尽量防止设计、施工与地质脱节。”目前,人们都认识到岩体工程的规划、勘察、设计与施工是一项系统性很强的任务,统一的技术负责制是必要的,但问题的关键是没有这样的全面性人才。人们都认识到地质、力学、工程设计诸方面应该密切合作,但是问题的关键是技术体制问题。

就目前情况而言,地质、力学、设计中任何一方面都没有能力有效地单独解决地质工程问题。事实上,岩体工程是非常复杂的系统。“一个人要想同时成为各方面的专家是不可能的,因此在整个工作中要密切各专业人员之间的合作,形成一个有机的‘工作链’,使之能够相互交叉、渗透、取长补短,共同提高。”(傅冰骏,1995)因此,探索有效的分工合作途径是比较现实的。怎样才能保证设计、施工、地质、力学各方面的人员通力合作,以确定哪些是设计与施工中最重要的问题呢?在此,岩体工程体制问题是重要因素。哈秋舲(1992)指出:勘测、科研、设计、施工、管理各成系统,相对独立性很强,一般的联系只局限于工作上衔接。这对系统地认识和解决岩体工程问题是很不利的。

工程地质学家、岩土力学家和土木工程师共同参与地质工程建设,他们既是相互依存的伙伴,又是激烈竞争的对手。他们从各自传统的阵地出发,不断扩展自身的研究领域,力图更多地囊括对方的研究内容,以便获得更强大的生命力(陈德基,1989)。为了使岩体工程各项工作有效地协调进行,必须成立一个对工程安全和经济全面负责的实体。只有这样才能全盘考虑问题并以最经济的方式解决那些关键问题。20 世纪 80 年代,潘家铮曾多次建议把工程地质、岩体力学及基础处理设计甚至科研和施工等各方面的技术人员紧密结合起来组成一个专业,负责从地质勘察、测试、参数选择到基础处理设计的全部工作,并对其安全和经济性负责。

3.5.6 地质人员的责任

孙广忠(1989)把我国工程地质工作领域的发展分为三个阶段:20 世纪 60 年代以前,工程地质工作主要是查明建筑场地的工程地质条件并对其质量做出定性评价。此后,计算技术和分析方法获得显著发展,工程地质工作也随之进入了第二阶段,即以地质体稳定性分析为主要特征的工程地质灾害预测。从 20 世纪 80 年代开始,工程地质工作试图拓展其领域,涉足岩体工程设计与施工,特别是地质体改造和地质灾害防治工程。陈德基(1989)指出:“就大型水利水电工程的工程地质勘测工作而言,自 70 年代中后期以来,一个明显的趋势是工程地质工作者不断努力使自己的成果由定性走向半定量和定量,努力谋求在有关岩土工程的设计和施工领域取得更多的发言权,并且已经取得了一定的进展。”孙广忠(1993)认为,现阶段的工程地质工作已进入地质工程阶段。当然,他并不是说工程地质工作者去搞工程,而是说他们必须熟悉且能参与地质工程的设计与施工。

岩体工程的设计与施工应该由谁负责?工程地质人员在其中究竟应该起什么样的作用?孙广忠(1993)认为工程地质人员只是必须参与设计与施工,而 Müller 等人则曾明确表示,像边坡开挖设计、坝基基础处理设计、地下洞室开挖设计都应由工程地质人员负责。这是地质工程中面临的一个两难问题。有些地质工程例如滑坡防治工程,地质工程师也许能够对工程设计和施工负责。我国已经成立了一些地质工程公司,他们对某些地质工程的勘察、设计和施工负全面责任。但是,在地下工程、隧道工程、水利工程中,地质工程师很难对设计和施工负责,因为他们并不精通结构设计,对结构的特性并不十分了解。然而,如果地质工程师对设计和施工仅仅具有建议的权利,那么地质与设计和施工相互脱节的现象就不可能得到彻底的扭转。

地质工作者的责任问题涉及到复杂的工程体制问题。如果工程地质工作不能起到重要作用,这种工程的问题是无法妥善解决的。推行岩土工程体制的实质在于:岩土工程师对地基基础设计提出的优化方案负经济和法律责任,而不是工程地质工程师仅对地基处理方案提出建议。我国从20世纪80年代开始,在一些主要勘察单位已试行岩土工程体制。实践表明,这种体制是行之有效的(韩文峰等,1989)。按照《岩土工程勘察规范》,岩土工程勘察不仅在设计和施工前进行,而且还参与岩土工程的设计施工全过程,有时甚至延续到工程建成后的长期观测。

在岩体力学计算方法取得巨大进展的今天,关键问题是如何搞清楚岩体的地质条件。因此,工程地质工作的重点仍然是提高施工前地质预测的准确性、施工过程中的地质预测。

3.5.7　专业教育问题

如果地质工程中的工程地质、岩土力学、工程设计等项工作在体制上分割开来,如果各个方面的人才按现在的模式分专业培养,那么解决相互脱节问题就很困难。

地质工程涉及到的学术和技术领域是非常广泛的,无论是谁,要想在地质、力学、工程等方面兼而精之几乎是不可能的。但是,如果地质学家不能充分理解工程意图,他们怎么能够确保查明并充分考虑到影响工程建筑物选址、设计、施工、运营和维护的所有地质因素呢?如果工程设计与施工人员不懂地质,他们怎么能够充分而正确地利用地质勘察资料呢?

就我国而言,专业分工过细、学科间缺乏渗透、彼此相互脱节的现象还十分严重。为了解决脱节问题,孙广忠提出"地质工程"这个命题,要求地质人员不仅仅搞好地质勘察,也要参与设计和施工。然而,只要设计与施工人员不懂地质,或地质人员不懂设计与施工,那么地质、力学、设计、施工相互脱节的问题就得不到解决。只是简单地把各方面的人员组合在一起很难收到明显的效果,因为他们缺乏相互交流的共同语言。在人才培养方面应该如何考虑问题呢?

地质工程涉及到地质学、力学、工程、管理等多种领域的知识,很难融合到统一的教学计划当中。张咸恭(1989)建议“专业方向多样化,而又互相联结,并有一定的重合,各精所专,互相配合、互相渗透”。但在本科阶段同时建立起地质和工程的概念是很困难的。同济大学曾经试办过地基基础本科专业(1958~1970)。俞调梅(1982)根据经验提出:不主张设岩土工程本科专业,但可以培养研究生(参见高大钊,2001)。但是,似乎存在这样的问题:如果在本科阶段没有建立起地质或工程的概念,那么在研究生阶段也很难建立起相应的概念。也许为解决地质、力学与工程的相互脱节问题,六年制的地质工程专业教育是必要的。

3.6 结论

任何技术领域的发展水平都与其基础理论的水平密切相关。太沙基曾经说过,土木工程各方面的发展一般都要经历三个阶段。经验阶段:工程实例起着重要作用;科学阶段:科学研究取得很大进展,然而过分相信科学的力量有时也会失败;成熟阶段:工程经验与科学分析相结合而形成一种判断力,从而使工程师能够充分履行其职责。

从目前情况看,岩体工程还未达到成熟阶段。岩体力学分析计算结果的可靠性还不是很高,还不能妥善地解决岩体工程中提出的实际问题。因此,现场工程师不得不主要利用以前的经验和教训来完成其工作。这就要求我们努力提高岩体工程科学的理论水平。

第 4 章　岩体行为的预测原理

4.1　前言

现代岩体工程规模越来越大,各方面的条件越来越复杂,以往的工程经验不再能够满足现实的需要,这就要求我们对岩体系统的行为进行科学预测。

实际上,在任何情况下预测都是决策的基础,决策科学化的核心就是预测的科学化。任何科学的成功程度通常都以其预测的可靠性来衡量,然而预测却是所有科学的薄弱环节,对于岩体工程科学来讲就更是如此。岩体属于开放的复杂系统,其初始状态就很难搞清楚,在工程作用下的变形与破坏现象更是千变万化。几十年来,岩体工程科学试图从这些现象中总结出规律,并利用这些规律来预测具体岩体的未来行为。现在,人们对岩体系统行为的复杂性已有了相当的认识,但是如何正确地预测岩体的行为仍然是一大难题。

如何提高预测的科学性,那是岩体工程科学的事情,我们这里探讨的是预测活动的认识论基础,即阐述岩体行为预测所基于的最基本原理,而不涉及具体的预测理论与方法。明白这些原理当然不能代替对具体岩体过程的认识,但是它能帮助我们加深对问题的一般性理解,把具体的预测工作建立在牢固的哲学基础之上。

4.2　事物过程的性质与描述

具体事物的发展变化过程是很复杂的,科学所能处理的对象仅仅是实际事物的简化模型。从事岩体工程的科技人员似乎都有这样一种感觉和认识:岩体工程问题过于复杂,其中存在太多的不确定性因素,要想精确地预测岩体行为过程是不可能的。这是当前学科发展现状的事实,但更深层次的问题是:这种结论属实质性的,还是由于我们现实认识的局限性所造成的?换句话说,从研究角度讲,我们最终需要的是确定性模型还是不确定性模型。要回答这一问题,我们得从更广泛的物理科学及哲学理论背景开始。

4.2.1 事物过程的确定性

我们所面临的本体论意义上的根本问题是:从本质上讲,事物过程是确定性的还是随机性的?人们对事物过程的性质具有根本不同的两种观点,即决定论和非决定论。

我们先从决定论谈起。人类有一种强烈而深切的愿望,即追求事物的确定性。实际上,对确定性的追寻源自人类对客观存在的确定性的意识和信念,只有以这种意识和信念为根据,人们才能确定自己行为的取向和合理性。历史表明,人类对确定性的追寻几乎与人的本能一样不为人所注意。

那么,事物的确定性意味着什么呢?在经典力学中,因果联系具有客观性和普遍必然性。只要宏观力学体系中事物要素及其相互作用方式是相同的,就可以产生相同的结果,这些结果也是可以确定性地预测的。牛顿力学体系在解释和预测天体运动方面惊人的成功,使人们认为用这种概念能对整个世界做出最后解释。拉普拉斯在他的《概率论》中曾经指出:我们应该把宇宙的目前状态看做其先前状态的结果,并且是其后续状态的原因。我们暂时假定存在一个"全知精灵",它能理解使自然生机盎然的全部自然力,能理解构成自然存在的种种状态,且能将所有这些资料加以精确地分析。那么对于这样的"精灵"来说,没有任何事物是不确定的了,未来也一如过去一样全都呈现在它的眼中。拉普拉斯这种观点成了决定论最恰当的表述。

在解决实际问题中,人们往往不得不进行概率描述。某些学者认为这充分揭示了事物过程的非确定性方面,但是拉普拉斯的观点与此相反。在他看来,概率是人们不知道现象的一切原因的尺度,事物过程的随机性是未认识的确定性。对复杂事物过程进行概率描述或预测是由于人们对事物过程本身的暂时无知。举例说,一个简单的空气分子所经历的轨迹,也像行星的轨迹一样是完全确定的。它们之间之所以有差别,只是我们对空气分子运动的无知。统计方法只是为了实际使用而引入的,如果知道了现象的所有原因,就可以把随机性连同概率一起从预言范围中完全取消。

经典统计理论作为对客观事物过程的反映,并不与确定性理想发生根本的矛盾。因为它所反映的客观过程中,单个客体的行为仍然是严格确定性的。只是由于认识能力的局限性,人们不可能对所有单个客体的过程加以具体描述。也就是说,即使复杂的多体事物过程,每一环节也都是严格确定性的,只不过人们对它不能做出严格确定性的描述,而只能运用统计的方法。

4.2.2　事物过程的随机性

科学领域内的非决定论认为,事物过程具有随机性质。对事物过程性质的随机性肯定与量子力学的概率性描述有关。量子力学研究表明,微观测量和宏观测量有着根本的区别:对于经典物理学来说,一个宏观过程可以用仪器通过测量来加以追溯及客观地描述;而在量子力学中不再具有这样的可能性,因为在观察和描述粒子现象时,不应该忽略观察行为所给予被观察体系的那种干扰。由于这种不可控制的干扰,对微观客体进行确定性描述是不可能的。因此,量子力学的哥本哈根学派得出了这样的哲学结论:在量子理论中,甚至连单个粒子的行为也被认为是随机性的。单个微观粒子的运动遵守统计规律而不是动力学规律,因而,即使是对于单个事物也只能进行统计的描述。人们不能说某个电子一定在什么地方出现,而只能知道它在某处出现的概率。这种观点曾经引起玻尔和爱因斯坦长达几十年的大论战。爱因斯坦认为,对微观个体事物的概率描述虽然是必要的,但并不是最终描述。薛定谔也认为动力学规律是自然界的终极规律,那种假定单个量子过程不服从任何动力学规律的观点是一种“后退的努力”。现在,越来越多的物理学家对哥本哈根解释的主观色彩也表示出不满。

的确,由于观测因素总是介入并影响粒子的行为,故单个粒子的动力学状态便不可能确定性地描述了。但是,这并不等于证明粒子运动不服从动力学规律,因为我们完全可以仿照拉普拉斯引入“精灵”,从而进行无干扰观测。因此,微观客体观测的特殊性并没有从本质上使确定性描述失去基础,否认粒子服从动力学规律并没有充分的科学依据。即使相同的观察得出不同的结果,也并不能证明微观粒子具有本质上的随机性。在这方面维护事物过程决定论的主要代表是钱学森。他根据理论物理学的发展,在微观、宏观和宇观层次之外,提出了“渺观”和“胀观”两个层次。在渺观层次,系统具有 10 维时空,多出来的 6 维在高一层次的微观世界是看不到的。钱学森猜想:微观层次的量子力学所表现出来的非确定性,实际上是确定性的渺观层次 10 维时空运动的混沌所形成的。本来是确定性的运动,看起来就成了非确定性的运动。

4.2.3 人的因素与随机性

上述决定论观点和非决定论观点涉及到的是自然事物,它们实际上都属于信念的范畴。这种关于事物过程性质的争论还会继续下去,实践和经验方面的证实似乎是不大可能的,思辨性的答案也很难使人信服。但是当我们考虑到人的因素时,任何事物过程实质性的随机性就成为不可避免的了。

物理事物是自在的存在,而人则是一种自为的存在。人作为参与因素的事物过程与纯粹的自然事物过程相比,也许有着本质的区别。即使自然事物过程本质上讲是确定性的,人类的存在也改变了它们的性质。也就是说,人类行为的自由以及对自然事物的随机性干预使得整个世界过程不再是确定性的了。即使存在拉普拉斯的“全知精灵”,他也不可能进行精确的确定性描述。人的目的在历史和现实中都留下了印记,这充分说明了本质上的不确定性。

如果我们研究的是纯粹自然系统,没有任何人类的直接干预,例如自然边坡的稳定性研究,那么是否就意味着它不包含任何人的随机性干预因素呢?实际上,人们虽然没有直接干预它,但影响其行为的因素中必然渗透着人的随机性作用。因此,只要人类存在,我们就可以断定这个世界过程从本质上讲是随机性的。

4.2.4 确定描述与概率描述

决定论和非决定论是在本体论层次上谈论问题的,现在我们从方法论意义上讨论事物过程的描述和预测。即使现实事物过程从本质上讲是确定性的,我们也不可能精确地对其做出严格确定性的描述,因为影响该过程的因素是无穷无尽的,我们也无法找到拉普拉斯的“全知精灵”。对于这一点,连决定论者也是同意的。

严格地说,任何事物过程的描述和预测都应该是概率性的,因为对作为预测主体的我们来说总是有不确定性因素存在。事实上,事物过程中即使没有任何随机因素,我们也还是总有某些未确知的因素,特别是那些随时都有可能介入相互作用过程的因素。只要涉及到事物的未来过程,对我们来说,不确定性就是不可避免的。那么,是不是我们就只能进行概率性描述和预测呢?在实际当中,对事物过程的绝大多数科学预测都是确定性的。那么,这是否意味着这种确定性预测没有基础呢?

事实上,对我们预测主体来说,任何事物的发展变化过程总有确定性的一面,也有不确定性的一面。例如,在具体事物的发展过程中,原因和结果之间的联系是确定性的;而事物过程中新因素的介入则是不能完全确定的。实际上,我们对某个具体事物既可以采用动力学方法进行确定性描述,也可以采用概率统计方法进行概率性描述;而且确定性描述和概率性描述都只能是近似的。究竟在什么情况下采用确定性方法,什么情况下采用不确定性方法,应视具体问题而定。科学哲学家波普尔设想了这样一个连续统:连续统左端的物理系统像“云”一样,其行为非常不规则而难以预测;右端的物理系统像“钟”一样,其行为规则性和秩序性强、容易预测;其他事物则均处于两端之间的某点处。显然,规律性比较强的简单系统可以采用确定性方法研究,而对于含有大量不确定性因素的复杂系统则适宜采用概率统计方法进行预测。例如,当因素体系及其相互作用方式能清晰地确定,且事物发展变化过程中没有新因素介入或这种介入引起系统行为的涨落微不足道时,系统状态及其轨迹就能够采用确定性方法可靠地加以确定。此外,我们赞同普利高津的观点:随着科学的发展,确定性描述和概率性描述之间的距离将越来越小。

4.2.5 岩体行为的描述和预测

岩体工程系统和岩体系统涉及到人的因素,因此其行为过程从本质上讲具有随机性。因此,就实际岩体而言,确定性的解答只是一种理想,而不确定性解答则比较自然。然而,大多数情况下,人们仍然用传统的确定性方法。这也许是因为这种方法的简便易行,也许是由于人类自古就有寻求确定性的强烈愿望。事实上,不确定性解法要求知道相当多的信息。例如,边坡岩体动力学的不确定性解法要求知道岩体的结构以及其他地质条件、地震运动和岩体材料参数的概率密度、平均值和方差等数据,这就要求详细的地质调查、大量的强震观测资料和岩体动静力特性资料,这在目前很难办到。

有时我们可以把不确定性因素转变为确定性因素,从而进行确定性分析。例如可以考虑岩体力学参数随时间可能发生的衰减而选取某定值;可以考虑某固定烈度地震荷载的作用而将不确定性作用转化为确定性的。本身是确定性的东西也可借助概率统计方法进行研究,例如对岩体中的节理裂隙可以进行统计描述。从岩体工程问题的实际情况来看,不确定性分析是比较理想的方法。但是,由此否定确定性分析则是极端的看法。有些学者例如于学馥(1994b)就认为,不确定性思维更加现代化和科学化,运用确定性思维方式解决自然界中不确定性问题的做法都是不正确的。我们认为,这种说法似乎有些不妥。

岩体是开放系统,随时都可能有新的因素介入。在外部因素不可捉摸的情况下,系统行为的预测,特别是长期预测是很困难的,甚至是不可能的。事实上,对于任何复杂的开放系统,其行为过程都具有马尔科夫过程的性质,即系统在每一个特定的状态仅仅决定着直接由它而来的那部分过程,而不决定以后的全部过程。系统过去的历史对于决定其将来,特别是遥远的将来没有本质上的意义。

4.3　系统行为预测的原理

法国思想家霍尔巴赫曾提出过一种很有意义的思想。他认为事物的运动有其本身特性的根据。事实上任何事物的运动都有一个倾向或趋势,这个倾向决定于事物的特性。事物的活动或行为方式永远是其存在方式所产生的结果。这些思想的意义在于:正是事物的存在方式及特性所规定的运动倾向,才使事物具有相互作用的可能性;相互作用就蕴藏着事物过程的秘密;要预测事物过程就必须弄清相互作用的原理。

4.3.1　规律性原理

科学史表明,人们总是试图寻找事物发展变化的规律性。如果现实事物的发展变化没有规律,那么其行为的预测将是不可能的事情。任何事物的发展过程都有其自身的规律性,这是马克思主义的一个基本观点,也是我们科学工作者根深蒂固的信念。否则,对复杂事物规律性不懈追求的努力就变得不可思议。

规律就是事物发展变化过程中相互作用的内外因素与相互作

用的结果之间的确定性联系。例如在牛顿第二定律 $\boldsymbol{F}=m\boldsymbol{a}$ 中，外力 $\boldsymbol{F}$ 与质量 m 构成因素体系，相互作用的结果为加速度 $\boldsymbol{a}$。规律可以是确定性的，例如牛顿定律；也可以是统计性的，例如量子理论。在统计性规律中，因素体系与其相互作用的结果之间没有简单的单值对应关系。也就是说，我们不能断定某结果一定出现，但可以断定该结果出现的概率。

世界中的事物相互作用并处于普遍联系之中，科学不可能将所有事物作为整体进行研究。因此，科学的局限性是显而易见的。到目前为止，我们所认识到的也仍是一些碎片，或者说都是一些理想条件下的关系。它们最多能够被当做某种假说应用于解释具体事物的发展变化，而不可能完全与事物自身本真存在的那种秩序相吻合。当理想化的条件或因素与实际相近，或没有漏掉主要因素时，理论能与实际很好地相符。但是，只要谈到预测未来，任何理论都将是冒险的。因为有些因素是不能确定的，预测结果自然也就带有不确定性。

(1)规律的性质：科学所研究的规律多种多样，我们在此把它们大致分为三类，即具体事物过程规律、相似事物重复性规律和普遍作用规律。这里所说的具体事物过程规律就是指具体事物演变过程本身体现出来的规律性。例如，某种岩体变形时间序列中体现出来的规律性、放射性元素的衰变规律等。

重复性规律也是一种确定性联系，这种确定性联系能够在相似因素体系的相互作用过程中重复出现。实际上，相似的事物往往表现出相似的行为，这些行为具有可重复性本身就意味着某种规律性，这是从特殊到一般的认识之基础。正是这种确定性认识才使我们能够根据经历过的同类事物之行为预测新事物的行为。显然，具体事物过程的重复性规律是概括出来的，这种概括建立在事物相似性的基础之上。我们都很清楚，现实当中没有任何两个事物完全相同。因此，重复性规律的实际应用不可能是绝对可靠的。事物越复杂,个体性就越强,同其他事物的相似性就越差,重复性规律就越不严格。岩体工程系统之间的相似性程度通常是很低的。即使两个工程的类型相同、规模一样、岩体条件也很相近,但如果设计与施工水平不同,也可能导致不同的结果。实际情况通常是岩体工程系统无论在规模、地质条件、设计与施工水平各个方面都有很大的差异。因此,就不同岩体工程系统之间进行规律性概括,即使可能也是相当抽象的,不可能很严密。

普遍作用规律也体现在事物的发展变化过程中,但它不是具体事物过程本身的规律性,也不是只在相似系统中起作用。例如,牛顿第二定律在所有建筑结构或岩体结构体系中都起作用,但这些结构体系的具体行为过程可能完全不同。很多理论研究都是探讨这类普遍的、确定性的、与时间无关的规律,它们不是具体事物过程的规律,而是关于事物内部机理的规律。

(2)行为的预测:就某具体岩体而言,基于不同性质的规律,我们可以对其进行三种不同类型的行为预测,即根据该岩体已经发生的变形记录和其中体现出的规律性进行该岩体未来行为的预测(例如岩体变形时间序列预测);根据以往同类岩体的变形资料和系统整体行为之间表现出的重复性规律进行类比预测(例如经验性的类比推理);根据普遍作用规律和特定的初始条件、边界条件及作用因素进行分析性预测(例如岩体力学问题的经典力学分析)。

无论如何,对事物未来进程的预测,必须有两个条件:对规律性的认识和对因素体系的把握。如果没有掌握规律或不能确定因素体系的初始状态,科学预测就失去了根基。预测的精度当然与对因素体系的了解程度有关,特别是对新因素随时介入的可能性的了解。目前所发展的动力学和静力学理论有其特定的适用范围,特别是适用于较简单的宏观因素系统且在发展过程中不再加入新的因素。实际岩体过程中,都随时有新因素介入的可能性,而这些因素的介入可能完全改变岩体行为的方向。此外,岩体本身的结构和物质组成,以及岩体材料特性都是随着时间不断变化的,这必定会使系统复杂化。可见,仅仅掌握规律并不能完成预测任务。

由于涉及到复杂的因素体系,而且规律又不是某种贯穿于整个演化过程始终的链条,对岩体行为的长期预测就变得极为复杂。岩体系统过程都具有马尔科夫过程的性质,即系统在每一个最初的状态仅仅决定着直接由它而来的过程,而不确定以后的所有过程。系统过去的历史对于决定其将来,特别是遥远的将来没有本质上的意义。因此,不管什么样的预测,只有对现存因素体系相互作用的直接结果来说才是较为精确的。这种预测离开现存因素体系越远,就越不可靠。长期预测只可应用于基本上完全孤立的、稳定的和周期性的系统,例如只是因为我们的太阳系是一个稳定的和周而复始的系统,日食的预言以及实际上建立在季节规则性上的预言才成为可能。同人们普遍的认识相反,对这种周而复始的体系的分析在自然科学中并不具有典型性。换言之,这样的系统仅仅是特例,尽管就此系统进行的科学预测给人留下特别深刻的印象。

混沌系统的发现也对预测实践产生了显著的影响。发现事物坚实的客观规律性,并不能保证事物发展过程预测的坚实性,因为确定性的系统中可能包含着不可预见性如混沌。现在,人们已经认识到很多现象是由确定论混沌支配的:尽管它们的运动服从牛顿物理学定律,它们的轨迹却是敏感地依赖于其起始条件,因而排除了长期预测的可能性。

绝对可靠的预测是不可能的,但是仅仅因为我们在处理中没能把握给定问题的所有相关因素,并不意味着不能做出任何有意义的预测。只要掌握了一定的规律,根据一定的因素体系就总能对事物的未来进程做出具有一定精确度的预测。

4.3.2 可能性原理

众所周知,预测不是对事物的现实状态做出判断,而是对可能发生的事件做出推测。任何事物过程都有必然性的一面,也有偶然性的一面。因素体系的复杂程度不同,事物过程的性质也就不同。显然,事物现状的不确定性因素以及随时可能介入的不确定性因素使事物发展变化的方向和结局具有多种可能性。无论对任何事物发展过程的预测,都会涉及到可能性原理。对事物发展可能性特别是可能性空间的认识是正确预测的前提。可以设想,如果一种非常现实的可能性被排除在我们的视野之外,那么预测结果的可靠性不会太高。

对于作为预测主体的我们来说,任何具体事物的发展变化都具有众多的可能性。事物的可能性就是潜在着的尚未实现的可能过程或状态,已实现了的事物过程或状态仅仅是一种实现了的可能性。事物"诸多可能性的集合"称为该事物的可能性空间,它是由若干个可能状态和可能转换关系组成的整体,有着自己的形态、结构以及发展变化过程(王天思,1993)。在事物发展过程中,如果有意义的新因素介入的可能性被消除,因素相互作用机制也逐渐变得清晰起来,那么因素体系便成为特定的组合及相互作用,事物过程将趋向确定,可能性空间将发生收缩,事物过程进入更加确定性的阶段。

任何事物都拥有一个特定的可能性空间,其发展变化的现实都只是可能性空间所拥有的某种可能性的实现。认识可能性空间是能动实践的必要前提,否则实践只能是盲目被动和因循守旧。深思熟虑的实践目的也正是从现实出发,并循着可能性空间中的一定可能性确立的。如果我们创造一定的条件,就可以抑制一些不利的可能性的实现,而使一些有利的可能性顺利地变成现实。在认识可能性空间的基础上选择可能性并促其实现,这是人类理性和创造本质的重要体现。

探索具体事物发展的可能性空间,可以通过对原因与结果的分析来完成。原因就是内在因素(根据)与外部因素(条件)的相互作用过程;任何相互作用都伴随着相应的效应,结果则是因素相互作用的效应及其累积的痕迹。认识可能性空间就是在作为根据的内在因素和作为条件的外部因素进入相互作用之前,分析它们所构成的关系空间。明确内在根据和外部条件没有结合不构成原因这一点非常重要。当我们撇开具体的外部条件而就系统本身谈其发展的可能性时,这种可能性仅仅是抽象的可能性;只有结合具体外部条件,系统发展变化的可能性才是具体的可能性。可能性空间中的可能性都是由具体的根据和条件构成的,因而都属于具体的或现实的可能性。

与岩体行为相关的内在因素包括岩体的岩性、结构、地应力及地下水等地质因素;外部因素包括岩体地质环境变迁对其施加影响以及工程作用等。在岩体工程施工前的设计阶段,无论是岩体的内在因素,还是对岩体施加影响的外部作用,都是无法完全预料到的。例如,施工过程中完全可能揭露出未曾预料到的断层或其他地质因素;施工中能动的人为因素就更加难于预料。因此,岩体系统的可能性空间必然是动态的。相应地说,工程设计也应该是动态的。对于特定的内外因素,其相互作用的结果,就相对于我们现阶段的认识而言也往往具有多种可能性。这主要是我们对岩体的变形破坏规律认识得不够,不得不研究多种可能性。

面对建构起来的可能性空间,我们肯定会问各种可能性实现的概率有多大?究竟哪种可能性将要变成现实性呢?可能性空间中各种可能性实现的概率必定处于 0 和 1 之间。绝对的必然性是不存在的,典型的“必然过程”表现为事物发展变化由根据本身所控制。这种事物过程当然是在一定的外部条件下进行的,但这些外部条件只起到有限的影响而不是决定性的作用。更具偶然性的事物过程往往表现为事物发展变化受外部条件的决定性影响。

4.3.3 系统性原理

系统就是由相互作用和相互联系的若干组成部分结合而成的具有特定功能的整体。把所要研究的部分从复杂相互作用着的世界中划分出来,就成为系统;所有其他与系统相互作用的部分称为外界或环境。系统中那些相互联系、相互制约的要素称为子系统。显然,针对具体问题划定系统和环境后,就容易抓住问题的总体特征及其与外部环境的联系。

任何实际系统的主要特征都是整体性、层次性、动态性等。系统科学所体现出来的根本哲学思想是整体性原则。系统的整体性意味着系统都是有组织结构的整体,是物质、能量以及信息的有机综合体。部分之间发生相互作用,整体具有它的各单个部分所不具有的特性,因此整体不是其各部分的简单叠加。对于复杂系统来说,要素之间的非线性相互作用可以导致系统行为的极端复杂化。传统上,整体经常被错误地当做定性的和本质上不可测的实在属性。现在人们认识到,对于复杂系统来讲,深入地研究各有关要素是必要的,但仅仅这种分析研究不能很好地回答整个系统的问题,必须建立描述系统整体行为的理论。

具体科学研究的对象总可以被视为某种层次上的事物,被概念化为系统。系统的特性和行为很难用系统组成部分的特性和行为加以说明,如生物体的生命现象不能还原为物理化学现象。系统性原理强调整体性原则,把预测对象看成一个完整的系统,而且是一个从过去发展到现在,从现在再发展到未来的动态整体。我们之所以应特别地重视从整体看待事物、强调对预测对象的各个方面进行综合考察和整体分析,因为在某种意义上只有整体才是真实的。当代科学实际上已经放弃了仅仅把孤立的单个实体作为研究对象的习惯,系统方法与概念独立地在大多数学科中发展起来,并逐渐获得了中心地位。系统方法的重要性在于使我们能够透视整体性。

岩体工程系统是由大量相互作用的部分或要素组成的复杂巨系统,需要用系统方法处理这种具有复杂相互作用的问题。

4.3.4 连续性原理

研究客观事物必须具有历史的、发展的观点。任何事物的发展都有一个连续的、统一的过程,其未来的发展是这个过程的继续。连续性原理强调的是,预测对象总是从过去发展到现在,再从现在发展到未来。众所周知,事物的发展过程中往往会有突变。也就是说,在有些情况下,预测对象的发展会出现不连续现象。所以,连续性原理实际上指的是:如果没有事物的过去和现在,就没有它发展变化的未来;要对该事物的未来发展进行预测,就必须了解它的过去和现在(孙明玺,1998)。

任何预测对象发展过程中的过去、现在和未来,处于一种辩证的、统一的、连续的关系之中。这三个发展阶段相互依赖且相互转化,其中的现在阶段比过去和未来要短得多。对这种短暂性可以有狭义的理解,也就是对时间的微分。即认为现在只是极为短暂的过渡点,它实际上是不存在的,因为时间不是马上成为过去就是还没有来到。一般情况下,我们都是采取对时间的广义理解,即对时间的积分。现在阶段包含了最近的过去阶段和最近的未来阶段。

可能性向现实性转化往往要经历一个复杂的发展变化过程。系统中各种内外因素间的相互作用必然同时产生一定的效应,整个效应过程相对于整个因素相互作用过程,也是同时发生的。事实上,它们是同一过程的两个方面。原因的过程性决定了作为效应痕迹的结果的系列性,连续性原理要求我们进行预测必须具有过程的概念。

4.3.5 信息性原理

信息在预测活动中的重要性是显而易见的,因为任何系统行为的预测都基于信息。从信息的角度看,预测活动就是收集信息、输入信息、处理信息、输出信息、反馈信息的过程。信息科学告诉我们认识复杂事物要从信息的观点出发,从分析事物实际的运动状态和运动方式入手,考察它的内部结构及其外部联系状态和方式,以探明其间所包含的具体的信息运动过程,从而达到在整体上和逻辑上把握该事物的工作机制的目的。

信息的意义在于将接受者置于某种确定的状态。获得信息就意味着消除不确定性,获得的信息量越大,消除的不确定性就越大。事物过程及其最终状态的预测活动本身也应该被当做一个过程,其间贯穿着信息的流动。要提高预测的可靠性,必须设法不断地获得影响系统行为的新信息,以消除或减少不确定性。在预测活动中,预测结果是一种输出信息,它往往作为反馈信息对下一步的预测产生影响。显然,预测结果和实际行为的反馈性对比有利于纠正或缩小预测的偏差,不断地提高预测精度。

岩体工程的特殊性在于施工前设计阶段很难搞清岩体的地质条件,也很难准确地设想施工条件,因此作为施工前设计基础的岩体行为预测不可能有很高的可靠性。这就要求我们在施工过程中通过开挖观察、地质预报等方法,不断地获得有关岩体地质条件和变形现象的新信息,并随时对岩体行为作出预测以作为调整设计和施工方案的基础。

信息性原理也体现出预测活动的辩证性质。在掌握一定的实际资料的情况下,先拟定出各种可能与已知事实不相矛盾的工作假说,即作出一定的预测和判断。而后进一步观察和收集信息资料,用新的事实对前面的判断加以检查和修正。如此逐步深入,使判断不断趋于全面、正确。实际工作中采用辩证的思维方法可以避免两种极端:见其一点,不及其余,过早地做出依据不够的论断;始终感到资料依据不足,而不作出较切实际的判断。

4.3.6　相似性原理

当甲事物现在的发展过程和发展状况与乙事物过去一定阶段

的发展过程和发展状况相似时，乙事物后来阶段的发展过程和发展状况就可能相似于甲事物的未来发展过程和发展状况。因此，我们就可以根据乙事物后来的发展过程和状况来预测甲事物的未来发展过程和状况(孙明玺，1998)。

根据相似系统理论的观点，任何事物都具有一定的特性(包括特征和属性)。当两个事物存在共有特性而刻画其特征值可能有差别时，则称两事物共有的特性为相似特性。当两事物存在相似特性时，便说该两事物存在相似性(周美立，1998)。应该从系统的角度来研究相似，而不应仅从个别方面研究相似性。两事物的类似程度也没有惟一的答案，而且可以是关系相似、结构相似、功能相似、属性相似等。

相似并不是差异的对立面，而只是一种将次要的差异加以忽视，将主要的相似予以强调的概括。两事物的相似性随着它们的共同性而增加，随着它们的差异性而减少。显然，两个事物相似性程度越低，类比推理或预测的效果就越差。

第5章　岩体行为的预测模型

5.1　前言

对于任何复杂事物行为的预测,其出发点都将是对现实事物进行逼真而又可行的理想化,也就是建立预测模型。任何预测的可靠性和实用价值主要取决于在确立模型时对研究对象的认识,以及对客观存在的各种有关控制条件和参数的正确反映程度。

毫无疑问,解决岩体力学问题的关键与核心是正确地建立各种有关的模型。我们认为,任何模型都应该得到最清晰的说明,而实际上人们对待模型的态度则往往是一提而过,本来是应该详尽地加以阐述的。具体模型的建立是科学本身的技术问题,我们在此将要探讨的是建立模型的方法论基础。具体地说,就是试图从广泛的物理背景和方法论入手,讨论模型建立中的基本概念和实质问题,并对岩体力学中各种模型进行较为详尽的讨论,主要目的是强调建立模型的重要性以及应该注意的问题。

5.2　模型的类型

在科学领域内,科学家们当然需要对作为研究对象的客观事物进行仔细观察,但是研究工作的核心部分却是根据对象的模型对事物本身进行定性或定量分析。因此,分析模型可以被看做是实际问题与理论分析之间的桥梁。待分析的事物称为原型,其理想化的替代物就是模型。应该特别强调的是建构模型的目的性和针对性。任何模型都是为了某种特定目的而将原型的某些特征信息简缩、提炼而构造出来的,模型不是原型原封不动的复制品。

5.2.1 物理模型与数学模型

根据相似原理构造的实物模型，不仅可以显示原型的外形及结构，而且可以用来进行模拟实验，间接地研究原型的某些基本性能和力学行为的规律性。简单地说，数学模型就是系统状态变量和控制变量间的关系。在自然科学领域中，数学模型占有极为显著的地位，因此数学方法的灵活运用至关重要。

5.2.2 定量模型和定性模型

预测模型可以是定性的，也可以是定量的。当实际问题需要我们对事物提供分析、预报、决策、控制等方面的定量结果时，建立定量的数学模型则成为关键环节。建立描述系统演化的定量模型是困难的，但这是系统定量分析最重要的方面，否则就谈不上系统优化。

5.2.3 静态模型与动态模型

时间在自然事物的演变中起着根本的作用。在经典力学分析中，时间被归纳为一个参数，将来和过去是等价的。事实上，时间与复杂性是两个有着密切联系的概念。动态模型关注事物发展变化的过程，而不是以传统的“静止”态度对待事物。

5.2.4 黑箱模型与灰箱模型

黑箱模型和灰箱模型是系统理论中的重要概念。如果我们只能根据系统的输入与输出了解它与外部世界的联系，那么只好建立黑箱模型。采用黑箱理论意味着我们对研究对象的内部结构和机理一无所知。系统的结构在很大程度上决定系统的功能，但是要了解功能不一定非得弄清结构。例如，司机可以不了解汽车的构造和原理，但他可掌握汽车的功能而很好地驾驶。黑箱模型就是只关注系统的功能即功能模拟，着眼于系统的外部行为。当我们了解系统的部分信息时，可以建立灰箱模型，并采用灰箱理论进行分析，充分地利用已获得的关于系统的知识和信息。如果我们完全清楚系统的结构和机制，那么就可以建立白箱模型。

5.2.5　线性模型与非线性模型

线性系统可以用线性数学模型来表述,弱线性系统可以用线性模型来近似,而明显非线性系统则只能采用非线性模型进行分析。线性分析可用于稳态平衡结构受到较小扰动的情形,即系统状态位于稳定点附近。几乎没有严格的线性物理系统,然而线性假设的重要性在于:许多实际的现象在所限制的时间和限制的变量范围内近似可看成是线性的,所以通常的线性数学模型能够模拟它们的行为。线性方程可以用许多方法处理,而这些方法对于非线性方程都是无能为力的。

5.3　模型的建立

建立模型关键是做出符合实际的简化假设,并用明晰的语言表达出来。这就要求我们对问题实质具有深刻的认识。

5.3.1　建模的目的

模型成功的关键是必须反映原型事物的主要属性和特征,而什么是主要属性和特征则与我们所关注的问题有关。因此,必须强调构造模型的目的性。显然,原型有各个方面因素和各种层次的特征,而模型只要求反映与某种目的有关的那些因素和层次。

很显然,每种模型都是针对具体情况而建立的,因此必有其特定的适用条件。应用具体模型的人对此必须给以高度重视,否则必将使对岩体行为的预测失真,并由此可能导致错误的工程决策。

5.3.2　模型的要素

那么,究竟哪些因素应该在模型中加以考虑呢?对于那些必须纳入模型的因素,我们应该怎样进行简化处理呢?显然,我们必须确立适当的标准,以便在考虑纳入模型的因素时,选择重要的,舍弃次要的。为此,任何与我们的问题有关的因素都应得到检验。因此,标准的确立必须依靠细致的分析研究和实践中不断的试探,经验在这里常起重要作用。

5.3.3 建模的假设

建立模型的关键是如何做出合理的简化假设。根据不同的假设会得到不同的模型。通常作假设的依据,一是出于对问题内在规律的认识,二是来自对数据或现象的分析,也可以是二者的综合。首要的是了解问题的实际背景,明确建立模型的目的,搜集建立模型必需的各种信息,尽量弄清对象的特征。

任何模型的建立都需要某种假定。因此,也就限定了具体模型的适用条件。沈珠江(1992)曾经强调指出,理论研究中的基本假设是核心,必须引起高度注意。他抱怨说,很多作者没有把基本假设交待清楚,有些作者甚至自己也不清楚作了什么假设,或者不明白这些假设的含义。殷宗泽(1996)也指出,建立模型时引入的假定最值得我们进行深入探讨。

5.3.4 模型的精度

模型的精度当然与预测的可靠性有关。人们自然希望模型尽可能逼近客观对象,但是那些非常逼真的模型往往复杂得难以处理。亚里士多德曾经说过:"在各类事物中,按问题的性质提出对精确性的要求是有教养的标志。"对于具体的问题来说,并不是模型越复杂就越好。

5.3.5 模型的标准

衡量一个模型的优劣全在于它的应用效果,而不是采用了多么高深的数学方法。进一步说,如果对于某个实际问题我们用初等的方法和所谓高等的方法建立了两个模型,它们的应用效果相差无几,那么受到人们欢迎并采用的,一定是前者而非后者(姜启源,1993)。

5.3.6 模型的检验

模型的检验非常重要,应严肃认真地对待。最好的检验常常由其他人而不是模型提出者进行,因为他人相对于模型来说处于更加超脱的地位并以批评的眼光来审视问题。

5.4 岩体力学模型

岩体力学分析的一般程序如下:根据岩体的地质特征(包括岩性、结构、地应力、地下水等)建立地质模型;根据地质模型和受力特点,判断岩体的变形破坏机制及其力学介质类型;在充分考虑岩体材料变形破坏机制的基础上,选择本构模型并开展相应的岩体力学试验以确定本构模型的参数;根据介质类型和受力特点,建立岩体力学的计算模型或图式;选择适当的岩体力学分析方法并结合岩体材料的强度理论,进行岩体力学分析以及岩体稳定性评价。因此,岩体力学分析模型包括岩体的地质模型、岩体的力学介质类型、岩体材料的各种本构模型,以及岩体的力学计算模型等。

人们采用的分析模型,就其实用性和复杂程度来说,是与人们的认识水平和分析能力直接相关的。岩体工程设计发展的趋势是越来越多地考虑实际结构的特点和性能,这必然要求岩体力学分析将使用越来越复杂的模型。

5.4.1 岩体地质模型

岩体是地质体或地质体的一部分,岩体的工程力学性能在很大程度上取决于其地质特征。对岩体的地质特征进行合理的简化与抽象,从而建立符合实际的地质模型是岩体力学分析的基础,也是解决岩体力学与地质脱节问题的关键。孙广忠(1988)、许兵(1997)等人都多次强调地质模型在岩体稳定性分析中的重要性,因为它是地质与力学之间的桥梁。如果不把岩体的地质特征搞清楚,那么任何精确的力学计算都等于无用。

建立岩体地质模型要求定量地表达各种地质特征。这种定量表达是岩体力学进一步分析、地质有效地服务于地质工程的前提。岩体力学中研究地质特征是在工程地质工作者提供的地质资料基础之上进行的,其重点是分析各个地质要素的规律性,找出那些就工程力学观点而言重要的地质特征并定量地表达它们,以便将其理想化地纳入地质模型。

探索地质特征的规律性对于定量地质模型的建立至关重要。岩体的地质模型所刻画的是岩体的存在方式,它是根据岩体的地质特征和工程地质问题进行科学抽象得到的模型。建立岩体的地质模型需要考虑的地质信息主要涉及岩体的形成、物质组成、岩体结构以及地应力、地下水和地温等岩体状态因素,其中最重要的是岩体结构模型。

(1)岩组模型:简单地说,工程地质岩组就是岩石的工程地质组合(谷德振,1979)。进一步讲,岩组是依据岩石的自然分布规律、岩性及物理力学特性划分的岩石组合体。划分岩组的目的在于将复杂的岩体进行归纳分区,以便对岩体进行合理的分析与评价。所划定的每一岩组都有一定的岩石组合特征、类似的工程地质条件以及相近的工程性质。显然,布洛伊利(1974)所说的"均质带"与岩组的概念有些类似。而且,他指出仅在给定的均质带的境界内,我们才可以对测定的结果和力学参数进行外推。可见,确定均质带或岩组的范围及其特征是岩体描述中最重要的步骤之一。

岩性的含义中包括岩石成因、矿物、结构等多方面特征,但岩性术语不足以表示岩石的力学性质,因为岩性相同的岩石可以显示极不相同的力学性质。尽管如此,保留岩性术语还是有意义的,因为正如下面所述它能传递给我们很多力学方面的信息。从岩体力学观点研究岩石的岩性,主要应抓住其力学性能上的薄弱环节,特别是软弱成分、不稳定成分及软弱结构构造。岩体中的软弱成分主要包括软弱岩石(如粘土岩及易溶盐类矿物组成的岩石)、软弱夹层及破碎带等。

进行岩组的划分,必须以地层划分为基础:首先应有界、系、统、层的地层地史概念,然后要注意原生结构面的性质及其分布规律。岩组划分所涉及的两个重要标志是岩性和原生结构面(孙玉科等,1988)。划分不可过粗,也不可过细,应视工程项目的不同和研究工程区域范围的大小而有所不同。因此,统一工程地质岩组的划分是不现实的。

(2)结构模型:岩体中一般都含有明显的或隐伏的各种地质界面,例如断层、节理、夹层及层面等。岩体的关键特征就在于它被这些软弱的地质界面切割成不连续体系统。由于软弱面的存在造成了岩体在物理上和力学上的不连续性,因而在岩体工程领域人们将它们统称为"地质不连续面"。谷德振等人把岩体视为结构物,因此把地质不连续面统称为"结构面",被结构面切割而成的岩块统称为结构体。显然,在岩体力学分析中我们并不能将所有的地质不连续面都纳入岩体结构模型。因此,我们倾向于把纳入结构模型的地质不连续面称为结构面,被这种结构面切割而成的块体称为结构体。这样,结构体内就包含次级不连续面。

谷德振(1979)指出,地质不连续面不是狭义的、没有厚度的面,而是面、缝、层、带等地质实体的统称。狭义的面是指岩块或岩层呈刚性接触,干净无充填物,即没有空隙;缝是指充有各种软弱物质的节理、裂隙等;层指原生的或经构造作用及次生作用而有一定延续范围的软弱夹层;而带则是指不同规模、成因的破碎带状体。把一定厚度的实体叫做面,在语言学上是一种歪曲。但是从力学角度来考察,这种地质实体本质上讲具有面的作用机理:其变形主要表现为两盘闭合或剪切滑移;破坏则表现为显著的滑动或追踪开裂。

岩体中不连续面的存在,常常会造成岩体变形加大、强度降低。由于这些面特别是软弱界面在工程中的重要性,促使人们对其物理状态及力学效应进行了大量的研究。我们将会发现,虽然岩体中不连续面类型很多且规模不等,但在严格而详细地描述及试验研究的基础上就可把它们合理地划分为若干种类型。断层是由于地壳运动产生破裂而形成的构造,其两盘有明显的相对位移,之间往往充填有一定厚度的断层破碎带。断层属于软弱结构面

(相对于两侧岩壁),因为断层破碎带,特别是断层交汇带属于松散介质,地下水在这里往往也比较活动。实践表明,工程事故多与这种地段有关。节理一般同断层有共同的成因,但其两盘没有或有很小的相对位移。节理通常有规则地成组出现,且通常存在方向不同的几组。另一种完全不同的节理是柱状节理,它们在玄武岩中发育得最好。其成因是冷却时收缩引起的拉应力作用,同土壤和泥巴干燥时形成裂缝有点近似。为了研究的方便,往往根据现场地质资料的调查统计,着重考虑其中2~3个主要的节理组。测定每组节理方位的统计平均值和离散程度,根据其平均长度、密度、贯通性、展布方向等,概化出一些典型的节理岩体模型,进行试验或力学分析研究。

裂隙指岩石中的裂缝和裂纹,是岩石材料的内部因素。它们与岩石内的孔隙不同:一般属于短且呈面状的微观或亚微观的破裂,作为晶间裂纹出现时可小于1μm,而作为粒间裂纹或多颗粒间的裂纹出现时,可达肉眼可见的程度。化学风化、卸荷作用、加热与冷却作用以及地壳运动等都可能引起岩石裂隙的发育。软弱夹层就是那些在岩性上较上下岩层显著软弱、在工程上常常易引起事故的且厚度超过接触面起伏差的薄层岩层或透镜体、脉体等。相对于整个岩体来说,软弱夹层厚度是很薄的,因此可以将其视为结构面的一种。如果软弱夹层的厚度较大,则应称为软弱岩体,而不再作为软弱结构面来考虑。软弱夹层中较常见和危害性最大的就是通常所谓的泥化夹层。这是由含泥质的原生软弱夹层经一系列的地质作用演化而来的,其中最重要的作用是层间错动和水的作用。泥化夹层的主要特征是:原岩结构改变而形成泥质散状结构或泥质定向结构;粘粒含量较原岩增多;含水量接近或超过塑限;压缩性较高,抗剪强度较低;具有显著的塑性特征,变形时效明显。这种软弱结构面内夹层厚度一般不大,常为几毫米、几厘米至几十厘米。

宇宙间的物体或物体系统,从小至原子、大至星系,都各有自己的结构,以一定的结构型式存在着。实际上,结构是一个普遍的概念,在各门具体科学中具有重要的地位。可以毫不夸大地说,如果取消“结构”这一范畴,各门科学体系就难以建立,科学研究工作也就无法进行。因此,哲学家们将结构概念作为看待世界的观念,它基本上是关于世界的一种思维方式。就地质领域来说,矿物有矿物的结构,岩石有岩石的结构,地壳有地壳结构,地球有地球结构。例如地球是由地核、地幔、地壳组成的,具有圈层结构;地壳是由若干个大板块组成的,具有板块结构;岩石是由矿物颗粒、孔隙及胶结物组成的,可能具有粒状结构或片理结构等。因此,岩体作为一定范围的地质体,也必有自己的结构。

关于岩体结构的概念,在第2章中已经作了介绍。简单地说,岩体结构就是结构面和结构体的排列组合及联结特征,它是在岩体的建造过程中及经过后期地质作用,特别是构造作用的改造而形成的。需要特别指出的是,查清岩体结构是岩体力学研究的基础,而岩体结构研究必须以构造地质研究为基础,运用地质力学分析方法结合地质勘察来进行。事实上,岩体的结构仅仅靠勘探是很难搞清楚的,必须要有一定的理论作指导。另外,岩体力学中研究岩体结构,应特别注意发现岩体结构的规律性,对岩体结构进行科学分类并设法加以定量描述。

岩体结构是岩体本身所具有的,不是人们的思想从外面加给岩体的东西。但实际岩体是非常复杂的,我们所辨识的结构是相对简单的,是可分析的,并能反映本质的方面。一句话,岩体结构是我们从真实的岩体中抽象出来的模型,并没有将全部相关的因素都纳入其中。因为岩体结构模型要反映岩体的本质特征,在抽象并建立这一模型时就得遵循如下一些基本的原则:①岩体规模。不同级别或规模的岩体,其结构类型、介质特征、各向异性等都将发生变化。例如,沉积岩体都具有层状结构特征,但层状结构的概念和所考察的岩体规模有关。在大范围情况下岩体若可看成层状结构,而在工程的具体部位有时可视为块状结构(谷德振,王思敬,1979)。因此,岩体结构类型确定的前提是岩体的规模。对不同规模的岩体,必须抓住相应的结构进行分析。工程上所涉及的岩体可分为如下五级:Ⅰ级岩体(地块)指区域稳定性研究所涉及范围的岩体;Ⅱ级岩体(山体)指整个山体或采矿区稳定性研究所涉及范围的岩体;Ⅲ级岩体(岩体)就是通常边坡、围岩、地基稳定性研究所涉及范围的岩体;Ⅳ级岩体(块体)为仅仅包括节理和裂隙的块体;Ⅴ级岩体(岩块)即仅仅包括裂隙的完整岩块。②岩体结构的层次性。不同层次岩体结构之间存在着级序关系。就一定规模的岩体而言,包括着不同层次的结构。比如,受软弱结构面切割的岩体具有块裂结构,其结构体往往被节理所切割,因而块裂结构体也有自己的结构。这次一级的结构是由节理和岩块所构成的。岩体的力学性能主要与相应层次的岩体结构有关,次一级的结构对岩体力学性能的影响应在结构体的力学性质中加以反映。这是一个非常重要的原则。③结构面和结构体的特征。结构面和结构体的特征是划分岩体结构类型的主要依据,应该考虑结构面的规模及其力学性质、结构面在岩体中的发育程度以及结构面和结构体的排列组合方式等。④原生结构特征。原生结构可以作为一个特征,放在具体的岩体结构名称前,说明结构体的特征。原生结构分为块状结构和层状结构。这些特征能够传递结构体各向异性及均质性等方面的信息。

岩体范围一经确定,其中的不连续面便可分为主要的和次要的。主要的引入岩体结构模型作为结构面,而次要的则作为结构体的内部要素,它们是影响结构体材料特性的因素,不显含于结构模型中。目前,岩体结构划分还没有统一的方案。谷德振(1979)将岩体结构划分为整体块状结构、层状结构、碎裂结构和散体结构。孙广忠(1988)认为软弱结构面控制高级序的岩体结构,坚硬结构面控制低级序的岩体结构。他把岩体结构划分为两级五种。被软弱结构面所切割而成的岩体结构称为Ⅰ级结构,包括块裂结构和板裂结构。被坚硬结构面切割而成的岩体结构称为Ⅱ级结构,包括碎裂结构、完整结构(包括断续结构)和散体结构。这样,岩体的结构类型有完整结构、块裂结构、碎裂结构、板裂结构和散体结构等五种。

5.4.2　岩体介质类型

在力学中,物体是被当做力与变形传播的介质看待的。可以说,确定具体岩体的力学介质类型是整个岩体力学研究的中心和基础。对于具体的岩体力学问题,介质类型的选择或判断是整个岩体力学研究工作成败的关键。如果岩体力学介质不搞清楚,那么就很难有把握对岩体做出正确的力学分析。

岩体变形破坏机制是根据地质模型和工程作用加以判断的。预测可能出现的岩体变形破坏的形式和机制是很关键的问题。若不能正确判断岩体的变形破坏形式和机制,就无法正确确定岩体的力学介质类型,也不能进行合理的岩体力学试验,更不能选取合适的岩体力学分析方法。

5.4.3　材料本构模型

岩体是结构物,不是材料。岩体结构单元包括结构面和结构体,它们相当于建筑结构物中的构件。构件是由材料构成的,因此岩体结构单元也是由材料构成的。显然,我们需要研究岩体材料的工程力学性质。而研究材料性质,就得取代表性的材料单元进行试验研究。岩体材料单元包括岩石单元、节理岩体单元和结构面单元。

岩体材料的力学性质主要是指变形、强度和渗透性质;就荷载作用方式而言,其力学性质包括静力特性、动力特性以及流变特性。而就内容来说,力学性质包括数学模型及其参数。在这些资料的基础上,我们才能进行应力变形分析或稳定性分析。没有变形本构模型,应力变形分析就无法进行;没有强度理论就无法根据计算结果判断材料是否发生破坏。

5.4.4　岩体计算模型

岩体力学计算模型是根据岩体的地质模型、变形破坏机制、力学介质模型,再加上工程作用而建立起来的,是岩体力学计算的简图。岩体力学模型是多种多样的,它必须与具体的岩体工程相结合才能确定,也就是说同一种介质可能出现多种力学模型,如板裂介质岩体可能具有倾倒、溃屈或弯折等力学模型。对于实际的岩体工程问题进行岩体力学分析时,可能需要考虑多种力学模型,经分析后才能最终判断实际的变形破坏方式。

5.5　变形与强度问题

在岩土力学乃至整个工程力学领域,人们最先关注的是材料与结构的破坏而不是变形,而且此后的变形和破坏问题是分别加以考虑的。在没有深入了解岩土材料的力学性质及其变化规律以及没有条件进行复杂计算以前,人们不得不将岩土工程问题做一定程度的简化以得到问题的解答。例如,在 20 世纪 60 年代之前,人们通常只做一些直剪或三轴试验去测定土的抗剪强度指标,作为边坡和地基稳定分析或挡土墙土压力估算的依据,并用经典塑性理论和极限平衡理论作为分析的方法。另外,就是用单向固结仪去测定土的压缩系数和压缩模量,作为估算地基沉降的依据,并用弹性理论求解土体中的应力分布。

很显然,这种不同场合把土当做理想弹性体或理想塑性体的高度简单化做法,完全漠视了土的应力应变关系的弹塑性特点,并将稳定和变形作为独立的课题加以求解。这种情况之所以延续几十年,主要是由于计算技术的限制。自从 20 世纪 60 年代大型计算机的问世和数值计算方法的高速发展之后,束缚学者和工程师们手脚的镣铐被打破了。现在我们可以相当容易地将复杂结构和本构关系纳入到计算当中,这样也就间接促进了材料力学特性的深入研究。但是,相对来说,由于土的力学性质的复杂性,使得对本构模型的研究和计算参数的确定远落后于计算技术的发展,计算参数选择不当所引起的误差也往往远大于计算方法本身的精度(黄文熙,1981)。

有些情况下,要求详细了解岩土体在工程荷载或其他因素作用下的变形或破坏过程,这就需要采用合适的本构关系,追踪应力历史和应力路径进行应力应变分析。但有些情况下,我们并不需要知道加载变形的全过程,只需要知道岩土体的极限荷载的大小。这时就可借助塑性极限分析或极限平衡分析推求极限荷载或其近似值。

5.5.1 变形分析

变形分析就是要确定结构物的变形场,进行变形设计。显然,设计岩土结构物或与岩土体相互作用的结构物,最合理的途径是以位移资料为基础。无论是岩土体的局部或整体位移都会限制工程结构物的效应,所以位移标准是重要的设计标准。岩土力学中最复杂、最重要的问题也将在详细分析其应力—应变状态的基础上得到解决。

但是,变形分析往往很复杂,且需要大量的岩土特性资料,而这些资料并不都是能够得到的。因此,并不是各种问题都可以进行变形分析。事实上,对材料变形特性的研究和关注比强度问题要迟得多。弹性研究从虎克的试验(1678)开始,自纳维叶建立起弹性力学的微分方程组后,变形分析才得以展开。然而,由于岩土问题的边界条件和材料特性异常复杂,所以进行完善的变形分析非常困难,只是近些年来,计算机和数值方法的发展才有可能较好地完成这一任务。

5.5.2 强度分析

基于变形问题的复杂性,在可行的变形分析之前,人们就发展了针对破坏问题的极限平衡分析法,即强度分析方法。极限平衡分析方法具有大量的研究文献,并被广泛应用于设计中,同时也得到了不断的发展。在实践中,我们可以只关注岩体的极限抗力。保证仅利用岩体现有抗剪强度的一部分,就能得到一个可以接受的设计。显然,这种方法是基于纯工程的观点,它避开了研究整个变形过程而直接估算极限荷载。这就是通常所说的"极限分析"或"极限设计"。极限平衡分析不能求失稳前真实的应力情况,更不能求得变形。尽管如此,由于更精确的分析尚未成熟或经济问题,它仍然是目前广泛应用的比较有效的方法。

极限平衡分析方法可以分为两种,即塑性极限分析和刚体极限平衡分析。刚体极限平衡分析方法不同于塑性极限分析方法。最重要的区别是滑动面的形状是假定的、滑体是刚体且不需满足破坏标准。这种情况在被软弱结构面切割的岩体中是符合实际的。经验表明,常常可以根据岩体的结构、结构面强度及工程作用等,确定潜在滑动面的位置,用极限平衡法就可进行岩体稳定分析。这种方法的优点是简便,且能研究多变的孔隙压力、强度参数等对稳定性的影响。但是,作为设计方法,它的半经验性仍是一个缺点。

5.5.3　综合分析

如上所述,由于历史上的原因以及技术上的限制,岩土体的变形问题与强度问题是区别对待的,往往采用不同的方法近似处理。随着计算技术与方法以及岩土力学特性研究的逐步深入和完善,目前变形和强度问题有结合起来的喜人前景。在这种统一分析中,强度问题被看做是变形问题的一种极端问题。

然而,我们谁也不能否认这两类问题的实用价值和诱惑力。尽管完善的应力应变分析是岩土力学理论的最终目标,但应力应变分析所需要的资料要比强度分析所需的多得多,费用也昂贵得多。特别重要的一个问题是,目前岩土材料高精度的本构关系及其参数难于获得。因此,现阶段分别用比较简便的方法进行强度分析和变形分析,结合经验进行设计有很大的实用价值。

5.5.4　变形的经验控制

岩土材料达到峰值强度可能需要较大的变形,而这样的变形是工程所不允许的。因此,强度确定有时必须由变形控制。变形问题和强度问题是联系在一起的。谷德振(1979)给稳定下的定义是:“所谓岩体稳定是相对的概念,是指在一定时间内,在一定的工程荷载条件下,岩体不产生破坏性的压缩变形、剪切滑移和拉张开裂”,而稳定性就是稳定的程度。在这个稳定性概念中,包括着强度和变形两方面的含义,即稳定是指在工程服务期间,岩体不发生破坏或有碍使用的大变形。就围岩而言,不应有的顶板塌落、两帮挤入、底板隆起、围岩开裂、突发岩爆、围岩变形造成的衬砌裂开或支护等都是围岩不稳定的表现。岩体不破坏并不意味着地质工程不发生破坏。实际上,很多工程对地质体变形有限制性的要求,例如三峡永久船闸高边坡工程对岩体变形提出了严格的要求。

定义安全系数的方法有多种。建筑结构的安全系数通常可表示为结构的极限承载力与结构在使用阶段所承受的最大荷载之比。这种定义对于岩体有时是不适用的(宋二祥,1997)。例如边坡岩体所受荷载主要是岩体自重,为计算其极限承载力而逐渐增大岩体材料的容重时,岩体中的正应力也相应增大。由于岩体材料具有摩擦特性,其抗剪强度必随正应力而增大。因此,增大容重未必会使其达到极限状态。此外,在岩体力学问题中对于荷载的了解通常比岩体特性的了解可靠得多,而在结构工程中情况往往相反。泰勒(Taylor)将安全系数定义为岩体中一点的抗剪强度与剪应力之比。由于这个定义需要详细地了解岩体中真实的应力分布情况,而且一点的安全系数并不是最重要的,因此它并未被广泛采用。人们普遍认为,在岩体力学中,用岩体材料的强度参数来表征安全系数是更为可取的。对于涉及整体剪切破坏的问题,安全系数应被看做是这样一个系数,即在使滑动体于给定的滑动面上进入极限平衡状态的条件下,抗剪强度参数可以依照这个系数而相应地减少。

显然,设计或允许的安全系数必须大于1,这样才有可能保证工程的安全。但是,在具体取值时,将受到一系列因素的影响。松尾(1990)指出:根据每个具体问题的不同,应采用的安全系数值当然也就不同。而且即使是同一工程,假如所用的设计计算方法不同,安全系数的取值也肯定不同。原因是各种设计方法具有的精度存在差异。概括起来,影响安全系数取值的因素主要有岩体地质研究工作的质量、岩体参数的代表性、荷载作用的准确性以及工程的重要性等。

安全系数也是用来将变形控制在允许限度之内的经验措施。实际上允许的位移值构成了基本的设计标准,因此在进行强度设计时也必须考虑到位移问题。现以边坡设计为例,说明安全系数的这种用途。假定设计的安全系数相当低,以致有可能发生较大的局部变形。这些变形能够造成局部破坏并引起周围岩体中的应力超载。局部抗力将降低到远低于分析中所采用的抗力,因而一种累进性的削弱作用可能开始,这种作用最终将导致整体破坏。

5.5.5 变形体系问题

王维纲(1992)指出:“岩石力学发展的历史表明,单纯借用或套用固体力学或其他学科的概念和方法,难以解决岩石力学的工程应用问题。其他学科的理论和技术只能作为一种手段和工具在岩石力学与工程中得到应用,而岩石力学学科的发展应当有自己的概念和系统。”他认为,传统的固体力学在岩体力学中的应用之所以困难重重,是因为它以应力为中心,通过荷载和本构关系求解应力。“应当把岩石看做独立于其他材料的系统,研究这样一个系统应当有岩石力学独特的思维,这就是首先应当跨越岩石的模糊性和不确定性,建立以位移为中心,以判断工程稳定性为目的的体系。而这样的体系由无数个岩体工程组成,在一个个的工程上通过位移(或其他易测参数)测试建立模型,进行设计和施工,通过检测和其他信息进一步修改模型,改进施工。”

Müller(1981)早就提出,在岩体力学中,最好是观察岩体的变形而不是应力,因为岩体的变形可以测量,可以控制。岩体中应力计算结果的正确性无法检验,但岩体的变形和位移却是可以测量的。很多专家主张用洞室变形对其稳定性进行评价。确定围岩位移随时间变化的过程,以便能与临界位移值或位移变化速率相比较,来判断围岩的稳定性及发生失稳的时间,或预测围岩变形稳定的时机,从而预测二次衬砌的设置时机。

位移极限值(或称位移强度)的确定是以围岩位移为依据的稳定性评价的关键和难点。它可以通过理论分析、现场调查和室内试验等手段加以确定。但是,问题是复杂的,例如围岩支护体系的极限位移不仅与围岩类别有关,还与洞室大小、形状、支护形式、支护厚度、施工方法和破坏状态等因素有关(朱永全等,1998)。因此,位移准则的建立是一项长期的任务。

5.6　定态与过程

任何现实事物都随时间发展变化,这是人们早就认识到的事实,但在科学中关注这种现象却是近期的事情。实际上,从19世纪开始,事物的发展变化才成为科学研究的主题。例如,地质演化的地质学理论、生物领域中的进化论、不可逆过程的热力学等引入了时间因素。

5.6.1　科学中的时间因素

科学要在复杂事物中寻求简单的规律,也要刻画复杂事物本身。在经典科学中,人们所强调和发展的是不依赖于时间的定律和数学模型。例如经典力学以特别清楚和显著的方式表达了静止的自然观。时间被归纳为一个参数,将来和过去是等价的。因此,经典自然科学给人的感觉是:时间被排除于科学之外,只要借助一些永恒不变的、不需要涉及时间的基本定律就能够完全描述客观事物。

19世纪是进化的世纪,在生物学、地质学、社会学中都强调了演化的过程。著名的热力学第二定律也在物理学中引入了时间的箭头。现实事物的发展过程本来是不可逆的,那些描述或刻画事物发展变化的、与时间无关的定律不可能告诉我们事实的全部。对现实世界的合理描述,时间显然是必须的。不可逆现象的物理学重新发现了时间的实在性。"时间不再是一个简单的运动参数,而是在非平衡世界中内部进化的度量"(普利高津等,参见湛垦华等,1998)。

普利高津把时间观念区分为三种不同情况:与经典动力学相联系的时间是可逆的,它仅仅是描述运动的一个几何参量,与系统本身的演化毫无关系;与热力学相联系的时间同不可逆过程有关;与生物进化相联系的时间和"历史"相关。时间观念意味着真正历史与发展思维,因此时间和复杂性是两个有着密切联系的概念。时间因素的引入使我们从仅仅考虑状态到考虑过程。

5.6.2 岩体工程的时间因素

岩体作为一种开放系统,必然与外部环境发生物质、能量方面的不断交换,岩体的性质和状态也将随着昼夜、季节、降雨等气候条件的变化以及人为施加的作用而随时间发生变化。特别是岩体力学所研究的岩体处于地壳表层,容易受到环境因素的影响。

岩体时间效应问题可分为两大类:岩体组成与结构变化及材料特性随时间的变化;岩体行为的动态过程。例如,岩体的风化、长期强度、流变变形、断层活动等都属于时间效应。滑坡的形成与演变过程可很好地说明时间效应。现在,人们对滑坡形成的基本机制已具有比较一致的观点:"滑坡是由底部蠕变滑移、坡顶张裂变形不断向深部扩展,最后剪应力在中部集中并将锁固段剪断,滑移面贯通,这样一种累进性的变形破坏作用造成的”(张咸恭,1989)。围岩变形具有时间效应,故围岩施加于衬砌上的压力随着围岩变形而变化。如果过早地衬砌支护,就会因产生较大的压力而造成结构破坏;如果衬砌过迟,那就可能使围岩变形过大,同样产生较大压力甚至导致围岩破坏。人们问道:隧道开挖后多长时间进行支护最合适?在质量好的岩体中开挖隧道,围岩应力远小于强度,根本不需要支护;在较差的岩体中开挖,需要快速锚喷支护以限制围岩松动甚至破坏;在很差的岩体中开挖,快速锚喷也可能无效,需要采取其他措施对岩体进行预加固。

在20世纪50年代以前,人们总是不考虑时间因素的。例如,当时所有的隧道理论都是静力学的理论。而事实上,隧道开挖是一个动力学过程。在开挖隧道以前岩体处于平衡状态。当所有的开挖工作结束后,也是一种平衡状态,而这两者之间却存在不平衡问题。我们要做的工作是如何在此期间保持隧道的安全稳定。需要考虑的至关重要的是隧道开挖工作与时间关系问题。开挖隧道可以进展很快,也可以很慢,而隧道的围岩在快与慢两种进程上反映出的变化性质却极不相同。这就是说,岩体会对开挖程式产生相应的反应。

5.6.3 定态模型与过程模型

岩体的物理组成及其力学性能随时间而变化是显然的,而且有时是非常显著的。但是,岩体力学问题的分析继承了经典力学的传统态度,即岩体随时间发生的变化被搁置,演化问题被简化为静态问题。这是否意味着岩体工程师忽视岩体及其参数和作用因素随时间发生的变化呢?岩体工程师当然不会忽视时间因素所造成的影响,那么他们是怎样考虑这种影响的呢?

岩体力学的主体内容无疑是岩体的静力学研究,但谁也不会主张实际的岩体是静态的。当我们把岩体作为“现在”或某个特定时间的静态体系进行研究时,必然包含一段时间。也就是说,岩体力学切过时间量度的断面具有一定的厚度(期间)。采用静力学方法求解问题时,人们并不是完全没有考虑时间因素。例如,在确定荷载时就考虑到结构体系未来可能受到的最不利荷载;选择力学参数时,也会考虑到参数随着时间可能降低的因素。这就意味着是将岩体随时间的变化作为背景因素加以考虑。陶振宇(1981)在谈到强度试验结果如何考虑时间因素的影响时曾指出:"一般都把时间作为一个影响因素来考虑,但实际上时间是岩石受力变形过程中的一个基本参量。"这种考虑的时间范围显然应该被限制在岩体工程的时间尺度之内。谷德振(1979)在谈到岩体稳定概念特别强调时间效应:岩体稳定就是"在一定时间内,在一定的工程荷载作用下,岩体不产生破坏性的压缩变形、剪切位移及张性开裂等等"。他举例说,在采矿工程中,矿拿出来以后,围岩的稳定问题就不用管了。

在岩体工程问题的分析中,人们越来越关注系统未来的演变过程,而不仅仅是某个静止的定态。但是,正确理解时间在岩体工程科学中的作用十分重要。尽管岩体演变过程的研究是重要的,但是,岩体工程科学没有必要变成纯粹的过程科学。在很多情况下,我们不可能建立岩体结构系统的全部演变过程,实践上的目标也指示我们没有必要这样做。于学馥(1996)提出,岩体力学的科学主题是过程研究,凡不以过程为科学主题的定量化研究应不属于岩体力学与工程领域的研究内容,而属于理论数学和力学的研究范畴。这显然是一种非常激进的观点,因为这样做就排除了现今绝大部分岩体力学的内容。

第 6 章　岩体工程问题的经典力学原理

6.1　前言

岩体工程给学者们提出了无穷无尽的数学力学问题。人们已经清楚地认识到,岩体工程的核心问题是岩体的变形与破坏,因此其实质性的理论问题属于岩体力学。自从岩体力学诞生(约 20 世纪 50 年代)以来,基本上是沿着经典力学的途径发展的。这种途径通过对经典力学的改造以及在岩体工程中的广泛应用,在岩体基本特性的理解和分析方法等方面获得了长足的发展。但是,岩体力学处理的实际问题属于数据有限或定义不良的问题。在岩体地质模型的建立、变形破坏机制的推断、材料本构模型与参数的确定等方面都遇到了很大的、有时似乎是难以克服的困难。面对这种复杂介质与结构的力学问题,人们目前正沿着两种途径加以探索(郑颖人等,1996)。一是仍然对经典力学加以改造和发展,使之适用于岩体这种复杂介质;二是将现代非线性系统科学引入岩体力学,建立非线性静力和动力系统理论。

稍加分析就会发现,经典力学途径也是把岩体作为系统看待的:在根据微分方程组理论求解的情况下,岩体被视为无限自由度系统;在采用有限元等数值方法求解的情况下,岩体被视为有限自由度系统。实际上,经典力学途径与系统科学途径的根本区别在于前者把岩体视为白箱系统,而后者则视为灰箱系统或黑箱系统(薛守义等,1996)。

本章探讨岩体力学发展的经典力学途径,揭示这种途经所面临的基本困难。关于经典力学问题的其他方面,将在后面的几章中进行讨论。

6.2　岩体力学的基本原理

在经典力学分析中,我们必须为研究对象建立明确的、确定性的分析模型。然后可以根据平衡条件、几何条件和物理条件,列出定解方程。只要给出边界条件和初始条件,原则上就可得到问题的封闭解答。

在岩体力学的经典分析中,岩体被划分为若干种介质类型。这里我们按照孙广忠等人的划分,简单叙述各种介质力学问题的解答方案,以助于从总体上把握岩体力学学科的基本轮廓。

6.2.1　连续介质分析

尽管岩体一般情况下应被视为非连续介质,但在一定的条件下仍满足连续介质力学的基本假定。已经发现,连续介质力学的弹性或弹塑性分析对于趋势的研究具有不可估量的价值,而且有些情况完全可以采用这种分析预测岩体的力学行为或求解岩体的极限荷载。

从力学角度而言,岩体被视为连续介质则意味着它服从连续介质力学的普遍规律,即变形和应力都是连续的且满足平衡、几何及本构方面的基本方程,并能用材料的强度理论判断这类岩体是否破坏。连续介质岩体力学分析包括渗流分析、渗透固结分析以及应力变形分析。应力变性分析又包括线性或非线性弹性分析、弹塑性分析、塑性极限分析、粘弹性分析以及粘弹塑性分析等。连续介质力学的理论及计算方法都是比较成熟的,特别是结合有限单元法后,复杂的本构方程、不规则的几何形状、几乎任意的定解条件、材料的不均匀性及各向异性等都已不成问题。关键在于:面对具体的工程岩体,判断其是否可以视为连续介质;若可采用连续介质力学进行分析,则必须确定代表性材料单元的本构模型及其参数。根据连续介质岩体的判断准则,我们可以确定岩体的“基本单元”。这种力学问题的关键之一是如何确定基本单元的力学性质,这种研究也应该是岩体力学研究的基本课题之一。遗憾的是,对此我们所知道的很少。特别是由碎裂结构岩体转化而成的连续介质岩体,其基本单元的本构模型及参数仍需进行细致的研究(薛守义,1999a)。

当岩体中含有大规模的结构面时,将不满足尺度相对性准则。此时,不能将问题视为典型的连续介质力学问题,但可以将其抽象为由大型结构面单元和结构体单元组成的结构。这种结构体本身可能具有碎裂结构,但可视为连续介质区域。这两类单元虽然具有不同的力学性质,但是其本身都可视为连续介质单元,而且两者的联结处满足变形连续条件。这种介质的力学分析很容易通过有限元法加以实现。现在非常流行的方法是采用普通的薄层单元而不是经典的 Goodman 节理单元,来模拟结构面及其与两壁相互作用的力学行为,这实际上是将岩体抽象为一种异质单元所组成的连续体模型。如果能够通过试验方法确定出结构体材料基本单元和结构面单元的本构特性,那么这种处理方法将是非常完善的。需要注意的是,这种结构面单元包括薄夹层及其两侧岩壁。这样,即使岩壁与薄层之间出现不连续的变形,也将以某种形式反映在试验得出的本构特性之中(薛守义,1999a)。

我们知道,对岩体进行连续介质力学分析或有限元似连续分析的前提是查清岩体的结构,而且还需要实测的地应力参数。这在隧道工程中往往是做不到的,因此人们发展了通过实测位移反分析的方法来确定岩体的力学参数和地应力。这时的岩体实际上是作为一种黑箱模型来处理的,也可称为等效连续体模型。很明显,不论实际岩体多么复杂,都可以采用等效连续体这种功能模型来模拟。这种等效体的力学参数除了通过位移反分析得到外,还可以通过大型现场岩体力学试验进行测定。不过,需要注意的是,这样得到的参数既不是岩石的参数,也不是碎裂体基本单元的参数,而是整个岩体的综合性参数,其中也可能包括大型结构面的影响。采用这种参数进行力学分析的结果是整个岩体的综合反应,我们决不能用所得到的应力来分析岩体中大型结构面的力学性状,对此必须引起注意。我们认为,采用黑箱模型只能进行变形分析,不能用分析所得到的结果进行岩体内部破坏分析(薛守义,1999a)。

6.2.2 块裂介质分析

块裂介质岩体受大型软弱结构面(如断层、软弱夹层等)切割,块体沿结构面滑移是其主要变形破坏机制。在大多数情况下,块裂体本身的强度和刚度远大于软弱结构面的强度和刚度,故可视为刚体。这种典型的块裂介质岩体往往采用极限平衡原理进行分析。但这并不是说具有块裂结构的岩体都只能进行块体极限平衡分析。有些情况下,块裂结构岩体的变形和破坏不完全沿软弱结构面进行,块裂结构体本身的变形破坏必须加以考虑;有时工程所需要的关键数据是块裂岩体的变形。在这些情况下就需要进行应力变形分析,但这时的块裂岩体可以看成是非均质的连续介质。

当根据构成块裂介质岩体的条件,将实际岩体判断为块裂介质后,就可对其进行块体力学分析。首先需对岩体进行结构或几何分析以确定所有相关块裂结构体的性质;其次进行所有可动块裂结构体的运动学分析和初步的稳定性分析,以确定危险或关键块裂体;最后针对所选定的关键块裂体进行极限平衡分析。分析所用到的基本原理有块体运动定理、结构面摩擦或剪切的库伦定律以及静力或动力平衡方程即牛顿第二定律。这种问题的求解并没有什么困难。

6.2.3 碎裂介质分析

碎裂介质岩体是指低围压条件下的碎裂结构岩体,它既不同于块裂介质,又不同于连续介质。块裂介质的力学性能主要受大型软弱结构面的控制,连续介质岩体的力学性能受代表性材料单元(岩石或次岩体单元)控制,而碎裂介质的力学性能则既受结构面控制,又受岩块控制。

碎裂介质岩体的主要特征是由相互分离的单元所组成,其变形和应力不连续。这种岩体的变形破坏机制和模式很复杂,且在变形破坏过程中常常产生空化现象,表现为膨胀。具体地讲,结构体可沿结构面滑动,使岩体解体;结构体也可发生滚动而导致岩体解体;也可能局部以剪切滑动为主,总体说来呈有剪、有张、有滚动甚至块体破裂的复合模式。

显然,严格求解这种不连续介质的力学问题是很困难的。为此,人们做出了巨大的努力,进行了大量的模型试验和理论分析研究。目前所发展的分析方法有地质力学模型试验、离散单元法(DEM)、刚体弹簧法(RBSM)和块体不连续变形分析法(DDA)等。其中的DEM法、RBSM法和DDA法通常称为分析块体系统运动和变形的三大方法。

6.2.4　板裂介质分析

板裂介质岩体是孙广忠命名的一种岩体介质类型,其主要变形破坏型式是梁板状结构体倾倒变形、溃屈破坏以及层体弯折等。因此,这种介质力学问题的解决需要应用材料力学和结构力学中的梁板柱理论,所要求解的问题包括梁板柱的变形、材料破坏以及结构失稳等。

将板裂介质岩体视为其他类型的力学介质进行分析,会得到错误的结论。例如,碧口电站泄洪洞通过千枚岩岩体,设计时采用连续介质力学理论进行力学分析,用莫尔—库伦强度理论分析其稳定性。结果表明该隧洞围岩是稳定的。然而,施工时却破坏了。原因在于对岩体破坏机制判断错误。实际上该岩体发生的是溃屈破坏,而错误地判断为剪切破坏(孙广忠,1988)。

板裂介质岩体的力学分析可归结为单层板的力学分析,当为平面问题时,板的分析可简化为单位长度板条的力学分析,这相当于梁或柱的力学分析。因此,板裂介质岩体可以抽象为梁板柱。实际当中遇到的板裂介质岩体,其力学模型主要有以下几种:直立边坡的层体弯折与倾倒;直立边坡或洞室边墙层体溃屈;水平层状坝基弯折与溃屈;平卧层状洞室顶板分层与弯折;平卧层状洞室底板鼓起;反倾层状边坡的弯曲与倾倒;陡倾层状边坡的溃屈。

6.2.5 问题的系统性

求解岩体力学问题主要包括模型的确定、材料性质参数的确定、力学分析方法的选择与计算、稳定性分析与评价、现场监测等五个方面,这是一项系统性很强的工作,各个环节是相互关联的。例如,如果所研究的岩体被大型软弱结构面切割成典型的块裂结构,那么块裂结构体沿软弱结构面滑移将是岩体变形破坏的基本型式和机制,此时岩体为块裂介质,一般情况下只需组织软弱结构面的力学试验,并采用块体力学分析方法分析其稳定性。如果不注意到问题的系统性,不是分析结果不符合实际,就是事倍功半,造成巨大的浪费。

6.3 强度分析原理

在岩体力学中发展的强度分析理论和方法可分为塑性极限分析和块体极限平衡分析,其中的塑性极限分析包括上下限分析方法、滑移线解法和变分法等。

6.3.1 塑性极限分析原理

塑性极限分析假定岩体由理想塑性材料组成,这种结构存在着惟一的极限荷载。采用滑移线解法精确求解极限荷载必须满足静力平衡条件、机动条件以及屈服条件等。滑移线就是破裂面的迹线,滑移线解法是按照滑移线理论和边界条件,在岩体中构造相应的滑移线网,然后利用滑移线的性质和边界条件,求出塑性区的应力场和位移速度场的分布,最后求出岩体的极限荷载。滑移线场分析目前只对平面应变问题是可行的,其典型课题包括地基承载力、岩土压力及边坡稳定。很显然，为了能够用这种方法求解，必须假定岩体为均质各向同性的。而实际的岩体很少是均质的，其强度也很少是各向同性的。这样就限制了解答的实用程度。

由于数学上的困难，除少数简单的平面应变或轴对称问题外，大多数工程实际问题得不到精确解答。因此，这就需要寻求其近似解。极限分析的上、下限定理就是采取放松极限荷载的某些约束条件，来寻求极限荷载的上限值或下限值的一种理论。由于岩体材料一般并非理想塑性材料，没有惟一的极限荷载，这就需要借助于理想塑性材料的上、下限定理，并考虑其摩擦屈服特性及非关联流动特性，推求其极限荷载的近似值，以满足工程需要。上、下限分析法通过上下限定理推求岩体极限荷载的上限或下限。这种分析可使其从上限方面和下限方面逐渐趋近极限荷载。上下限分析法的缺点是无法估计其与真实极限荷载之误差。

如果考虑岩体的非均质和各向异性，则塑性极限分析都会变得十分困难，几乎是无法求解的。因此，应用塑性极限分析解答时应特别注意其适用条件。

6.3.2　块体极限平衡理论

极限平衡分析方法是为解决块体滑动问题而发展起来的。这种方法属于半经验性质，不同于塑性极限分析：滑动面根据具体情况假定，而不是按塑性理论计算；滑动块体不需要满足极限平衡条件，仅在滑动面上满足极限平衡条件即可，也就是把滑动块体当做刚体来对待，而不像塑性理论中滑体内任一点都要满足塑性条件。由于工程岩体往往被大型软弱结构面切割，因此极限平衡分析法就显得很重要。

块体极限平衡分析的优点是简便易行，特别是能够确定人们非常关心的块体抗滑安全系数或极限承载力。这种方法的固有缺点是无法考虑岩体变形，也无法考虑累进性破坏对岩体稳定的影响。极限平衡方法本身已经趋于成熟，很难再有什么重要的发展，对其固有缺点的改进也几乎没有希望。

岩体稳定性的极限平衡分析方法是从土力学中引入的。在潜在滑动面的确定方面显示出岩体的突出特点。极限平衡方法得到的结果是衡量稳定程度的安全系数。这项工作是在对边坡岩体质量和稳定性做出初步评价的基础上进行的定量分析。

对极限平衡分析的背后隐藏的问题必须给予注意。同样的安全系数可能意味着不同安全程度和不同的岩体状态,因为有些岩体材料需要较大变形才能达到破坏强度。用安全系数控制边坡变形是经验性的,有些情况下并不能取得令人满意的结果。Morgenstern(1991)曾经举例说:有个工程因忽视了填充粘土的高塑性以致堤坝产生了过大变形和裂缝($F_s \approx 1.8$)。

事实上,极限平衡分析是以滑面的平均特性为基础的,因而无法考虑渐进破坏的情况。极限平衡理论隐含着这样的假定:滑动面上各点的剪应力同时达到抗剪强度。显然,这种假定只有对理想塑性材料或应变硬化材料才是适用的。滑动面上的应力总是不均匀的,在最危险的点上剪应力先达到峰值强度而出现软化。材料软化后强度降低,超出此强度数值的那部分剪应力转嫁给相邻的未软化单元,这又可能使该单元的剪应力达到其峰值强度而发生软化。这一过程的持续进行将导致岩体最终破坏,这种现象就是渐进破坏。

渐进破坏的概念最早由 Terzaghi 于 1936 年提出,但分析这种过程的理论至今尚不完善。在土质边坡稳定性的条块分析中,几位学者曾经探讨过渐进破坏问题。他们的基本思想是设法求出局部安全系数以取代常规分析的总体安全系数。沈珠江(2000)对此作过归纳性的介绍:如果算出某条块的安全系数 $F_{si} < 1$,则令 $F_{si} = 1$,再进行转移计算。此时该条块底面上的阻滑力等于该面上的抗剪强度,对于一次跌落的软化材料,可用残余强度指标。

如果能够取得滑动面材料的软化型本构关系,就可以进行应力变形分析。这仍是有待研究的课题。

6.4　数值方法

传统的问题是强度问题,稳定性分析采用极限平衡方法。但人们容易发现,自20世纪70年代以来,数值方法构成了岩体力学计算方法的主要进展。在岩体工程问题中,岩体力学行为的数值模拟越来越重要,数值方法的新发展也层出不穷。然而,人们对数值方法在岩体力学问题中的应用始终未能取得一致的看法,其间包含着众多的迷信与误解。显然,只有在深入理解各种数值方法的基本原理和基本假定的基础上,我们才能够有希望对其进行合理评价。

6.4.1　有限单元法

有限单元法在现代结构分析中的地位举足轻重。这种方法将具有无限自由度的连续体离散为有限自由度单元系统,其物理基础非常可靠且解答具有收敛性。早在1977年Gudehus就曾经评论说:"人们已经清楚地了解有限元法的某些优点和不足之处。不规则的几何形状,各式各样的荷载和不同的材料特性等,原则上都不难计算。虽然侧面和下部边界是任意确定的,但由此产生的误差,通常仍然可以限制得很小,所进行的对比计算已经证明了这一点。"有限单元法同其他数值方法相耦合,几乎可以解决各种复杂的计算问题。

例如,边界元法在处理线弹性问题中显示了巨大的优越性,主要体现在如下三个方面:一是计算简单,将问题降维求解;二是计算精度高,应力与位移具有同样的精度;三是可以处理无限域和半无限域的问题。这种方法的缺点是对非线性问题较难适应,而在处理非线性问题上有限元法已趋于成熟。因此,有限元与边界元耦合法越来越受到人们的重视,即对于需要进行非线性分析的区域采用有限元法,对需要进行线弹性分析或具有无限域或半无限域边界的区域采用边界元法，充分发挥各自的长处，从而使计算效率、计算精度得到提高（雷晓燕，1999）。

有限单元法发展至今，已经不大可能再有什么戏剧性的突破了（徐兴等，1993）。尽管理论上如此，但在分析岩体力学问题的实际应用中还有很多技术问题。最重要的还是物理模型问题，特别是本构模型和岩体实际的应力路径。

6.4.2 离散单元法

离散单元法是 P. A. Cundall 于 1971 年提出的一种分析块体系统不连续变形的数值方法，它适合于那些被完全节理化的碎裂或散体结构岩体。自 20 世纪 80 年代中期王泳嘉等把离散单元法引进我国以后，便获得了迅速的发展与广泛的应用（王泳嘉等，1991；魏群，1991）。

离散单元法的基本原理不同于基于最小总势能变分原理的有限单元法，而是建立在最基本的牛顿第二运动定律之上。实际上，这种方法的基本思想可以追溯到古老的超静定结构的分析方法：任何一个块体作为脱离体来分析，总会受到相邻单元的力和力矩的作用，正是在其合力和合力矩的作用下，产生变形和运动。这种经典的思维方式，在计算技术高度发展的今天，对于复杂系统也可以容易地实现了。

在工程作用以前，相互镶嵌排列的各块体在空间有其固定的位置，处于平衡状态。当工程作用施加到岩体之上时，某些块体在重力和工程荷载作用下产生一定的加速度及相应的位移。位移后的块体与所接触的块体产生“叠合”。根据力与位移的关系，产生新的作用力系，使更多的块体由于作用力的传递产生运动。离散单元法就是以每个单元刚体运动方程式为基础，在建立描述整个系统状态的显式方程组之后，结合本构关系，以动力松弛法进行迭代计算；再结合 CAD 技术，可形象直观地反映岩体运动变化的力场、位移场、速度场等力学参量的变化，迭代计算过程中各个时步的结果模拟了块体位移和转动的全部过程。

最初的离散单元法基于刚性块体的假设,后来学者们进行了改进,从而能够考虑岩块本身的变形。Cundall 等(1988)已将这一方法推广到了三维分析并编制了计算机程序和屏幕图形显示程序,可以连续地计算和显示岩体在不同阶段的变形过程。最初的离散单元法是针对节理岩体发展起来的,故可称为块体离散单元法。但人们发现这种方法也非常适用于颗粒介质变形特性的分析,从而发展了颗粒离散单元法(魏群,1991)。

有限元法和边界元法从本质上讲是以介质连续性假设为基础的,而离散单元法则把岩体视为不连续的岩块系统。离散单元法允许单元发生很大的平移和转动,因而能够分析岩体大变形问题。显式计算的优点使得任何复杂的本构关系都能用微小增量的方法在计算中实现,而且不存在方程无解的问题。更令人鼓舞的是,这种方法能够模拟碎裂岩体的渐进变形破坏过程,即由局部发展到整体、由静态发展到动态的过程。

离散单元法的计算原理很简单,但计算机实施起来并不容易,而且计算结果的可靠性也是个问题。具有大量自由度的复杂系统,由于单元间复杂的非线性相互作用,单元的行为也许是不可追踪的,因为这种系统很可能是那种对初始条件敏感的混沌系统。此外,离散单元法虽然可以模拟块体的平移和转动,但并不能考虑节理的闭合变形,而有些情况下,这种变形是很重要的,例如坝基岩体的节理闭合变形完全有可能引起坝体开裂。

6.4.3　块体理论

块体理论是石根华(1988)发展的一种岩体稳定性分析方法。这种理论包括几个相关联的步骤,其核心是寻找和处理关键块。基本方法是首先通过几何分析,排除所有的无限块体和不可动块体;再通过运动学分析,找出在自重和工程荷载作用下的所有可能失稳的块体。然后根据结构面的力学特性,确定临空面上所有的关键块体,并计算净滑力和所需的锚固力,以便制定加固措施。

块体理论的基本工作是块体系统的几何分析,这种分析实际上是不连续块体力学分析方法的基础,DDA 和流形元法就是在块体分析理论的基础上发展起来的。块体理论特别适用于块裂介质岩体。这种岩体的主要特征是岩体被软弱结构面贯通切割成块体系统。临空面附近的块体可能失稳而造成岩体的破坏。

块体理论引进了一些假设:假设岩体所有结构面和临空面皆为完全平直的平面,以便用线性矢量方程来描述块体的形态;假设结构面贯通切割岩体,因而不存在断续结构面,也不考虑块体破坏。这样,所有块体均为原有结构面和临空面所围成;假设所有块体均为刚体,即不考虑块体本身的变形;假设块体及块体系统的失稳是块体在自重和工程荷载作用下沿结构面滑移或塌落造成的。

块体理论具有严格的数学基础,分析成果的可靠性取决于块体结构型式和结构面强度参数是否符合实际。

6.4.4 DDA 法

块体不连续变形分析法(DDA)是石根华提出分析块体系统运动和不连续变形的一种新型数值方法。其基本思想是:块体网络系统按天然存在的地质不连续面生成,块体形状可以是任意多面块体,块体之间的接触可以是面、边、角三者任意组合而成的接触形式;以 12 个块体位移变量来表示块体内任意一点的位移和变形特征,具有普遍的物理意义和直观简洁性;采用与有限单元法相似的位移模式,至于选用全一阶多项式近似或高阶多项式近似,则视问题的复杂性而定;块体满足平衡方程,块体间接触面上采用合适的摩擦方式来消耗能量。块体间严格遵守不侵入和不承受拉力的要求;通过块体间的接触和位移约束,将单个块体有机地联系起来,形成一个块体系统。在势能最小原理的条件下建立单个块体的单元刚度矩阵以及块体系统的总体刚度矩阵;按不同的要求,反复形成总体刚度和求解未知变量,最后求得每个块体和整个块体系统的位移和变形。

DDA法允许块体滑动、转动、张开等运动形式，同时考虑块体本身的变形。该法既可用来求解静力问题，也可进行动力分析。这种分析能计算大位移和大变形，它们是逐步累计小位移和小变形的结果。假定条件的满足可以通过在接触面设置弹簧以及迭代程序加以实现。弹簧刚度系数与块体弹性模量有关，根据经验选取。

DDA模型将岩体视为完全离散化的块体系统，这种假设很多情况下与实际不符。此外，这种方法虽然采用隐式解法避免了确定阻尼的难题，但必然存在解的稳定性问题。计算实践表明(邬爱清等，1997)，在岩体弹模很高的情况下，选择合适的块体界面嵌入判断标准和弹簧系数很重要。因为如果选择不当，要满足在所有的块体界面部位都不承受张拉和不嵌入将是很困难的，尤其是在块体单元数量很多的情况下。此外，这种方法也不能考虑结构面的闭合变形。

离散单元法、块体理论、DDA法只适用于结构面将岩体完全切割成块体系统的情况。对于断续结构岩体，这类方法可能导致错误的结果。

6.4.5 流形元法

流形元法是石根华在其DDA法的基础上，融入有限元和解析法而创造出的高层次数值方法。在这种统一计算形式中，有限元法和DDA法只是两个特例。裴觉民(1997)认为，流形元法是当前最有发展前景的一种前沿数值方法。

岩体变形通常包括岩石块体的连续变形和块体之间的非连续变形，而且非连续变形往往导致岩体的大变形。石根华率先采用有限覆盖技术，统一解决了连续和非连续变形的力学问题。

流形元法以数学覆盖和物理覆盖为基础。在每一个物理覆盖上建立独立的位移函数即覆盖函数。若干物理覆盖形成的公共区域即流形单元,其总体位移函数可由各覆盖上的独立位移函数加权求和得出(王芝银等,1997)。在采用有限覆盖体系时,可直接借用有限元网格建立数学覆盖。对于有限流形元法,物理覆盖上的位移函数与材料边界无关。在不连续面处设置法向和切向弹簧。在非线性求解的迭代过程中要对不连续面的接触状态进行判定,不允许接触面相互侵入,也不能承受张拉。

流形元法可以考虑材料大变形、不连续面处的大位移。由于流形元法适宜进行岩体大变形分析,因此,人们指望它对岩体力学计算做出重大改观。王泳嘉等(1996)认为:“用有限元法计算时的位移通常较实测的结果要小,有时甚至差一两个数量级,究其原因主要是在计算中忽略了非线性的大变形和沿弱面的不连续变形,而用拉格朗日元法和流形元法计算有望对岩石力学的计算方法做出重大的改进,两者的结合则有可能成为21世纪岩石力学数值方法的主流。”王芝银等(1997)也预计流形元法可以对不连续移动、大变形问题、动力学问题、自由(水)面边值问题等做出有效的解答。

实际上,流形元法存在着同离散单元法、DDA法一样的缺陷,即不能考虑结构面的闭合变形。

6.4.6　数值方法的应用

数值方法和计算技术的进步对岩体力学的发展所起的作用是非常巨大的,特别是极大地推动了岩体材料本构关系的研究。与用物理模型进行的模型试验相比,数值模拟具有如下明显的优点:成本低、时间短、重复性高、灵活性强。特别是,数值方法可以非常方便地模拟对象的实际演化过程。例如模拟伴随岩体开挖的围岩变形发展过程。这种模拟具有很大的使用价值,因为我们可以对不同的开挖次序和方法以及各种支护条件下围岩的变形过程进行模拟,从而为确定最佳设计与施工方案提供依据。数值方法也很适合进行参数敏感性研究。根据参数的上下限,研究岩体运行的最不利和最有利两种极端状态。傅冰骏(1995)认为,在方案分析比较及灵敏度研究中,数值方法是一种极为有力的工具,它可以帮助我们进行正确的宏观判断。事实上,数值方法不仅是计算的工具,还是研究工作的重要手段。人们对数值方法在研究方面的作用有所忽视,因此李宁等(1997)指出:"很多工程技术人员对岩石力学数值方法的特殊作用与重要性认识不足,将数值方法仅仅作为计算工具的多,作为研究工具的少。"

数值方法本身的适用问题解决以后,其计算结果是否与实际相符就取决于输入数据的可靠性。数值方法中输入数据的问题从很早就被注意到并显著地提了出来(Müller, 1974; Gudehus, 1977; Gerrard, 1977)。人们已经清楚地认识到,无论数值分析技术多么发达,它们总只是某种手段,关键还是对岩体基本特性的认识。实际上,这方面的困难早已成为数值分析应用的"瓶颈"问题。

对数值计算结果的解释与应用也非常重要。沈珠江(2000)指出:"在有限元法引入土工计算的初期,曾有人对每一个单元计算安全系数,然后以某种方式平均得出整体的安全系数。这种方法是不可取的,因为它混淆了设计应力状态与极限应力状态,不符合极限设计的基本原则。"虽然数值方法发展很快,但由于输入数据的问题,计算结果的可靠性并不高。现阶段数值方法在实际中的应用原则应该是:对岩体的力学行为进行"定量的计算,定性的解释",着重从整体趋势上探讨其变化规律,而不拘泥于精确的数值和细节的分析(薛守义,1989)。实际上,"对于岩石工程来说,计算所提出的解答只是问题的一个方面,问题的最后解答还要根据多方面的综合考虑,其中专家的知识和经验以及类似问题的个案等都起到重要的作用"(王泳嘉等,1996)。

数值方法能否达到实际应用的精度要求?数值方法及其计算结果的检验问题关系到它的实用性。判断分析结果的正确性是很困难的,甚至趋势上正确与否的判断都需要健全的工程经验。但是,我们毕竟已有多种手段进行检验,例如已有精确解的简单问题、与模型试验相配合、与现场观测数据对比。

Gudehus(1977)曾经认为:“有限元法绝不是岩土力学惟一有效的工具,而且也并不总是最好的工具。”我们认为,这种评价也适用于其他的数值方法。

6.5 模型试验

地质力学模型试验属于结构模型试验技术的范围。这种方法在20世纪70年代以后得到广泛应用,特别是对于那些重要的复杂岩体工程,常常同时采用模型试验和数值计算两种方法进行研究。在数值计算技术还不发达的时期,人们曾经对模型试验方法抱有很大希望。即使是在数值方法较为成熟之后,人们似乎仍然具有如下比较普遍的看法:“模型试验与数值方法各具特点,相辅相成,可以互相补充和验证,两者相结合能够比较全面地分析工程问题”(刘汉东,1996)。但是,现在似乎不太热衷于这种模型试验方法了。模型试验方法的前途问题值得我们深思。

在岩体力学领域内,模型试验是与数值计算方法相并列的一种重要的研究手段。地质力学模型试验是从20世纪70年代广泛发展起来的一项结构模型试验技术,模型试验直观性强,便于发现岩体内的薄弱环节及渐进破坏机理(刘汉东,1996)。它可以研究岩体的变形破坏机制和变形失稳过程,也可用于岩体应力和应变分析。特别地,模型试验在研究岩体破坏机制方面具有独到的长处,这可弥补数值方法的不足,二者相辅相成,能得到很好的效果。

6.5.1 模型试验的实质

模型试验是把岩体变形与破坏问题当作边值问题进行试验研究。在结构工程领域取得成功是理所当然的,因为结构体系是人为建造的,材料模拟也较容易解决。但在岩体工程领域中,旨在求解边值问题并用作设计手段的模型试验是很困难的,因为对于岩体这样复杂的介质来说,岩体结构很难搞清楚,相似条件也很难得到满足。

有些模型试验的目的是研究岩体的变形破坏机制。这种试验也要求模型与现场岩体有一定的相似性,但不要求满足全部相似条件。尽管这种试验因不具有严格的物理基础而使其定量结果不能直接应用,但可以通过对机制的认识,再去改进数学模拟的方法达到实际的应用(余定生等,1980;杜永廉,1980)。

6.5.2　模型试验的前途

对于重要的复杂岩体工程,常采用地质力学模型试验及数值计算两种方法进行对比分析。模型试验和数值计算各具特点,相辅相成,两者结合可以互相补充和验证。通过模型试验来分清主要因素和次要因素,然后再做出比较切合实际的假定,以便建立合理的计算方法。

但是,模型试验解决实际问题所面临的难度要比数值方法还大,因为它不仅要求清楚地知道岩体的地质特征和材料特性,还要选择合适的模型材料,而模型与原型的几何、应力、材料力学参数等方面的比尺很难达到协调、相容。显然,如果数值方法本身的适用性和精度没有问题,它确实可以取代模型试验,而且,模型试验方法在许多发达国家已经被数值方法所取代(李宁等,1997)。

我们认为,对于复杂的岩体力学问题,至少数值方法本身的适用性与精度需要用模型试验的结果来验证。

6.6　损伤与断裂

缺陷敏感的思想是20世纪力学概念上的一个重大突破,大大增强了力学家分析问题的能力。结构中的宏观裂纹以及微裂纹的扩展必须在容许的范围以内,这就要求我们弄清裂纹扩展的规律。断裂力学和损伤力学就是为解决裂纹问题应运而生的两个力学分支学科。前者着眼于宏观裂纹尖端附近的应力、应变、位移及能量释放率等,后者则着眼于材料内部的微细观损伤及其形成和发展。

岩体中存在着各种各样的缺陷,例如断层、节理、裂隙以及微观裂纹等。若将岩体作为连续介质,则岩石中的孔隙也被视为材料损伤。人们已经发现,岩石中微裂纹的存在与发展对材料的力学性质具有显著影响,岩体中的断续节理对荷载更是敏感。因此,断裂力学和损伤理论被引入岩体力学中是很自然的事情。但是,人们对它们的看法并不统一。那么,它们的应用前景究竟如何?

6.6.1 断裂力学分析

为解决断裂问题发展起来的断裂力学是力学在 20 世纪的一大成就,其影响难以估量。断裂力学以固体中存在宏观裂纹为前提,其任务是通过对裂纹尖端的应力应变分析,解决材料失效问题。断裂力学的核心是研究裂纹尖端应力场,并研究裂纹扩展的规律与条件。

断裂力学只能分析宏观裂纹的扩展行为,不能预估宏观裂纹的萌生位置。因此,基于断裂力学的破坏分析常常包含着对裂纹萌生位置的人为假定。此外,在断裂力学理论中,裂纹被理想化为具有光滑表面的几何间断面,因而裂纹前沿的应力应变场具有奇异性。在计算方法方面,人们常采用有限单元法分析裂纹尖端应力和位移,结合裂纹扩展判据来研究岩石中的裂纹扩展问题。采用传统的有限单元法对含裂纹介质进行力学分析,即使在裂纹区域加密网格也难以获得精度较高的解。为此,人们引入了应力奇异性的裂纹单元(肖洪天等,1999)。

断裂力学在工程结构分析中占有重要地位,但在岩体力学中的应用却遇到了很多困难。王启智(1997)曾提到如下几个方面问题:断裂韧度不易测定、复杂条件下裂纹扩展机理不清、众多裂纹之间的相互影响难以分析。鉴于断裂力学在结构工程领域的成功应用,王启智认为:“我们有理由相信,断裂力学应用在岩石力学和工程中碰到的暂时困难终将被攻克,它的前景是光明的。”实际上,岩石中裂纹开裂扩展的力学机制还远没有搞清楚。例如,岩石剪切断裂能否视为剪切裂纹扩展尚无定论(王桂尧等,1996)。更为根本的困难在于岩体中实际存在的裂纹网络很难弄清楚,特别是在隧道工程中几乎是不可能的。岩体中断续的节理和裂隙很多,我们既不可能完全弄清它们的具体位置,也不可能将所有裂隙全部纳入分析模型。因此,断裂力学有效解决实际工程岩体问题的可能性并不大,也早就有人怀疑断裂力学方法的适用性。

断裂力学还假定裂纹尖端区域的材料性能与远离裂端区是一样的。实际上,裂纹扩展以前,其尖端区域必然出现微裂纹损伤。这种损伤对材料力学性能的影响是不应忽略的。这就需要更精致的破坏分析模型,损伤理论正是在这一背景下产生与发展的。

6.6.2　损伤力学分析

岩体中的断续节理或裂隙太多,因此很难用经典的断裂力学方法来处理。因此,人们试图从微观和细观角度研究岩体材料的损伤现象。经典固体力学研究无损伤材料,损伤力学则研究材料中微观裂纹的产生、扩展以及宏观裂纹的形成乃至材料破坏,因而是经典固体理论的发展与补充。损伤力学作为固体力学的一门新的分支,其进展与现代材料科学、断裂力学以及测试技术的发展是分不开的。

结构的破坏不会突然发生,而是损伤逐渐积累的结果。微裂纹和裂隙在荷载作用下会长大、汇合,形成宏观裂纹,而宏观裂纹继续扩展,导致结构的强度持续降低,最终失去承载能力。“连续介质的力学过程可以等价于一个热力学过程,损伤过程实际上是能量耗散过程或不可逆热力学过程”(赵锡宏等,2000)。损伤是材料内部的一种劣化因素,是材料组分晶粒的位错、滑移、微裂隙等微缺陷形成和发展的结果。在材料受载变形和宏观裂纹出现之前,损伤已经影响了材料与结构的强度和寿命。损伤的发展必然造成材料模量或刚度的降低。损伤力学主要研究材料内部微观缺陷的产生和发展所引起的宏观力学效应及最终导致材料破坏的过程和规律,它通过引入一种所谓“损伤变量”的内部状态变量来描述含微细观缺陷材料的力学效应,以便更好地预测工程材料的变形、破坏和使用寿命等。

连续介质损伤力学是在连续介质力学框架内发展起来的,其方法基本上是宏观的唯象方法。将材料中存在的微裂纹理解为连续的变量场,即损伤场,并用损伤变量描述材料的损伤状态。从热力学观点看,损伤变量是一种内部状态变量,它的演化反映材料结构的不可逆变化过程,损伤发生意味着需要耗散一部分能量去产生新的微裂纹面(袁建新,1993),也可说是因不断产生新内裂面所构成一种能量释放过程。可见,宏观损伤力学用不可逆热力学内变量来描述这种材料内结构的变化,而不去更细致地考察其变化的机制。

连续介质损伤力学研究涉及到三个环节:定义适当的损伤变量、建立损伤演化方程、建立包含损伤变量的本构方程。20 世纪 70 年代末期,Lemaitre 等从损伤力学的角度,考虑到材料的损伤过程,提出了连续损伤力学的概念,并建立了各向同性损伤模型。1987 年 Frantziskonis 等人运用损伤观点提出一个反映软化现象的岩石本构模型。此后,岩石和裂隙岩体的损伤力学研究蓬勃发展。从目前情况看,岩体的损伤力学研究还存在着一些问题。首先是损伤的检测与损伤变量的定义问题。研究损伤的最直接方法是测定材料中各种缺陷的数目、形状大小、分布形态、方位取向、裂纹性质以及各类损伤所占的比例。但是岩体损伤检测并不是很容易的事情,损伤变量的定义多种多样,还没有统一优劣评价意见。损伤机制不同,可能需要选择不同的损伤变量和不同的损伤演化方程。其次在损伤分析中,必须建立损伤的起始判据(即材料刚刚进入损伤的阈值)和严重损伤的破坏判据(即材料宏观断裂时的阈值)。考虑裂纹扩展所采用的损伤或断裂判据与断裂力学中断裂判据不同,目前尚没有被普遍接受的这种判据。

损伤理论为研究岩石和裂隙岩体材料的结构性本构模型提供了有利的工具与方法。实际上,只要引入合适的损伤变量,就可建立起具有弱化性质的本构关系。赵震英(1991)认为:“作为损伤材料进行研究的节理岩体在工程中是广泛存在的,采用连续介质力学方法,适当地考虑节理面的力学效应,正是损伤力学研究问题的方法,它必将为节理岩体工程问题的研究提供切实可行的研究途径。损伤力学这门学科在岩石力学中的应用将具有广阔的前景。”

6.7 经典力学的困境

自岩体力学诞生以来,特别是岩体结构概念被广泛接受以后,岩体力学的主流就是朝着岩体力学分析的途径发展的。人们所做出的努力主要在于根据岩体的地质信息经科学抽象建立岩体的地质模型,根据工程作用和地质模型建立岩体的力学模型,根据力学模型和工程要求组织岩体力学试验,以及发展适合各种情况的力学分析方法。

岩体力学分析计算和模型试验,在方法论上是严密的、清晰的,它强调以地质为基础,以工程力学为基本方法,岩体结构学说贯穿研究的每一个环节。但是,这种分析使我们面临很多基本的而又十分困难的问题。首先,这种分析以查清并定量表征岩体的工程地质条件为前提,而困难的是难于查清岩体的地质结构,更无法得到精确的岩体初始应力状态。其次,需要对岩体材料单元进行试验和理论研究,以建立其本构模型,获得力学特性参数,并发展岩体各类单元的强度理论。第三,虽然发展了多种连续介质和非连续介质力学分析方法,但因复杂条件下的本构关系和强度理论尚未得到实质性的发展,目前的方法只能解决比较简单的问题,或使复杂的问题人为地简单化,这与实际岩体的复杂性是不相适应的。最后,岩体工程问题可以采用多种方法进行分析,给出的结果也往往各不相同,很难评价到底哪种方法更符合实际。例如,对于某工程岩体稳定性问题,我们可以采用极限平衡方法、有限单元法、离散单元法、块体理论、可靠性理论、工程类比法等进行分析;它们分别给出岩体的抗滑稳定安全系数、应力和变形场、块体位移场、关键块体和加固力、破坏概率、定性的稳定性估计等。

经典力学途经的实质性问题是建立岩体结构体系的"白箱模型",无论把岩体看做连续介质还是不连续介质,情况都是如此。而实际上我们面对的是数据有限的问题,建立白箱模型很困难。因此,孙钧表示不敢断言岩体力学的经典力学途径在将来是否会有新的突破,至少在今天还不可能将这种研究提高到一个新的高度。在这种情况下,学者和工程师们试图发展具有黑箱性质或灰箱性质的岩体力学途径,以便综合性地解决岩体力学问题。

根据系统论原理,岩体是一种开放的动态系统,其内部因素和环境因素是众多而复杂的,并且其中的很多因素是未知的或不确定的,岩体力学分析中很难准确地考虑这些因素。显然,可将岩体视为一黑箱系统或灰箱系统,设法综合性地了解其性能,便可避免建立白箱系统中所遇到的难题。这种方法越来越受到人们的重视,地下工程施工中的变形监测与位移反分析就是其最早的实例。目前,已发展成一种比较成熟的施工—监测—设计法,特别强调系统的反馈机制,通过反馈实现对系统的最优控制。这是非常重要的一种方法论和思维方式。事实上,任何一个完整的认识和实践过程都包含着反馈机制,因此反馈思维揭示了人们的认识与行为的本质。自 20 世纪 60 年代中期以来,这种方法在边坡工程以及滑坡灾害预测预报领域也逐渐得到广泛应用。

6.8 结论

岩体工程问题的核心是岩体的变形与破坏。影响岩体变形与破坏的因素有岩体的地质成因、物质组成、岩体结构、初始受力状态、环境及外部作用等很多因素。在大型岩体工程中，岩体的变形和破坏机制、模式及过程通常都很复杂，而且很难搞清楚，也很难获得符合实际的岩体材料本构模型及其参数。因此，到目前为止，经典力学分析成果很难作为设计的可靠依据。

经典岩体力学途径的困难归根到底是建立白箱模型的困难，并不是没有把岩体作为系统。也就是说，经典力学理论也是一种系统理论，其中涉及到的位移、应力和应变等都是系统的状态变量。因此，把它与系统科学对立起来是不恰当的。事实上，岩体力学问题都既不是完全确定性的，也不是完全不确定性的。问题的灰色性质允许我们采取多种方法，从多种不同的角度进行研究，最终给出综合性的答案。尽管经典力学途径面临着难以克服的困难，但这种研究仍然是最重要的领域。

第 7 章 岩体的力学介质类型

7.1 前言

岩体工程问题的核心是岩体的变形与破坏问题。只有在对现场岩体变形和破坏的基本特性具有深入理解的基础上,才可能正确地、有效地解决复杂的岩体工程问题。

在力学分析中,受力作用的物体通常是被当做传播力与变形的介质看待的。学者们清楚地认识到,确定具体岩体的力学介质类型是整个岩体力学研究的核心与基础,这是因为介质类型是确定岩体力学试验方案、选择力学分析方法、进行稳定性评价等各项工作的决定性因素。可以毫不夸张地说,岩体力学分析的关键是如何符合实际地判断岩体的力学介质属性。

岩体的介质类型由岩体变形破坏机制决定,而岩体的变形与破坏机制则主要由岩体结构控制。因此,对岩体结构的力学效应进行研究便成为基础的任务。

7.2 变形破坏机制与介质类型

在岩体力学研究中,弄清岩体的变形和破坏机制是最重要的关键。否则,就无法确定其力学介质类型,无法选择分析方法,甚至无法确定岩体加固或改造方案。然而,判断岩体的变形破坏机制是很困难的,要求我们深刻认识岩体变形和破坏的规律性。

岩体对外部作用的反应包括变形和破坏。变形包括形状改变和体积改变,而破坏则是变形过程中的一个特殊阶段。岩体变形和破坏机制就是岩体变形和破坏的力学过程之性质。我们这里着眼于整个岩体的变形破坏模式和机制,不详细涉及岩体组成材料的变形破坏机制。

实践表明,不同岩体的变形破坏可以表现为非常不同的力学过程,例如,有些边坡岩体可能发生部分岩体沿软弱结构面滑动现象;有些则发生岩层倾倒或块体崩塌。在某具体岩体内部,变形与破坏也可能呈现出非常复杂的图像,不同部位可能具有不同的变形与破坏机制。例如,许多边坡滑动可能具有如下累进性的变形破坏机制:首先边坡底部发生蠕变滑移,然后坡顶出现张裂变形并不断向深部扩展,最后剪应力在中部集中并将锁固段剪断,滑动面贯通发生滑动。

整个岩体的变形破坏机制通常是根据地质模型和工程作用加以判断的。它主要取决于岩体的结构、赋存状态与环境以及受力条件,其中最重要的是岩体结构。

7.2.1　岩体变形分析

孙广忠(1988)提出的岩体变形理论认为:岩体变形系由岩体材料变形和岩体结构变形所构成,而岩体材料变形又由结构体(即岩石材料)变形和结构面变形所构成,且多数情况下结构面变形大于结构体变形。更详细地表达如下:岩体材料变形指结构体的变形和结构面的变形。结构体变形包括结构体的压缩和膨胀变形(体积变形)、剪切变形(形状变形);结构面变形包括结构面的闭合变形、压缩变形和剪切变形。岩体结构变形包括结构体弯曲变形(往往在岩体中形成空隙而表现为扩容)、结构面张开变形(引起扩容)、结构体沿结构面滑动(不包括结构面剪切变形)以及结构体转动或滚动。其中的后两者为结构体的刚性运动,即结构体本身不发生变形。这种运动导致岩体变形,也常常引起扩容。另一种结构变形是软弱结构面挤出变形。

岩体变形通常具有如下特点:材料变形中的结构面变形往往大于岩石材料的变形,而且岩体结构变形是岩体变形中很重要的部分。一般说,岩体大变形往往是由岩体结构变形造成的。因此,按虎克定律只考虑岩石材料变形的计算结果往往大大小于岩体的实际变形。例如,某粘土岩隧道按材料力学模型计算的最大收敛变形为 3.9cm ,而实际变形观测结果为 35cm 。原因在于洞壁在切向力作用下产生板裂化,板裂体在回弹力作用下产生弯曲变形而内鼓,其量达材料变形量的 10 倍(孙广忠,1993)。

7.2.2 岩体破坏分析

天然岩体,在长期的地质作用下已经破坏了,多数呈破碎状态。因此连续介质中的破坏概念对岩体是不适用的。孙广忠(1988)将岩体结构改组和已有结构联结的丧失定义为岩体破坏。相对于连续体而言已经破坏的岩体再发生破坏时,其最主要特点就是现存岩体结构发生新的变化,这种变化就称为岩体结构改组。在岩体结构改组过程中,必然伴随着原岩体结构联结的丧失,并且在形成新的结构后又建立起新的结构联结。因此,可将原岩体结构联结的丧失作为岩体破坏的第二个标志。这种岩体破坏的概念同样适用于完整结构岩体。完整结构岩体受力超过其强度时,会发生破碎。岩体可由完整结构变为碎裂结构,其原来的结晶联结也随之丧失而变为结构体咬合联结。

必须区分岩体材料破坏和整体破坏。在有些工程中发现,尽管岩体内局部区域发生破裂,但是仍能维持整体稳定。这就意味着岩石不仅在破裂之前能承受荷载,而且在破裂后仍具有一定的承载能力,甚至达到极限荷载之后,仍然具有一定的残余承载能力。现在,岩体的破坏不再被看成是一种状态,而是一种过程。在很多情况下,破坏过程的研究常常显得比研究破坏的判据本身更为重要。实际上,岩体的局部破裂或塑性流动并不一定意味着整体的破坏。因此,岩体破坏是与功能相联系的概念。对于实际的工程岩体,破坏常指失去了承担预期任务的能力(Goodman,1980)。

岩体的破坏可能是脆性破坏、块体滑移、层体弯折、松动溃散、塑性变形。完整结构岩体有两种破坏形式:一种是脆性的张破裂,破裂面平行于最大主应力。实质上是受张应变控制,故称为张破裂。第二种类型是柔性的剪切破坏。一般说,当岩体比较软弱时,呈现为剪切破坏。碎裂结构岩体的破坏多种多样,有的是结构体破坏,有的是原有结构被扰乱。也许破裂面追踪是最常见的,这种破坏机制实际上是沿已有节理面滑动,有时导致结构体产生剪切滚动。碎裂岩体边坡破坏中的剪切带内就存在结构体滚动这种破坏形式。结构体滚动一般发生在岩体内部,不易见到。模型试验可以提供这种条件,因此结构体滚动在模型试验中看得很清楚。碎裂结构岩体在单向应力作用下,呈似板裂介质产生溃屈破坏,这在陡峭的山坡或峡谷山坡地带常见到。板裂结构岩体有其独特的破坏形式。这种岩体受一组贯通性结构面切割,其结构体呈板状。在反倾向的边坡中,常见到倾倒破坏。板裂结构岩体的第二种破坏类型是溃屈破坏。它是板状岩层沿下部的软弱结构面向下滑移,在坡脚处产生拱曲、剪断破坏。板裂结构岩体的第三种破坏形式是弯折破坏,这在地下洞室的顶板和底板破坏中较为常见。块裂结构岩体的破坏形式比较简单,主要是块状结构体沿软弱结构面滑动,自然界许多滑坡都属于这种类型。

7.2.3 研究方法问题

岩体的变形与破坏机制究竟是怎样决定整个研究工作的?如果岩体发生倾倒或溃屈破坏,则测定抗剪强度就没有什么意义,用连续介质理论分析应力和变形、用摩尔—库仑强度理论去判断是否破坏就更是错误的。可见,预测可能出现的岩体变形破坏形式和机制是很关键的问题。若不能正确判断岩体的变形破坏模式和机制,就无法确定岩体的力学介质类型,也不能进行合理的岩体力学试验,更不能选取合适的岩体力学分析方法。

岩体变形破坏机制的研究可以采用多种途径。例如,进行岩体力学试验(包括模型试验)、考察工程岩体的变形与破坏、观察天然岩体的变形破坏现象等。我们应该明白,自然界是陈列着岩体变形和破坏结果的天然实验室,对变形和破坏自然过程的研究将对岩体变形破坏理论提供最主要的结论(布罗伊利,1974)。对于实际中遇到的工程岩体而言,其变形破坏机制通常只能根据地质条件和工程作用加以判断。其中最关键的因素是岩体结构,因此岩体结构及其力学效应研究是基础。就研究内容而言,重要的是弄清哪些关键因素与机制之间存在的规律性关系,以作为工程判断的依据。

实际岩体的变形破坏机制与模式并不总是能够容易地加以判断。岩体变形破坏可以是单一机制的,也可以同时包括多种机制。例如,块裂结构岩体最主要的变形是沿结构面滑动,结构体变形很小。碎裂结构岩体变形就很复杂,几乎包括所有的变形机制成分。因此,很多情况下,我们不得不对多种可能的模式进行分析计算。

7.2.4 岩体介质类型

岩体的力学介质特征包括多个方面。例如,按照材料的变形特征可分为弹性介质、弹塑性介质、粘弹性介质等;按照物体的组成,可分为单相介质和多相介质;按照物体及其变形的连续性,可分为连续介质和不连续介质;我们也可以谈论介质的均质性、各向同性或异性等。这里讨论岩体的介质特征,重点放在介质及其变形的连续性方面。

在岩体力学介质特征研究领域,国外学者强调岩体是各向异性的不连续介质,他们的主要做法是根据地质不连续面与整个岩体的相对尺度,将岩体介质区分为连续的和不连续的两类。在国内,影响最大的是孙广忠的岩体力学介质分类(1988,1993)。他以岩体结构为基础,根据岩体变形和破坏机制以及岩体受力特点来划分介质类型。

岩体的力学介质类型取决于岩体的变形破坏机制, 而岩体的变形破坏机制则受岩体结构、岩性及作用力所控制，其中最重要的控制因素是岩体的结构。就工程岩体而言，岩体结构一般可划分为五种主要类型，即完整结构、块裂结构、碎裂结构、板裂结构和散体结构。再考虑到岩性和受力特点，可将作为力学介质的岩体划分为四种类型，即连续介质（完整结构和散体结构）、块裂介质（块裂结构）、碎裂介质（碎裂结构）和板裂介质（板裂结构）。

岩体结构类型的划分，使看起来杂乱无章的岩体具有了严整的层序和类别，并且与其工程力学性能及现象密切关联；同时也为岩体力学工作者提供了介质类型划分的依据，地质和力学在这里找到了结合点。

7.3　连续介质岩体

7.3.1　连续介质概念

连续介质概念是为了分析上的方便而引进的一种数学假定，是一切连续介质力学的基础（Zienkiewicz，1969）。连续概念可以从不同的角度加以说明（薛守义，1999a）。首先是物质的连续性；其次是介质物理力学性质的连续性；最后是介质力学反应的连续性。经典的连续介质力学分析，要求这三方面的连续性都得到满足。

物质上的连续是指物质充满介质所在的整个空间，没有任何空隙。这样，所有的物理量在空间便成了连续函数，在任何点都有定义。物理力学性质的连续性是指介质的物理力学性质是常量，或者至少是坐标的连续函数。当介质的性质有突变时，即使位移等力学反应是连续的，也不能再应用经典的连续介质理论求得问题的解析解。力学反应的连续性是指力学场变量是坐标的连续函数，而且在力学过程中或在时间变化过程中，假定这种连续性仍得到保证，从而对时间或空间坐标变量微分的概念就可以用到介质的力学现象之研究中。在所有不连续性中，变形不连续占有最重要的地位。

7.3.2 假定的有效性

要想求得介质力学反应的解析解,连续性假设是必需的。事实上,连续性假设已经成为所有无限小微分运算的基础。显然,物理上的连续对于任何物体都是不成立的。然而,连续介质理论仍然构成了大多数近代工程力学以及物理学大部的基础,并能与实际相符。

有人认为,材料连续性理论假设与实际相符是近似的,也就是说,采用这种假设计算所得的结果是近似的(Zienkiewicz,1969)。实际上,这种理论计算结果与实际相符并不是近似的,而是某种意义上精确的力学反应(薛守义,1999a)。之所以精确,是由于在实际分析中所采用的材料特性代表了介质单元的某种平均特性,而不是点的特性。实际上,就相当于对介质进行了等效连续处理。为此,我们可以将在物理力学性质方面能代表介质特征的最小单元称为"基本单元"。例如,岩石的基本单元应包括一定数量的矿物颗粒、胶结物以及孔隙。若缩小单元尺寸,使其仅包括部分矿物颗粒或部分孔隙,则这种单元显然就不是岩石的基本单元了,因为我们不能将颗粒或孔隙的力学性质视为岩石的力学性质。如果要研究岩石的力学反应,用于岩石力学特性研究的试样必须大于或等于基本单元,从而试验结果可以代表岩石的性质,分析结果也是单元体的平均反应,而不是岩石中某一点的反应。

7.3.3 尺度相对准则

由上可见,连续性是相对的、有条件的。介质在什么情况下可看做是连续的或不连续的,这不是理论上的问题,而是一个实践上的问题。也就是说,连续性模型是功能模型,不是实际的物理模型。这种情况在岩体中更为突出。真正连续的岩体是不存在的,因为即使最坚固的花岗岩岩体也具有发育稀疏的节理或断层。所以,严格说岩体是非连续介质,然而它又存在着连续的可能性。岩体中不连续面的存在不足以怀疑连续介质力学模型在岩体力学中的使用价值。为此,学者们提出了岩体连续性的尺度相对性准则,认为连续性关键取决于岩体内不连续面尺度与所研究的整个岩体尺度之比 R,只要 R 远远小于1,则岩体就可视为连续介质。

按照相对性原则,如果我们研究的是坝基、边坡或地下工程围岩的稳定问题,则岩石块体中的裂隙不连续性显然可以忽略。不仅如此,如果节理间距与问题尺度相比,数量级相差很大,则从统计学观点看采用连续性假设也是合理的。然而,若不连续面与研究区域尺度相当时,则不能视为连续介质,必须考虑这些结构面对整个区域的影响。

7.3.4 主应力差准则

相对性准则为岩体的力学介质类型选择提供了一种标准,但它是不全面的。实际上,岩体变形的连续与否与其所处的应力状态关系密切。孙广忠(1983,1988)称其为围压效应。很多试验表明,碎裂岩体在围压很高时,其中结构面的力学效应将完全消失。但是,孙广忠没有提到主应力差这一重要因素。Müller(1974)也曾研究过介质连续性问题,并提出如下准则:当 $\eta=\sigma_1/\sigma_3=1$ 时,节理没有多大作用,可把这种岩体当做连续介质;当 $\eta\gg1$ 时,则岩体中的裂隙影响很大,应当将岩体看做是不连续介质。从总的情况看,$\eta=4\sim5$ 为连续介质和非连续介质的分界线。但具体情况还得具体考虑。这种主应力差或主应力比效应用于判断介质的连续性显然是比较合理的。

因此,基于这种准则可以预测当边坡为碎裂结构岩体时,临空面附近的岩体将具有不连续变形的行为,而碎裂结构岩体地基多数情况下可视为连续介质。

7.3.5 可行性准则

有了上述两个标准,我们就可以判断实际工程岩体是否具有连续介质属性。但是否采用连续介质假定,可能还有其他方面的限制。显然,我们选择的模型应该是实际可行的。假定选择连续性模型,单元尺度过大,以至于我们不能通过试验或其他方式确定其力学性质,则模型选择便是失败的,因为我们无法知道这种连续介质的材料性质。另外,可行性准则也体现在模型与目标之关系上。假如对某一具体岩体可以选择连续性模型,但我们关心的是岩体中某处不连续面的力学状态,这时显然不能再按等效连续性模型考虑(薛守义,1999a)。

综上所述,选择岩体的力学介质类型的合理标准可表述如下:如果岩体受到较强的围限作用以致不出现较大的主应力差、岩体内不连续面尺度与所研究的整个岩体尺度之比远远小于1,并且其基本单元足够小,以致允许对其进行试验或通过其他方式确定其力学性质,则可将岩体视为等效连续体。

7.3.6 基本类型

应当指出,虽然将天然岩体一概视为连续介质是进入岩体力学的障碍,但在对岩体本身的特性、具体工程情况及要求进行考虑之后,有很多情况下仍可将其视为连续介质。不过,这时的概念同以前那种糊涂不清的概念完全不同。因为这时的连续性是有条件的,在背离这些条件的情况下,就意味着不符合实际。

很多学者都思考过什么样的岩体可视为连续介质,例如谷德振(1979)曾指出:“对于完整、散体和不存在危险的连续软弱结构面的碎裂体,从某种意义上说,我们也可以把它们作为连续体来处理。”但对连续介质岩体进行过细致研究的也许是孙广忠(1988)。他认为实际当中,可视为连续介质岩体的有五种类型,即完整结构岩体、断续结构岩体、散体结构岩体、板状结构岩体以及碎裂结构岩体在一定条件下转化成的岩体。

真正的原生完整结构岩体是很少见的,除非工程规模很小,结构面极稀疏,外载作用产生的应力泡远小于稀疏节理切割成的结构体。断续结构岩体也是很少见的。自然界中有些碎裂结构岩体,在充填胶结的次生作用下使结构面愈合,碎裂结构岩体转化成为完整结构岩体,从而具有连续介质的特征。其胶结物主要为后期岩浆,或变质分泌及溶析产生的硅质、钙锰质、钙质及部分粘土质材料。同上述作用相类似,经过人工改良,如固结灌浆、硅化固结等措施使岩体内裂隙面愈合,增强岩体的完整性,变成完整结构岩体也属于一种连续介质岩体。当然,胶结必须具有一定的强度,正如 Coates(1970)所说,当岩块之间被充填物所胶结,而岩块的强度与胶结物的强度相等时,可以将岩体视为连续介质。

与上述诸类型相比较更为常见的是,在围压作用下,经过结构面摩擦作用而使碎裂结构岩体转化成的连续介质岩体。显然,当连续介质岩体为由碎裂结构岩体转化而成时,其基本单元须包括若干个碎裂块体,且其力学性质可由试验或通过其他途径加以确定。

7.3.7 有限元模型

当岩体中含有大规模的结构面时,将不满足上述的尺度相对准则。此时,不能将问题视为典型的连续介质力学问题,但可以将其抽象为由大型结构面单元和结构体单元组成的结构。这种模型中的结构体本身可能具有碎裂结构,但可视为连续介质区域。结构面和结构体虽然具有不同的力学性质,但是其本身都可视为连续介质,而且两者的联结处满足变形连续条件。这种介质的力学分析很容易通过有限元法加以实现。现在非常流行的方法是采用普通的薄层单元而不是经典的 Goodman 节理单元,来模拟结构面及其与两壁相互作用的力学行为,这实际上是将岩体抽象为一种异质单元组成的连续体模型。

当我们把结构面单元引入岩体结构模型进行有限元分析时,岩体变形的不连续性已经在结构面本构关系中得到恰当的考虑,因此有限元法处理的实际上是连续介质问题。如果能够通过试验方法确定出结构体材料基本单元和结构面单元的本构特性,那么这种处理方法将是非常完善的。需要注意的是,这种结构面单元包括薄夹层及其两侧岩壁。这样,即使岩壁与薄层之间出现不连续的变形,也将以某种形式反映在试验得出的本构关系之中(薛守义,1999a)。

7.4 块裂介质岩体

7.4.1 块裂介质概念

岩体被贯通性软弱结构面切割并形成可移动的块裂结构体。块裂结构岩体的基本变形破坏方式是块裂结构体沿软弱结构面滑移。因此,一般情况下,块裂结构体可被假定为刚体,并采用块体极限平衡法进行力学分析。谷德振(1981)曾经指出:结构体的刚性假定能否成立,主要取决于结构面的滑动或拉开是否远在结构体本身的变形破坏之前。因此,岩体为块裂介质的前提是,结构体的整体强度和刚性模量远较结构面的剪切强度和剪切模量为大。显然,刚性假定只是个相对的概念。当岩体受断层、泥化夹层等抗剪强度很低的软弱结构面切割时,在结构体中虽然有次一级的节理或层面发育,仍能基本上满足刚性假定。实践表明,多数情况下刚体假定是符合实际的。

大量事实表明,受一般节理切割而成的碎裂结构岩体,其洞顶可保安稳,而受软弱结构面切割的块裂结构岩体却十分危险。很多工程事故,特别是坚硬岩石中发生的大多数事故,都是由于岩体具有块裂结构并沿软弱结构面滑动破坏造成的。例如,震惊世界的法国马尔帕塞坝(为薄拱坝,高 66m,长 260m,顶宽 1.5m,底宽 6.7m)失事便是由于块裂结构岩体破坏造成的。该坝的坝基岩体为片麻岩,左岸夹有绢云母板岩。当水库蓄水水位达到 100.12m(坝顶标高为 102.55m)时大坝突然崩溃。经调查,溃坝的主要原因是坝的左翼沿着一个倾斜的软弱面而滑动,岩体崩出,造成全坝崩溃。

这说明那些规模小且未经错动的坚硬结构面不具滑移条件，而当岩体被软弱结构面贯通切割具块裂结构时，在适当的临空条件和力的作用下，块裂体才可能沿软弱结构面滑移。块裂介质岩体的最显著特征是受软弱结构面贯通切割，具有块裂结构，而且其变形破坏机制主要受软弱结构面控制。在建立块裂介质力学模型时，一定要注意形成块裂岩体的条件。否则，就可能采用错误的模型(图7.1)。

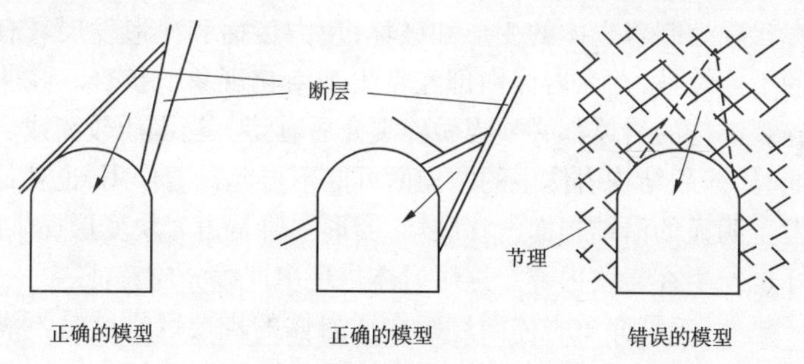

图7.1　块裂结构岩体模型(据孙广忠，1988)

7.4.2　基本类型

一般来说，块体能够运动必须存在两种类型的边界面，即结构面和临空面。没有结构面就不能形成滑动面及切割面；没有临空面就没有滑移的可能。在块裂介质岩体中，滑动面主要是软弱结构面；切割面可以是软弱结构面或坚硬结构面；而临空面可以是空间，也可以是大断裂带，这是因为断裂带内松软物质极易被压密，类似于空间。各种结构面和临空面的组合是岩体结构稳定分析的边界条件。

7.4.3　分析理论

解决块裂介质岩体力学问题最常用的方法是块体极限平衡分析。这是一种强度分析方法，即只研究岩体破坏条件下的平衡而不考虑变形。为了弄清结构面的变形情况，也可以将其作为一种单元引入岩体的有限单元模型采用有限单元法进行分析,不过此时已经属于连续介质分析的范畴。此外,也可采用块体不连续变形分析法(DDA)。

7.5 碎裂介质岩体

7.5.1 本质特征

当岩体具有碎裂结构且无围压或低围压时,其中坚硬结构面发育状况控制着岩体的变形和破坏,应力传播和变形发展具有明显的不连续性,并在岩体内部经常出现空化现象而扩容。并非所有碎裂结构的岩体都必须当做碎裂介质看待。当围压较高或岩性软弱时,碎裂结构岩体中的结构面可能不再起显著作用,也就是说不发生明显的沿结构面滑移破坏,变形主要是由岩块变形提供的,破坏也发生在岩块内部。这时岩体呈现出连续介质特征。

显然,碎裂介质岩体同连续介质岩体的重要区别就是不满足变形协调条件。另外,碎裂介质岩体既不同于块裂介质岩体,又不同于完整的连续介质岩体。块裂介质岩体的力学性能主要受软弱结构面的控制,完整结构岩体的力学性能受岩石控制,而碎裂介质岩体的力学性能则既受结构面控制,又受岩块控制。进行碎裂介质力学分析,首先应判断所研究的岩体是否属于碎裂介质。这需要研究构成碎裂介质岩体的条件。一般讲,岩体结构、围压及岩性是判断介质类型的主要因素,其中特别重要的是岩体结构条件和围压条件。首先,碎裂介质岩体具有碎裂结构或粗碎屑散体结构,其中的坚硬结构面发育状况控制着岩体的变形和破坏。其次,碎裂结构的岩体在高围压下呈现出连续介质特征。只是在无围压或低围压条件下,应力传播和变形发展才具有明显的不连续性,并在岩体内部经常出现空化现象而扩容。

7.5.2 基本类型

碎裂介质岩体的结构可抽象为三种模型,即对缝砌体碎裂结构、错缝砌体碎裂结构和镶嵌碎裂结构。其中,镶嵌碎裂结构岩体内常发育有低级序结构面,其应力传播、变形破坏具有一定的方向性,类似于错缝式碎裂结构岩体的力学属性。

7.5.3　分析理论

求解碎裂介质岩体力学问题的主要方法有离散单元法和块体不连续变形分析法(DDA)。此外,模型试验也是常被采用的方法。研究表明,当节理刚度很高、岩体变形连续、基本上可视为连续介质时,有限单元法与离散单元法的计算结果非常接近。否则,两种方法的计算结果差别就很大(Fairhurst,1990)。

7.6　板裂介质岩体

7.6.1　本质特征

板裂结构岩体受一组贯通性结构面切割,是工程实际中遇到的一种重要岩体类型,其特点是容易发生岩层分层、弯折、倾倒、溃屈等变形破坏。例如,在反倾向的板裂结构边坡中,常见到倾倒破坏的现象。我国金川露天矿、大狐山露天矿、抚顺露天矿、长江和黄河两岸反倾山坡就存在很多倾倒破坏的实例。板裂结构岩体的第二种破坏类型是溃屈破坏,即板状岩层沿下部的软弱结构面向下滑移,在坡脚处产生拱曲并被剪断而破坏。成昆线上的铁西滑坡、长江鸡筏子滑坡等都属于大型的溃屈破坏。板裂结构岩体的第三种破坏形式是弯折破坏。这在地下洞室的顶板和底板破坏中较为常见。例如在重力作用下,顶板可能与上面的岩体脱离,出现缝隙,形成岩梁。这种岩梁将因其本身重量而向下垂曲,当岩梁开始产生裂缝时,其中性轴向上移,裂缝逐渐延伸,直至贯穿全梁。随后岩体的一部分则可能松散和崩落(Goodman,1980)。

板裂结构岩体的结构体呈板状,其变形破坏遵循梁板柱的变形破坏模式,因而不能视为连续介质,孙广忠(1988)将其称为板裂介质。板裂介质的溃屈属于结构失稳。结构失稳就是结构由原来的平衡形式转变为新的平衡形式,可由压杆失稳加以说明。轴心压杆的临界荷载是使构件在直的和微弯的两种形态下都能保持平衡的荷载。而当轴向荷载稍大于临界荷载时,微小的干扰将使杆产生急剧发展的弯曲变形,从而导致失稳屈曲。直的受压柱子为什么会突然变弯呢?关于这个问题,萨瓦多里等(1963)精辟地论述道:“一根细长的柱子,在端部荷载作用下受压时,它要缩短。与此同时,荷载位置降低。荷载要降低它的位置的趋势是一个基本的自然规律。每当在不同路线之间存在着一种选择的时候,一个物理现象将按照最容易的路线发生,这是另一个基本的自然规律。面临弯出去还是缩短的选择,柱子发现:在荷载相当小的时候,缩短容易一些;当荷载大到某一数值时,弯出去比较容易。换句话说,当荷载达到它的临界值时,用弯曲的办法来降低荷载位置比用缩短的办法更容易些。”

7.6.2 基本类型

板裂介质岩体就是板裂化的岩体,它具有板裂结构。这种岩体主要发育于经过褶皱作用的层状岩体内,即薄层状岩体被一组层间错动所形成的软弱夹层切割,其结构体多数为组合板状结构体,有时也为比较完整的板状体。

应该指出,具有板裂介质岩体力学行为的岩体并不一定是自然的板裂结构岩体。在一定的条件下,其他结构类型的岩体也可板裂化而变为板裂介质岩体。现已发现下列四种岩体都具有板裂介质的特征(孙广忠,1988):①沉积的层状岩体经层间错动后发生典型的板裂化,这是典型的板裂结构岩体;②岩浆岩和深层变质岩在构造作用下一组节理发育,将岩体切割成似板裂结构;③碎裂结构岩体在适当的荷载作用下,沿一组结构面开裂、一组结构面闭合;④完整结构岩体受压后,临空面附近的部分也可被劈裂而成板裂结构。因此,关键问题是岩体板裂化分析,找出具体情况下的分层条件、分层位置和范围,然后才能进行板裂介质岩体的力学分析。

7.6.3　分析理论

板裂结构岩体的提出,给梁板柱理论在岩体工程中的应用提供了正确的地质模型,梁板柱理论则是结构力学中得到充分发展的理论。板裂介质岩体的特殊问题是结构稳定性问题,但并非所有板状结构体的破坏都是结构失稳。例如,把板状结构体的弯折破坏称为结构失稳也许就是不恰当的。

第 8 章 岩体材料的强度理论

8.1 前言

岩体材料的强度是一种重要力学性质,而全面说明材料强度特性的理论就是强度理论。强度理论研究的重要性是显而易见的。我们知道,固体力学分析可以得到应力或应变分布,但这并不是问题的终结,最后的步骤是根据物体内实际的应力或应变状态来判断材料与结构是否破坏,这就需要建立关于材料破坏的强度理论。强度理论研究对变形本构理论的发展也具有重大意义,因为其表达式通常是应力空间中的极限面,从极限面应该可以蜕化出相应的屈服面,而屈服面方程是建立材料弹塑性本构关系所必需的。

本章首先讨论岩体材料破坏与强度的概念,然后简要评述已有材料强度理论。

8.2 岩体材料破坏与强度

8.2.1 材料单元

强度理论是针对具有代表性的材料单元建立起来的,研究材料的强度准则需要对材料单元进行试验。

岩体是结构物而不是材料,通常由结构体和结构面组合而成。结构体和结构面作为岩体的结构单元,相当于建筑结构物中的构件。构件是由材料构成的,岩体的结构单元也是由材料构成的。显然,我们需要研究岩体材料的性质。要研究材料性质,就得取有代表性的材料单元进行研究。岩体材料单元包括结构体材料单元和结构面材料单元。在有限元分析中,通常把含有大量节理裂隙的岩体视为连续介质。因此,结构体的材料单元可以是完整的岩块,也可以是包含众多不连续面的节理或裂隙岩体单元;结构面材料单元一般由面内物质和两侧岩壁组成。这样,岩体材料单元就包括岩石单元、节理岩体单元和结构面单元。岩体力学试验的目的就是要确定这三类岩体材料单元的力学性质,强度理论也应分别针对这三类单元建立。

目前,研究比较充分的是岩石和结构面的强度特性,强度理论也是针对这两类单元建立起来的。人们对节理岩体单元的特性也进行过大量研究,但由于其复杂性,至今还没有建立起比较符合实际的强度理论。结构面的强度理论较简单,我们将不加论述。因此,本章重点谈论的是岩石材料的强度理论,

8.2.2　材料的破坏

岩体材料的破坏与强度问题备受关注,这是因为它与岩体系统的稳定性直接相关。谈论破坏问题,必须首先区分破坏的两种含义,即材料单元的破坏和结构体系的破坏。很明显,像岩体这样的结构体系,局部的材料破坏并不等于岩体的破坏。

在连续介质力学中,材料破坏并没有严格的定义。曾经有人提出材料破坏就是“变形不连续”。这样的观点似乎是好理解的,比如构件被拉断或弯曲折断、试件被压碎等都是很明显的破坏现象。而实际上,很多情况不能用此定义加以说明。例如,塑性较大的材料可能产生很大的变形而不显现出破裂的痕迹,这种情况下的变形是连续的,但从工程实际角度讲材料已经是破坏了。可见,破坏应被理解成为一个功能性概念。也就是说,破坏是变形过程的一个阶段,具体在哪一点上算破坏,需要根据允许的限度人为地加以限定。

8.2.3　材料的强度

强度就是破坏时的应力状态或应变状态,或是岩体抵抗破坏

的极限能力,而破坏则是岩体变形过程中的一个特殊阶段。任何不允许的变形都会造成广义上的破坏。有时很难确定产生什么样的变形将成为不允许的变形,因此破坏的定义还远不是严格的,强度的定义同样是有条件的,每种情况下都需要更合理地规定(塔罗勃,1957)。

在应力概念建立以前,强度是构件的极限承载能力,达芬奇、伽利略等先驱们研究材料强度时就是这种概念。例如,用试验方法确定金属绳所能承受的极限抗拉力、梁的抗弯曲断裂的极限力等(铁木辛可,1953)。显然,这种强度是与力而不是材料内部的应力相联系的,同种材料的不同形状、尺寸的构件显然具有不同的强度。强度与应力相联系起来是力学发展的一大进步,这使得人们开始试验研究材料而不是构件的强度。构件的强度是可以由受力情况和材料强度计算出来的。因此,同一种材料只做少量的试验就可以得到普遍可用的强度参数,而不需要对无数形式的构件和结构进行试验。

如上所述,材料的强度与破坏是相关联的。一般地说,"如果在特定的条件下增加某一应力分量值直至破坏发生,那么,破坏时的应力值就叫做在该条件下的材料强度。"显然,施加外力的性质不同,其强度也不相同。按照外力作用的方式,岩体材料的强度分为抗压强度、抗拉强度和抗剪强度等。

岩体作为结构物,其强度显然是指这种结构物的极限承载能力,比如地基承载力、边坡岩体的抗滑力等,不能同岩体材料强度概念相混淆。岩体的强度是很难用试验的方法确定的,这是因为一般工程岩体的范围比较大,我们无法施加那么大的荷载而使岩体破坏,而且工程岩体将作为结构物或结构物系统的一部分,一般也不允许我们人为地破坏。载荷试验确定的地基承载力虽然是结构强度,但因试验的影响范围很小,往往并不能代表整个岩体的强度。应该指出,人们通常所说的岩体强度实际上是岩体材料强度,比如岩石的抗压强度、节理岩体的抗压强度和抗剪强度、结构面的抗剪强度等。材料强度是应力强度,而结构强度是力或荷载强度(薛守义等,1996)。

8.2.4 强度的确定

建立材料强度理论需要材料强度方面的事实资料。简单应力状态下的强度可以由试验确定,复杂应力状态下的强度则由强度理论来确定。由于强度的重要性,在岩体力学这门学科中,对岩体材料的强度进行了大量的试验研究工作。但是,由于成因、组成、结构千差万别,再加上外部条件如荷载方式、排水条件以及温度等因素的影响,欲合理地确定岩体材料的强度也并不容易。

通常是在实验室或现场通过各种试验方法测定的应力应变曲线来决定强度。岩体材料的剪切破坏主要有两种方式,即脆性破坏和塑性破坏。前者的应力应变曲线有峰值,而后者的则没有。当岩体材料脆性破坏时,一般将最大应力值定为破坏强度,将最后稳定值定为残余强度。当材料呈塑性破坏时,也取最大应力值为破坏强度。但有些岩体材料的变形性质不同于上述的典型曲线,例如,有时应力应变曲线在较大的应变下仍未达到极限值。这就难以确定其破坏强度,必须结合工程对象的允许变形来决定。因此,在确定岩体材料的强度时,应从岩体本身所具有的特性出发,考虑各种因素的影响,并注意工程对象的不同要求。

岩体材料达到峰值强度可能需要较大的变形,而这样的变形是工程所不允许的。因此,强度确定有时必须由变形控制。如果应力应变曲线上变形很大时应力才达到极限值,那么取极限值确定强度参数就意味着允许有那样大的变形。

8.2.5 变形标准

岩体力学试验及现场监测得到的大都是反映岩体变形性态的应变或位移,而强度理论大都是针对应力极限状态建立的,因而必须通过反分析确定应力状态,然后再利用应力强度准则进行破坏判断。

为什么不直接利用测得的应变或位移进行破坏判断呢？这显然需要建立应变破坏判据或位移破坏判据。樱井在1987年就曾提出“直接应变评价法”,试图建立材料破坏的应变准则。但在他提出的方法中涉及到围压的计算,因此实际上并没有获得实质性的简化。沈明荣(1997)进行了岩石应变破坏判据的试验研究。实际上,变形标准的研究还刚刚开始,甚至变形标准是否可行还没有定论。

8.2.6 强度理论

完整的强度理论概念涉及到材料力学机理的说明、数学模型的建立和模型参数规律性的研究。一般认为,岩体材料强度准则的建立依赖于材料的破坏机理。也有人采用唯象的方法,经验地根据试验资料进行拟合。这种方法在研究的初级阶段是不可避免的,但是在弄清机理的基础上建立符合实际的理论必定是我们的目标。

建立材料强度理论的基本思路是:根据某些试验数据,用数学方法来寻找某种函数表达式,并确定相关的参数。具体地说,对于试验数据的集合 X 和 Y,可认为存在某一映射 G,使得 $Y_i = G(X_i)$。现要寻找一映射 F,使得在某种意义下,F 是 G 的最佳逼近。先找出 F 的一个含少量参数且比较简单的数学表达式,然后通过某些试验确定出其中的参数,从而得到 G 的近似。

对于比较简单的情况,F 是容易获得的;而当情况复杂时,则 F 很难求得。实际工程中的岩体材料单元往往处于复杂应力状态。由于能施加复杂应力的试验设备的设计、制造和使用都很困难,因此只能通过某些简单的试验,获取材料在比较简单应力状态下的强度准则,然后通过某种理论把这些试验结果推广应用到复杂应力状态上去,求取普遍形式的强度准则。也就是说,根据有限的试验资料,利用某种理论去建立材料的强度理论并确定模型参数。

8.3　岩石材料的强度特性

8.3.1　岩石的破坏机理

材料的应力或应变增长到一定程度就要发生破坏。用以表征材料破坏条件的函数(应力或应变的函数)称为破坏判据或强度准则。很多学者认为,强度准则的建立应反映材料的破坏机理。由于岩石材料有多种破坏机制,故必须建立多种强度准则。

岩石材料往往是各向异性的,包括初始各向异性和应力导致的各向异性。初始各向异性是在沉积过程中形成的,例如沉积岩一般表现为在水平方向的横观各向同性。岩石材料的抗拉压强度也明显不同。岩石虽然具有一定的抗拉强度,但与其抗压强度相比要小许多倍。这种拉压强度不同的性质就是力学中所谓的 SD 效应。例如,黄河上游拉西瓦大型水电站和长江三峡水库三斗坪坝基的花岗岩的抗压强度高达 150～180MPa,而它们的抗拉强度约为 10MPa。

岩石破裂的概念似乎很清楚,破裂意味着发生不连续位移。但是,微破裂并不那么容易察觉,而且岩石在受力前往往就存在很多微破裂。有时,尽管围岩或矿柱等发生破裂,但仍能维持稳定。这就意味着岩石或岩体不仅在破裂之前能承受荷载,而且在破裂之后仍具有一定的承载能力。岩石在荷载作用下会发生脆性破坏或塑性破坏。大多数坚硬岩石在一定的条件下(比如侧限应力小、温度低)都表现出脆性破坏的性质。也就是说,这些岩石在荷载作用下没有显著觉察的变形就突然破坏。脆性破坏的特征是显见的,常呈现为裂口、爆裂等。在压应力作用下的脆性破裂是因为在微裂隙应力集中处诱导出来的拉应力作用的结果。在单轴压缩试验中看到,岩石的压碎是由于大量主要与轴压方向平行的裂纹发展而造成的。塑性破坏表现为颗粒间错动、滑移或流动等塑性变形,没有明显的破裂痕迹,其变形是连续的,并不间断。因此,其特征很难用肉眼鉴定。如果把平行于单轴加载方向的轴向破裂看做是大多数岩石的主要破碎机理的话,那么侧限压力的存在就会迅速地减轻轴向开裂。增大侧限压力,材料将呈现出越大的延性。

应当指出,脆性破坏和柔性破坏是对岩石在达到破坏时的应变大小而言的,并没有表明破坏的机制(孙广忠,1988)。试验表明,岩石破坏机制主要有以下四种:

(1)张拉破裂:主要发生在脆性岩石中,其特征是裂缝平行于最大主应力方向。这种破坏是由于张应变超过材料的极限张应变而引起的。此时的岩石单元处于压应力状态。

(2)剪切破裂:是由于剪切面上的剪应力达到材料的抗剪强度而引起的破坏。这种破坏是脆性的,在具有一定脆性度的岩石中出现。

(3)塑性流动:同剪切破坏的机理相同,但没有明显的剪切破坏面,而表现为塑性滑移。

(4)剪张破裂:受力偶扭动而成。破劈理就是在力偶扭动下产生的剪张破裂,这种破坏现象在夹层中尤为常见。

8.3.2　加荷速率的影响

加荷速率可以用应力速率或应变速率来反映,并且常用应变速率来划分荷载的动态性质。当应变速率大于 10^{-1}/s 时,荷载为动载;当应变速率小于 10^{-6}/s 时,变形便有蠕变的性质。一般是在应变速率为 10^{-6}/s 和 10^{-1}/s 范围内讨论应变速率对岩石变形和强度的影响。研究表明:岩石的强度随应变速率的增加而增大,绝大多数岩石的抗压强度在由静载($<10^{-1}$/s)变为动载($>10^{-1}$/s)时,会急剧上升。但应变速率在同一数量级范围内变化时,对强度的影响不大。

岩石的变形和强度所以受加荷速率的影响,一般认为是由于岩石变形包含了一部分粘性流动,特别是对软弱的岩石。此外,还有人认为应该从裂纹发展速度来分析。有人对压缩条件下岩石裂纹扩展的速度作过观测记录，结果表明，微裂纹扩展在毫秒级时间内就迅速完成，但是把微裂纹搭连、归拼、连接成宏观破裂则需相当长的时间。如果应变速率大，意味着裂纹扩展时间短，使裂纹搭连、归拼来不及，因此强度增高。

8.3.3　反复循环荷载

在单轴抗压试验中，对岩石施加同一应力水平的循环荷载，则发现变形会不断增长。也就是说，在循环荷载下，岩石会在比峰值应力低的应力水平下破坏。这种现象称为岩石的疲劳破坏，使岩石发生疲劳破坏时循环荷载的应力水平称为疲劳强度。应指出，岩石的疲劳强度不是一个定值，它与循环荷载持续的时间(即循环的次数)有关。一般讲，持续的时间越长(循环次数越多)，岩石的疲劳强度越小。但这并不是说，只要是循环荷载，无论其应力水平怎样低都能使岩石破坏。试验证明，存在一个极限应力水平，当循环荷载的最大应力低于这一应力水平时，应变在循环荷载下达到一定值后，无论循环荷载持续多长时间，应变不再增长，岩石也不发生破坏。许多学者指出，岩石这种在循环荷载下表现出的变形特征，同岩石在长期荷载下的蠕变特征十分相似。

8.3.4　中间主应力效应

学者们对岩石进行过大量的真三轴试验研究，俞茂宏(1998)对此作过全面综述。关于中间主应力对强度的影响，还没有统一的观点。有些试验结果表明，中间主应力对岩石的强度有影响但不明显，其影响程度比小主应力要小得多，设计中可不考虑岩石随 σ_2 的强度提高。但是，对各向异性的岩石，当弱面走向垂直于中间主应力时，σ_2 对岩石强度的影响有时可达20%。然而，更多的试验结果则表现出明显的 σ_2 效应，并且得到了 σ_2 对强度影响的规律。

显然，我们可以认为 σ_2 效应是岩石强度的一个重要特性。问题是如何在理论上用比较简单的数学公式表达 σ_2 效应。

8.4 岩石材料的强度理论

几百年来,学者们关于材料强度提出了很多假设和理论。有些理论因不符合实际已经被淘汰,有些理论在试验资料和实际应用的基础上得到了修正与发展。然而,已有的强度理论绝大多数都是针对各向同性材料建立的,因而对显著各向异性的岩体材料,特别是节理岩体材料单元并不很适用。

8.4.1 强度准则的形式

应力空间中的一个点代表物体中某点的应力状态。同样,应变空间中的一个点代表物体中某点的应变状态。当物体受外载作用时,该点应力发生变化,它在应力空间表现为一条曲线,即应力路径。通常假设应力空间中存在一个曲面,当物体中一点的应力落在它所包围的区域内时,材料处于弹性状态,而在曲面上的点表示材料已发生或将要发生塑性变形。这个面称为屈服面。当材料为理想弹塑性材料时,屈服与破坏等同,其强度准则就是屈服条件:

$$f(\sigma_{ij}, c_k) = 0 \tag{8-1}$$

当材料为应变强化材料时,其屈服面还与应力历史有关,因此屈服面不是固定不变的。

$$f(\sigma_{ij}, c_k, H_a) = 0 \tag{8-2}$$

屈服面的逐渐扩大,将使得材料发生破坏,形成破坏曲面。破坏曲面的表达式就是材料的强度准则,其一般形式可写成:

$$f_f(\sigma_{ij}, c_k) = 0 \tag{8-3}$$

当材料为各向同性时,强度准则可写成:

$$f_f(\sigma_1, \sigma_2, \sigma_3, c_k) = 0 \tag{8-4}$$

或

$$f_f(I_1, I_2, I_3, c_k) = 0 \tag{8-5}$$

或

$$f_f(J_1, J_2, J_3, c_k) = 0 \tag{8-6}$$

岩石材料一般具有应变硬化或软化特性,因此应严格区别屈服面和破坏面的含义。

8.4.2　最大正应力理论

这是最早的破坏理论,它认为材料的破坏只取决于最大的正应力,与其他两个主应力的大小和性质无关。因此,当材料内的三个主应力中只要有一个达到单轴抗压强度或单轴抗拉强度时,材料就破坏。

试验指出,这个理论只适用于单向应力状态以及脆性岩石在某些应力状态(如二向应力状态)中受拉的情况。绝大多数复杂应力状态下是不适用的。

8.4.3　最大剪应力理论

人们从有些材料(例如软钢)的单向试验中发现,当材料发生塑性屈服时,试件表面出现了与试样轴大约成45°角的斜线。因为最大剪应力就发生在与试样轴成45°角的斜面上,所以这些条纹是材料内部晶格间的相对剪切滑移的结果。因此,就很自然地提出如下假设:材料的破坏取决于最大剪应力。也就是说,当最大剪应力达到单向压缩或拉伸时的最大剪应力时,材料就破坏。

最大剪应力理论在塑性力学中称为Tresca准则,对于塑性状态下的岩石或土给出满意的结果,但对于脆性岩石不适用。另外,该理论没有考虑中间主应力的影响,也不能考虑岩石材料的摩擦性质。

8.4.4　八面体剪应力理论

八面体剪应力理论认为,材料是否达到屈服或破坏状态,取决于八面体剪应力。所谓八面体剪应力就是作一个平面交三个主应力轴各一个单位长度,并垂直于空间对角线,这样在主应力空间就有八个面,形成八面体。

八面体剪应力理论也称弹性畸变能理论,在塑性力学中称为米赛斯(Von Mises)屈服条件。对于塑性材料,这个理论同试验结果很符合,而且这一理论考虑了中间主应力的影响。但在该理论中,三个主应力是等量齐观的,这与岩石材料的强度试验资料不相符。

8.4.5 最大正应变理论

该理论认为材料的破坏取决于最大正应变。因此,只要材料内任一方向的正应变达到单向压缩或单向拉伸中的破坏数值,材料就发生破坏。

试验结果表明,这个理论对脆性材料大致符合,对于塑性材料则不适用。

8.4.6 张破裂准则

大量试验资料表明,在无围压和低围压下,大多数岩石在轴向压力作用下产生的破裂面大多与 σ_1 平行。这种脆性张破裂系由张应变控制的,因此当张应变达到极限张应变 ε_{3c} 时,岩石便产生张裂缝而破坏。

8.4.7 莫尔库仑理论

这是岩体力学中最常用的强度理论。莫尔(1900)认为材料性质本身乃是应力的函数。他总结说:“到极限状态时,滑动平面上的剪应力达到一个取决于正应力与材料性质的最大值。”莫尔强度包线通常是一条曲线,可用三轴试验的方法求得。如果莫尔包络线是直线,则莫尔准则便与库仑准则等价,尽管这两个准则的物理背景不同,此时称为莫尔库仑准则。

莫尔强度理论的极限包络线是唯象的,因此该理论只能为岩石的破坏提供强度准则,而不能对岩石的破坏机理以及破坏的发生和发展过程进行描述。另外,莫尔强度理论的最大缺陷是没有考虑中间主应力的影响。很多研究表明,对岩石破坏起主要作用的是大主应力和小主应力;中间主应力起次要作用,但有些情况下是不可忽略的因素。因此,岩石材料的强度条件既不能像莫尔理论那样完全忽视中间主应力的影响,也不能像米塞斯理论那样把三个主应力等量齐观。

莫尔强度理论实质上是剪切强度理论,即只要过一点的某个面上的剪应力达到该面的抗剪强度,该点就被剪破坏。只要破坏的机制是剪切,莫尔理论就是有效的。但是,当岩石材料不是剪切破坏时,这种理论显然不再适用。

8.4.8 Griffith 强度理论

理想晶体的抗拉强度可根据晶格内原子结合力计算。然而,就岩石材料而言,计算出的理想值比实验室试验得到的抗拉强度值要高出几个数量级。因此,Griffith(1921)得出结论说:晶格理论不能用作解释固体宏观强度性状的理想模型,对岩石更是如此。对产生在所谓"Griffith 裂纹"尖端的应力集中必须加以考虑。也就是说,物体产生破裂是由于裂纹尖端应力集中所造成的。即使在压应力情况下,只要裂隙的方向合适,则裂隙的边壁上也会出现很高的拉应力。一旦该拉应力超过材料的局部抗拉强度,在这张开裂隙的边壁上就开始破裂。

裂纹引起的应力集中造成裂纹尖端区域弹性能的增加。当弹性能大于使材料沿裂纹开裂扩展必须做的阻力功时,则材料将沿裂纹开裂。Griffith 认为固体表面具有表面能,增加裂隙释放弹性能。裂纹扩展释放出的弹性能一部分转化为新表面的表面能,一部分消耗于克服阻力所做的功,还有一部分产生因位移而造成的动能。一般说,因扩展过程中不产生塑性流动、显著的塑性摩擦以及动能,因此释放出来的弹性能基本上转化为表面能。如果新增加的表面能能够补偿释放的弹性能,则可以平衡。如果裂隙的增加导致总能量减少,则产生不稳定系统,裂隙会继续发展。设弹性能释放率即产生单位长度裂纹所释放的弹性能为 G,产生单位长度裂纹表面能的增加率为 R，则当 $G \geqslant R$ 时，裂纹便发生扩展，这就是 Griffith 裂纹扩展的能量准则。实际上，Griffith 强度理论用于表示岩石材料损伤增长的起始条件更为恰当(周光泉等，1995)。

8.4.9　统一强度理论

统一强度理论要求用统一的力学模型、统一的数学表达式来表述各种不同材料的强度。直到前不久，这种理论还曾经普遍地被认为是不可能的。经过长达 30 多年的理论研究，俞茂宏终于在 1991 年提出了能够十分灵活地适用于各种材料的统一强度理论，而现有的其他各种强度理论均为该理论的特例(俞茂宏，1998)。

莫尔库仑强度理论和最大剪应力理论都是单剪强度理论，其最大的特点是没有考虑材料强度的中间主应力效应。俞茂宏的统一强度理论核心是双剪概念和模型，故又称为双剪统一强度理论。该理论认为，当作用于双剪单元体上的两个较大剪应力及其面上的正应力影响函数达到某一极限值时，材料开始发生破坏。

俞茂宏建立其强度理论所基于的试验成果包括有岩石在内的很多种材料，他也将统一强度理论应用于岩土材料(1994)。但是，这种理论的基本假定是材料各向同性。孙广忠(1988)主张岩体材料的强度理论或破坏判据应以破坏机制为依据来建立。因此，破坏机制不同，破坏判据也就不同。这就意味着否定统一强度理论的可能性。

8.5　节理岩体材料的强度理论

在岩体力学的有限元分析中，只有那些规模较大的结构面被直接引入结构模型，节理和裂隙的影响则被概化在节理岩体中。因此，重要的是节理岩体单元的强度理论，而不是岩石单元的强度理论。

8.5.1　破坏机理

节理岩体本身有多种结构类型，例如断续节理岩体、碎裂结构岩体、层状结构岩体等,因此其变形破坏机制比较复杂。研究节理岩体变形破坏机制的方法主要是现场岩块试验和室内模型试验。目前所进行的模型试验大多是针对规则节理模型的。节理岩体的力学性质复杂多样,目前还未建立起关于力学性质的满意理论。根据现有的试验研究结果(Brown, 1970;孙广忠,1988;Ladanyi 和 Archambault),简要说明如下:

对于 $K=1$(贯通节理)的模型,试验得出的应力应变曲线第一段是一条特有的凹形曲线。在较大的位移过后,摩擦力值降低到残余值。但大多数情况下,阻抗力会进一步增加(在 Kurobe 水坝的花岗岩大尺度试验中也观察到这种情况),尽管增加缓慢。这表明了节理岩体的软化,而阻力增加的现象有时称为"硬化"。当节理连续程度低时($K=2/3$),节理岩体单元的表现完全是另外一种情况:先具有高模量的刚性,随后则或者是突然破裂(脆性),或者是连续流动,这类节理岩体的应力应变曲线经常是锯齿形的。在某一刚性或某一塑性极限以上接连发生若干次硬化和塑性流动,因为整个试件不是一下子都卷入这个过程中,而是一部分一部分牵扯进去的(Müller, 1974)。

节理岩体的模量小于岩块的模量长期以来就为人所知,这在现场试验和波速测试中都得到了证实。这是因为节理裂隙的存在降低了材料的模量。另一方面,现场岩体力学试验表明,永久变形经常达到总变形量的 50%,这种永久变形不仅发生在较高应力水平,而且在加载初期就已发生。节理岩体的模量和强度显然要小于岩石块体的模量和强度。其强度在较低的 n 值($n=\sigma_1/\sigma_3<5$)比之较大的 n 值($n=10$)时更接近于材料强度。也就是说,围压较大时,节理对强度的作用逐渐消失。较高的 n 值意味着更接近于单轴应力状态,也就最危险。人们通常都会想像具有不贯通节理($K<1$)的系统的强度要高于具有贯通节理($K=1$)系统的强度。然而试验证明单个块体组成的系统是最坚固的而且还具有最

高的模量(在初期的低刚度以后)。对此,Müller 给出的解释是:节理连续性低的系统与具有贯通节理的系统相比对破裂更为敏感,这是由于在节理尖端有高度应力集中的缘故。

长江科学院曾进行过粉砂岩原位三轴压缩试验,结果表明:当侧限压力较低时,出现张性破坏,而侧限压力较高时,出现张剪性或剪性破坏;破裂面或破裂方向一般沿已有的结构面追踪,或沿非贯通的结构面端部扩展。

Ladanyi 和 Archambault 使用混凝土小块制成的模型进行了平面模型试验,发现三种不同类型的破坏:沿一个倾斜于两组不连续面的十分清晰的平面发生剪断;形成一个狭窄的破坏带,除了块体滑动和破坏之外,还发生了旋转;形成一种柱状体的扭结带,这柱状体受到了旋转和分离。

现场节理岩体轴压试验表明,碎裂结构岩体在轴向压力作用下,有的沿已有结构面开裂,有的沿结构面滑动,导致岩体解体而破坏。薄层状碎裂结构岩体在轴向压力作用下易出现压张破裂。其特点是在压力作用下,岩体首先沿结构面张裂,形成直立的板柱。压力达到一定程度后,板柱产生溃屈而导致岩体破坏。这类岩体的强度较组成岩体的岩石强度要低许多。现场试验的实例(孙广忠,1993):试件大小为 100cm×100cm×100cm,节理密度非常大,间距一般为 2~3cm。试验过程中变形达 30 多厘米时变形还在继续发展,试件表面还没有出现破坏现象,不具备脆性破坏特征。实际上,试件内部的岩块已经发生了错动,呈塑性变形。

8.5.2 强度理论

节理岩体复杂应力状态下的强度准则一般都用库伦理论分析,建立经验的或半经验的方程。在西方比较流行的是 Hoek 和 Brown(1980)提出的强度经验方程。

Hoek 和 Brown 在研究岩石和节理岩体破坏的经验判据时,基本的出发点是破坏判据应与试验的强度值相吻合;其数学表达式应尽可能简单;判据既适用于岩石又适用于节理岩体。Brown用石膏模型进行了常规三轴试验,把用高强度石膏做的平行六面体和六方体块体配置成五种不同的模型,其二维节理度分别为50%和33%。结果表明,强度包线是显著弯曲的,而且似乎通过原点,最好用抛物线方程而不用直线方程表述它们。Hoek 和Brown对岩石三轴试验和现场节理岩体试验的大量资料进行了研究,提出了抛物线型破坏准则,其方程如下:

$$\sigma_1 = \sigma_3 + \sqrt{m\sigma_c\sigma_3 + s\sigma_c^2} \tag{8-7}$$

式中 σ_1——最大主应力;

σ_3——最小主应力;

σ_c——岩石单轴抗压强度;

m、s——经验系数,它们的数值取决于岩石性质和破碎程度。

第 9 章 岩体材料的本构理论

9.1 前言

随着计算机技术和数值方法的迅速发展,结构应力变形分析越来越得到普及。显然,要想对岩体进行应力和变形分析,前提条件和关键问题是获得符合实际的岩体材料的本构模型及其参数。Gerrard(1977)早就指出:"若将数学模型(本构定律)的研究恰如其分地看成为整个研究循环过程的一个组成部分,则模型问题就成了有次序而科学地发展岩土力学的关键。"事实上,这种要求极大地推动了对岩体材料本构理论的研究。到目前为止,学者们建立了数以百计的各种本构模型,发展了多种试验方法,以尽可能准确地描述岩体材料的变形特性。

我们这里讨论岩体材料的本构理论,主要是审查各种本构模型做了什么样的简化假定,各自的适用条件是什么,以及应该怎样进行本构模型的研究工作。

9.2 本构理论的概念

9.2.1 本构理论

在力学领域,本构关系是人们常提到的概念,且有广义和狭义之分。广义地说,凡是表达与材料物理构成有关的任何力学状态参量之间的关系都称为本构关系,例如应力应变关系、破坏条件下应力或应变分量之间的关系(即通常所谓的强度准则)、渗流速度与水力坡降之间的关系等。狭义的本构关系是指应力张量与应变张量之间的关系。在本书中我们采用狭义的本构关系概念。

全面说明材料变形特性的理论就是本构理论。完整的本构理论概念涉及到材料变形机理的说明、数学模型的建立和模型参数规律性的研究。一般认为,岩体材料本构关系的建立依赖于材料的变形机理。也有人采用唯象的方法,经验地根据试验资料进行拟合。这种方法在研究的初级阶段是不可避免的,但是在弄清机理的基础上建立符合实际的理论必定是我们的目标。

就岩体材料的变形而言,应力不只与应变有关,还与加载历史、加载方式、温度和时间等多种因素有关。因此,岩体材料的本构关系可以一般地表示为:

$$\sigma_{ij} = f(\varepsilon_{ij}, t, T, P\cdots\cdots) \tag{9-1}$$

式中　t——时间;

T——温度;

P——应力路径。

9.2.2　材料单元

本构理论也是针对具有代表性的材料单元建立起来的。如前所述,岩体材料单元包括岩石单元、节理岩体单元和结构面单元。本构理论当然也应分别针对这三类单元建立。

但是,在岩体材料本构关系的研究领域,绝大多数工作是针对岩石材料和结构面单元进行的,只是近些年来人们才开始注意到节理岩体单元本构理论的研究。孙广忠(1988,1993)对这种研究现状多次提出批评,认为大多数研究是脱离岩体地质实际的。这种批评基本上符合实际情况,但同时也反映出岩体材料本构关系研究中存在的严重困难。

9.2.3　理论研究

建立材料本构理论的基本思路是:根据某些试验数据,用数学方法来寻找某种函数表达式,并确定相关的参数。具体地说,对于试验数据的集合 X 和 Y,可认为存在某一映射 G,使得 $Y_i = G(X_i)$。现要寻找一映射 F,使得在某种意义下,F 是 G 的最佳逼近。先找出 F 的一个含少量参数且比较简单的数学表达式，然后通过某些试验确定出其中的参数，从而得到 G 的近似。

对于比较简单的情况，F 是容易获得的；而当情况复杂时，则 F 很难求得。实际工程中的岩体材料单元往往处于复杂应力状态。由于能施加复杂应力的试验设备的设计、制造和使用都很困难，因此只能通过某些简单的试验，获取材料在比较简单应力状态下的本构关系，然后通过某种理论把这些试验结果推广应用到复杂应力状态上去，求取普遍形式的本构关系。也就是说，根据有限的试验资料，利用某种理论去建立材料的本构模型并确定模型参数。

9.3 岩石材料的变形机理

采用某种理论建立本构模型，要求我们必须弄清材料的变形机理。人们早已发现，岩体材料的变形破坏机制要比金属材料复杂得多。这里我们仅就岩石材料加以说明，而节理岩体的变形机理更加复杂，至今还远没有弄清楚。

9.3.1 固体材料的变形机理

任何真实固体材料的变形都具有弹性、塑性和粘性成分，而且这几种力学性质之间只存在模糊界限。从变形是否可恢复的角度看，固体材料的变形可分为弹性变形和塑性变形。弹性是指物体在外力作用下产生变形，而撤去外力后立即恢复到它原有的形状和尺寸的性质，弹性变形就是卸荷后可恢复的变形。一般认为弹性变形是瞬时变形，而实际的弹性变形还包括一小部分需要经过一定时间才能恢复的变形，这种现象就是弹性后效。

物体的弹性常用物质质点间的相互作用力来说明。应力改变了质点间距，相应产生了变形，同时也建立了新的平衡。一旦荷载消失，质点随即产生位移，返回到原来的平衡位置。理想的线弹性材料是不存在的，即使是在完全的晶体中，分子平均位置的接近也不能按照线性规律来进行。对于可逆性也是这样,从热力学观点来看,只有假定应力变化是在变化速度为零的情况下进行,才能假定有可逆性。事实上,当速度不等于零时,分子所获得的一部分动能必然转化为热能。由于理想弹性并不存在,就需要运用实用弹性的定义,它一方面容许对变形的线性规律有一定的偏离,另一方面也容许与可逆性有一定的偏离。

塑性指应力超过屈服极限时仍能继续变形而不断裂,撤去外力后变形又不能恢复的性质,塑性变形就是卸荷后仍残留的变形。人们一般用位错解释塑性变形。晶体的空间格子受到剪应力作用以后产生变形。当剪应力超过某一数值以后,质点就会产生位置交换,这种现象就称为位错。质点经过位错以后,质点之间仍然保持与位置交换以前相同的作用力。这样,晶格组合并未受到多大损害,而塑性变形却能保留下来。

瞬时变形就是在加荷的瞬间完成的变形,包括弹性变形和塑性变形。一般地说,瞬时变形随着应力水平增高而增大。流动变形是随时间而发展的变形,这种性质就是粘性。流动变形通常包括部分弹性变形和部分塑性变形。塑性流动用于塑性理论中,它表示荷载达到某个极限时(流动极限)塑性变形的无限制发展。

9.3.2　岩石材料的变形机理

岩石通常是晶体集合体,晶体间往往存在微裂纹。因此,用经典的结晶弹性材料变形机制解释岩石的变形并不合适。原有裂纹的扩展、新裂纹的产生导致了岩石累进性变形和破坏的观点。这已为电子显微镜对岩石变形过程的扫描所证实。岩石的变形情况大致可归纳为三种类型。

(1)有些中粗粒结构的岩石,如花岗岩、大理岩、砂岩等,常具有许多晶间或晶内裂纹。这些裂纹的大小与矿物颗粒直径属同一数量级,它们的存在对岩石的变形和破坏起了控制作用。

(2)有些结构致密、岩性坚硬的岩石,如石英岩、玄武岩、硅质灰岩等的变形以弹性变形为主,其应力应变关系为直线型,曲线斜率一般较陡,比例极限和屈服极限十分靠近且很快达到峰值。如果在应力应变直线段卸荷,变形可完全恢复,这说明岩石的变形主要为弹性变形。变形是由岩石内部物质质点(分子、原子、离子)组成空间格架受力后发生的压密和歪斜所引起的。

(3)以塑性变形为主的岩石,其变形曲线没有明显的阶段,而是随着压应力的增大而不断增长,卸荷后大部分变形不能恢复。应力应变曲线的斜率随应力的增加而降低。这种变形主要反映了矿物晶格之间、粘土矿物聚片体之间的滑移。岩盐、饱水的半坚硬泥岩等在加荷速率较低时,呈现这种变形类型。

岩石在静水压力作用下,体积会减小。当孔隙被压垮时,会永久地改变岩石的结构。压力和体积应变的关系曲线具有如下特征:在工程荷载量级,岩石中的原有裂隙受压封闭,矿物质也稍受压缩。当荷载除去后,大多数裂隙仍保持封闭,残留下永久变形。岩石中裂隙封闭以后,再进一步加压会引起整个岩石的压缩,包括孔隙的变形和颗粒的压缩,其性质近似地属于线性关系。再增大压力,孔隙就被压垮,这是破坏性的。孔隙被彻底压垮时,岩石变成了松散物(Goodman,1980)。

9.3.3 岩石材料的特殊性

岩石材料在物质组成、变形机制各方面都与金属等工程材料不同,并由此导致本构关系的复杂性。岩石材料是多相介质,孔隙压力对其力学特性有显著的影响,而金属材料则属于单相介质;岩石材料属于摩擦材料,而金属材料只有剪切强度,内摩擦角可视为零。岩石材料与金属材料的变形机制也不相同:

(1)静压屈服:金属材料的体积变形是弹性的,而岩石材料必须考虑塑性体积变形。也就是说,静水压力不仅产生弹性体积变形,而且还可以引起塑性体积变形。材料在静水压力作用下屈服时,该屈服面一定与空间对角线相交,这就导致了帽子屈服准则的出现。

(2)非正交性:金属材料塑性应变增量方向总是垂直屈服面而服从相关联的流动法则,而岩石材料的塑性应变增量的方向并不服从正交流动法则,即塑性应变增量方向与屈服面的外法线方向不正交。

(3)塑性应变:适用于金属材料的传统塑性位势理论表明塑性应变增量方向惟一地取决于应力状态而与应力增量无关,而岩石材料的塑性应变增量方向与应力增量方向有关。基于金属材料发展起来的传统塑性理论没有考虑应力主轴旋转的影响,而应力主轴的旋转可造成岩土材料的塑性变形。

(4)压硬性:就是强度和刚度随压力的增大而增大的性质。人们最先认识到土的压硬性,初始模量的Janbu公式就是压硬性的表达。

(5)剪胀性:是指材料在剪切时产生体积膨胀或收缩的特性。固体材料的变形可以分为体积变形和形状变形。一般认为,体积变形系球应力(即平均应力或静水压力)作用的结果,形状变形则是由偏应力引起的。这种划分与结论在经典的弹塑性理论中具有重要意义,而对岩石材料来说,静水压力与剪切性能之间、剪应力与体积应变之间存在着耦合现象。也就是说,静水压力不仅产生弹性的和塑性的体积应变,而且还会引起剪切变形刚度的增大而使剪应变改变;剪应力不仅会产生弹性的和塑性的剪应变,而且还会引起剪胀或剪缩。

(6)硬化和软化:岩石材料的非线性一般非常明显,特别是散体结构岩体的应力应变关系从加载开始就表现为非线性,且没有明显的弹性阶段和初始屈服点。材料不仅可表现出硬化特征(高围压下的岩石、松砂和正常固结粘土),而且也可具有软化特征(低围压下的岩石、密砂和超固结粘土)。

(7)各向异性:岩石材料往往是各向异性的,包括初始各向异性和应力导致的各向异性。初始各向异性是在沉积过程中形成的，例如沉积岩和天然粘性土一般表现为在水平方向的横观各向同性。

(8)路径相关：试验表明，强度参数基本上与应力路径无关，但应力应变关系却与应力路径密切相关。如果计算中不考虑实际应力路径，而采用常规三轴压缩所测得的参数，那么在某些条件下将产生不能允许的误差。

(9)弹塑性耦合：岩石材料具有弹塑性耦合特性，即如果对岩石材料进行周期性的荷载试验，可发现当应力进入塑性阶段后，塑性变形的增加引起弹性性质的变化（即弹性模量下降），这种变化在变形的非稳定阶段更为明显。

人们已经认识到，试图建立一种反映上述各种变形机理且普遍适用的本构模型是不可能的。

9.4　岩石弹性模型

现有弹性本构模型包括线性弹性模型和非线性弹性模型，都是在经典弹性理论基础上经过修正而发展起来的。线弹性本构关系就是广义虎克定律，它是最简单的材料本构关系。非线性弹性本构关系是非线性的，但是加载和卸载仍然沿着一条曲线。

9.4.1　线性弹性模型

对于完全各向异性的线弹性材料，其弹性矩阵由 36 个弹性参数组成。根据能量守恒定律及对形变位能的考察，可以证明弹性矩阵是对称的，因此独立的弹性参数便可减少到 21 个。当材料各向同性时，线弹性模型即为广义虎克定律。这时有 2 个独立特性参数，即弹性模量 E 和泊松比 υ，可通过单轴压缩试验确定，也可转变为 $K—G$ 模型（G、K 分别为剪切模量和体积模量）。$K—G$ 型式的弹性本构关系将应力和应变张量的球张量分量与偏张量分量完全分解开，因适合塑性理论的需要而被广泛应用。

9.4.2　非线性弹性模型

非线性弹性材料的本构关系虽为非线性，但是加载卸载仍然沿着一条曲线，与应力历史和应力路径无关，其应力应变关系可表示为：

$$\sigma_{ij} = f_{ij}(\varepsilon_{mn}) \tag{9-2}$$

若为各向同性材料，则通常假定广义虎克定律适用于应力增量与应变增量之间，即

$$\{d\varepsilon\} = [D]_e\{d\sigma\} \tag{9-3}$$

只要将弹性参数 E 和 υ 或 K 和 G 修改为切线弹性参数 E_t 和 υ_t 或 K_t 和 G_t 即可。

岩土材料的本构关系往往与路径相关。为此，提出了次弹性本构关系的概念。次弹性就是放松对应力与应变惟一对应的要求，采用沿应力或应变路径在增量意义上的最小弹性性质，且弹性参数是与路径相关的。最简单的次弹性模型可以将线弹性材料的刚度矩阵修改为与路径有关的切线刚度矩阵而得到。对于各向同性的弹性体，切线刚度矩阵中的 E_t 和 υ_t 或 K_t 和 G_t 都是随应力或应变路径而变化的。在岩土力学问题的非线性弹性求解中，次弹性模型应用最广，特别是 D—C 模型(Duncan—张金荣模型)。

9.4.3　现有模型的评价

$D-C$ 模型反映了材料的非线性，且当考虑卸载时，还考虑了非弹性变形性质，但没有考虑剪胀和压硬性。由于该模型采用了莫尔库仑强度准则及常规三轴试验的结果，因此未考虑中间主应力的影响。该模型由于采用双曲线应力应变关系，故适用于正常固结及弱超固结粘土和砂石料等应变硬化材料，不适用于严重超固结粘土及密实砂等应变软化材料。

弹性本构关系的基本特征在于不计时间、温度、应力路径及应力历史的影响，因此应力和应变之间存在着惟一对应关系。而且，

在正应力与剪应变、剪应力与正应变之间没有耦合关系。显然，弹性本构模型有着较为明显的缺陷，特别是它忽视了岩土材料的剪胀性和应力路径的影响。

9.5 岩石弹塑性理论

当材料应力超出弹性范围而进入塑性阶段时，应力和应变之间就没有惟一的对应关系，而是要受应力历史或应力路径的影响，这时材料的应力应变关系就称为弹塑性本构关系。

到目前为止，所发展的弹塑性本构关系主要有三种类型：经典弹塑性理论、广义弹塑性理论和弹塑性内时理论。经典弹塑性理论主要适用于金属材料。广义弹塑性理论主要适用于岩土类材料，同时也适用于金属材料。该理论认为材料不仅可以屈服与硬化，而且产生软化，屈服、硬化与软化都可以与静水压力相关。弹塑性内时理论是近20多年来发展起来的一种没有屈服面概念，而引入反映材料累计塑性应变的材料内部时间的新型塑性理论。

9.5.1 经典弹塑性理论

在经典弹塑性理论中，假定材料是理想弹塑性的，或应变硬化的；静水压力与剪应变、剪应力与体积应变无耦合作用，且体积变形是弹性的；在塑性阶段，材料的体积将不变，即泊松比等于0.5；材料的抗拉屈服极限与抗压屈服极限相同；塑性应变增量方向服从正交流动法则，即塑性应变增量方向沿着屈服面的外法线方向。

弹塑性力学中的本构关系分为全量型和增量型两类。全量型本构关系就是全量应力与全量应变之间的关系；增量型本构关系就是应力增量与应变增量之间的关系。如前所说，弹塑性材料的本构关系受应力历史和应力路径的影响，应力和应变没有一对一的关系，而且在塑性变形阶段，加载和卸载遵循不同的本构规律。因此，这种关系从本质上说是增量型的，只有追踪应力路径才能得以建立。但当规定了具体的应力或应变路径之后，就可以沿该路径积分,建立相应的全量关系。在岩土力学中得到发展和应用的是弹塑性增量本构关系的理论。

经典弹塑性理论假定材料在应力增量作用下产生的应变增量分为可恢复的弹性应变增量和造成永久变形的塑性应变增量两部分,即:

$$d\varepsilon_{ij} = d\varepsilon_{ij}^{e} + d\varepsilon_{ij}^{p} \tag{9-4}$$

式中的弹性应变增量可用虎克定律计算,其中的 E 和 υ 应该采用卸荷与重新加荷应力应变曲线部分的 E 和 υ 值。式中的塑性应变增量则根据塑性增量理论计算。塑性应变增量理论包括三个部分:屈服准则、流动法则、硬化规律。

(1)屈服准则:屈服是弹塑性材料的重要特性,材料屈服时的条件就是屈服准则,它用于判断材料是否进入塑性变形阶段。合理地确定屈服函数是困难的。材料受力到什么程度才开始发生塑性变形呢?在单向拉伸时,问题是很明显的:当应力等于屈服应力 σ_s 时,塑性变形开始产生,而 σ_s 值是可以在拉伸试验应力应变曲线上找到的。然而在复杂应力状态时,问题就不是这样简单了。一点的应力状态由 6 个应力分量确定,显然不应该任意选取某一个应力分量来作为屈服判断的根据。因此,需要在应力空间或应变空间来考虑这一问题。

物体中一点的应力状态可用应力空间中的一点来表示,一点应力状态的变化可用应力点在应力空间的运动轨迹来描述,应力点的运动轨迹称为应力路径。根据不同的应力路径所进行的试验,可以定出从弹性阶段进入塑性阶段的界限。在应力空间中,将这些屈服应力点连接起来,就形成一个区分弹性和塑性的分界面,即所谓的屈服面。描述这个屈服面的数学表达式称为屈服函数,或屈服条件或屈服准则。若任何应力路径都可引起材料屈服,则屈服面必定是封闭的。若沿某些应力路径加载材料不可能屈服,则屈服面不封闭。例如,经典塑性理论中的金属材料在静水压力下只产生弹性的体积应变,因此其屈服面为柱体表面。对于金属材料,最古老和最通用的屈服条件是 Tresca(单剪屈服)条件和 Mises(三剪屈服)条件。

(2)流动法则:即确定塑性应变增量方向的理论。Mises 于 1928 年将弹性势概念推广到塑性理论中,假设对于塑性流动状态,也同样存在着某种塑性势函数,塑性流动的方向与塑性势函数的梯度或外法线方向相同。这就是传统塑性位势理论。

在应力空间中,塑性势函数的图形就是塑性势面。传统塑性位势理论表明任意点处的塑性应变增量与通过该点的塑性势面存在着正交关系。这就确定了塑性应变增量的方向,也就确定了塑性应变增量各分量的比值。由于在流体力学中流体的流动速度方向总是沿着速度等势面的梯度方向,因此类比于正交流体流动,塑性位势理论又称为塑性流动规律或正交流动法则。如果塑性势函数与屈服面函数相同,这时的流动规则称为相关联的流动规则。否则,称为非关联的流动规则。

(3)硬化规律:对于应变硬化材料来说,硬化规律说明屈服面以何种运动规律产生硬化,并确定一个给定应力增量引起的塑性应变增量的大小。

9.5.2　广义弹塑性模型

经典弹塑性理论是针对金属材料而建立起来的。1957 年,德鲁克等人首先指出了静水应力会导致岩土材料产生体积屈服,因而需要在莫尔－库仑的锥形的空间屈服面上再加上一族帽形的屈服面。英国 Cambridge 大学的 Roscoe 及其同事从金属塑性屈服联系到土的塑性屈服,在 20 世纪 60 年代提出一个普遍的应力应变关系理论。他们的理论假设土是弹塑性材料,只需要常规的单轴及三轴压缩试验资料,因而在国外已被广泛应用。黄文熙(1979)提出了一个相适用的弹塑性本构模型。自 20 世纪 70 年代前后至今,岩土材料本构模型的研究十分活跃。除了弹塑性模型外,还建立了各种粘弹性模型、粘塑性模型等。

广义弹塑性理论同样假定材料在应力增量作用下产生的应变增量分为可恢复的弹性应变增量和造成永久变形的塑性应变增量两部分。弹性应变增量可用虎克定律计算,塑性应变增量理论包括三个部分:屈服准则、流动法则、硬化规律。

(1)屈服准则:人们发现岩土材料的屈服点不甚明显,直接寻找屈服面的形状很不容易,而相应峰值强度的破坏点通常是明显的且可比较容易地确定破坏面,因而一般假定屈服面的形状与破坏面相似。

对于金属材料,最古老和最通用的屈服条件是 Tresca(单剪屈服)条件和 Mises(三剪屈服)条件。因为岩土材料的屈服与静水压力有关,故人们将上述条件做了修改,得到了所谓广义的 Tresca 条件和 Mises 条件。但是,对于岩土材料来说,最适合的还是莫尔库仑条件。此外,岩土材料在静水压力下能够产生塑性体积应变。因此,人们提出了帽子模型。这种模型是假定代表破坏面的锥体不变,但是在锥上加一个帽子,这个逐步向外扩展的帽子代表硬化的屈服面。

(2)流动法则:传统塑性理论中的塑性势是从弹性势移植过来的,而不是理论导出或根据试验得出的。经验表明,正交流动法则基本上能反映金属材料的变形机制,但不能很好地反映岩土材料的塑性变形机制。按照传统塑性位势理论,塑性应变增量方向惟一地取决于应力状态,而与应力增量无关。但试验资料表明,岩土材料不服从正交流动法则,塑性应变增量方向与应力增量方向有关。

针对岩土材料的特点,学者们提出了多重势面理论。在不考虑应力主轴旋转的情况下,由数学上的张量定律可导出广义塑性位势理论,3 个广义塑性势函数可任取一种形式的应力张量不变量。当需要考虑应力主轴方向改变产生的塑性变形时,广义塑性势函数将增加到 6 个(郑颖人,1998)。

9.5.3 本构模型的问题

关于多重势面理论,学者们有不同的看法。例如,杨光华(1991,1997)认为,多重势面理论是建立于数学理论基础上的具有更为一般性的理论,比经典理论具有更广的适应性,可望发展用于表述像岩土材料这样复杂介质的本构关系。而陈生水(1992)则认为,该理论并没有突破经典弹塑性理论。杨代泉(1992)也认为,多重势面理论并非从变形机理出发,而是从数学角度出发建立起来的,因此它只能适合于抽象的材料。

关于屈服面问题,人们也有不同的看法。例如,李广信认为屈服面不是可有可无的。而陈生水(1992)则指出,岩土材料强烈的非线性使得人们难以在应力空间指定这样一个区域,在其内加载或卸载不产生塑性变形。因此,他认为,经典的屈服面概念应该放弃,而只需代之以合适的加载或卸载准则。此外,多数试验资料表明,塑性应变增量方向与应力增量方向相关,因此他认为应该建立塑性应变增量方向相关于应力增量方向的流动规则。

沈珠江(2000)把从微观结构变化的考虑出发建立起来的本构模型称为结构性模型,并认为这是 21 世纪土力学的根本任务。岩石破坏后的应变软化特性以及变形失稳过程也是本构模型研究的重大课题,损伤理论的应用有可能较好地解决这个问题。

9.6 岩石流变模型

当材料的应力或应变随时间(不是指加载过程的时间)而变化时,材料具有粘性性质,相应的应力应变关系就称为粘性本构方程。工程中常称材料的粘性性质为流变,因此粘性本构方程也称为流变本构方程。材料的粘性常常和弹性或塑性同时发生,因此粘性本构方程分为粘弹性、粘塑性和粘弹塑性三种类型。

9.6.1　流变特性

岩石材料的力学性状与时间因素有很大的关系,自然岩体中的流变现象也到处可见。地质学中往往将所有的岩石变形都视为粘性的。的确,岩石受荷只要有足够的时间,都会表现出粘性。现场能观察到很多岩石的粘性变形:石膏有呈熔岩状挤出的痕迹;蛇纹岩能凭着自身的粘性逐渐侵入比它更坚硬的岩石内。人们已经认识到,天然岩层的弯曲与褶皱现象均可用流变来解释。工程实践中也发现,许多岩体的破坏现象往往要经过一段时间才开始显现。例如,有的围岩失稳破坏是在开洞几天、几个月甚至几十年后才明显发生。许多岩体,特别是粘土岩、泥岩等软弱岩石及强烈节理化的岩体都具有明显的流变性质。有时岩体流变出现的时间并不太长,与工程的使用期相当。

岩体的流变特性对于岩体变形、岩体稳定或岩体地基承载力等,都有很大的影响,因而是岩体力学中的一个重要问题。目前,在地下工程中考虑时间因素已经引入了新的概念,形成了著名的新奥法。在边坡工程中的滑坡预报方面也已取得明显进展。随着岩体工程规模的扩大,岩体的时效变形和长期稳定问题越来越突出。

9.6.2　研究方法

基本的研究方法是从现象学的观点研究流变过程的外部表现,从微观的观点研究流变的物理过程以建立流变过程的规律性,在宏观试验资料的基础上建立这些过程外部表现的数学描述。

根据材料流变的宏观表现建立本构关系主要有两种方法,即模型理论和经验拟合。流变模型方法简单方便,概念清楚。例如,把虎克弹性体和牛顿液体作为两种理想物体,并使之适当地组合,以近似地表现某些物体的流变特性。这种流变模型可以把复杂的性质直观地表现出来,有助于从概念上认识材料变形的弹性、塑性和粘性分量,因而为许多研究者所采用。

9.6.3 流变模型

流变体所包括的范围是从欧几里德刚体，到理想的帕斯卡液体。这是两种极端理想物体。真实的物体均介于这两个极端物体之间，其中包括虎克弹性体、牛顿粘滞体以及圣维南塑性体等基本流变元件。所有流变物体，均可以用这几种物体表达其基本性质，或由这几种物体相互组合而成较复杂的流变体。流变元件包括它的符号以及流变方程。这里所说的流变方程就是人们常说的本构关系，也称为本构方程。

各种流变元件可以串联或并联，表达较为复杂材料的流变特性。若为并联，则总应力分布于各组成元件上，而各元件的应变均相同；若为串联，则总应力作用于每个元件上，而其总应变则为各元件应变之和。

9.6.4 经验公式

弹性元件、塑性元件和粘性元件的本构关系均为线性的，因此其组合模型的本构关系也将是线性的。许多实际材料的性质并不能满意地用简单的组合模型来描述，而采用复杂的组合模型又常遇到数学上的困难。因此，人们也常在试验的基础上，建立材料的本构方程。

由于岩石蠕变变形包括瞬时变形、阻尼蠕变、等速蠕变和加速蠕变等几个阶段，因此在长期荷载作用下，岩石变形可表示为：

$$\varepsilon = \varepsilon_e + \varepsilon_t(t) + Mt + \varepsilon_T(t) \tag{9-5}$$

式中 ε_e——瞬时变形；

ε_t——阻尼蠕变变形；

Mt——等速蠕变变形；

ε_T——加速蠕变变形。

不同学者根据不同条件的试验分别给予以上各项不同的函数形式，得出不同的经验公式。但目前绝大部分经验公式是表示蠕变的前两个阶段。对于加速蠕变，至今还未找到简单的公式。

9.7　节理岩体单元的本构模型

如前章所述,在岩体力学的有限元分析中,只有那些规模较大的结构面被直接引入计算模型,节理和裂隙的影响被概化在节理岩体中。因此,重要的是节理岩体单元的本构关系,而不是岩石单元的本构关系。

9.7.1　损伤模型

当岩体中存在大量的节理和裂隙时,将它们全部作为节理单元纳入数值模型是不现实的。学者们将节理岩体材料单元视为损伤单元,通过引入适当的损伤变量,建立相应的损伤演化方程,并结合到本构方程中去(周维垣等,1991;周维垣等,1992;赵震英,1991)。

用损伤理论研究裂隙岩体材料单元的本构关系具有显著的优点,即不具体考虑个别裂隙的力学行为,而只追求其宏观力学效应的描述;借助张量性质的损伤变量,对含有多组断续节理的岩体都可以写出其本构关系。这是其他方法所不易办到的(孙卫军等,1990)。

因此,赵震英(1991)乐观地认为:“作为损伤材料进行研究的节理岩体在工程中是广泛存在的,采用连续介质力学方法,适当地考虑节理面的力学效应,正是损伤力学研究问题的方法,它必将为节理岩体工程问题的研究提供切实可行的研究途径。损伤力学这门学科在岩石力学中的应用将具有广阔的前景。”

但是,裂隙岩体在受力条件下的损伤现象非常复杂,关于损伤的定义以及损伤的检测等问题还没有很好地解决。因此,还有大量的研究工作有待进行。

9.7.2　流变模型

节理岩体单元的情况多种多样,而且具有显著的各向异性。孙广忠(1988)根据流变模型的概念,提出了某些单元体在简单荷载条件下的多参数本构模型。

节理岩体材料单元的变形中含有结构面压缩或闭合、剪切变形成分,因此其基本的流变元件除了虎克弹性体、牛顿粘滞体、圣维南塑性体以外,还应该包括结构面闭合变形元件和结构面剪切变形元件。

采用流变模型方法研究节理岩体单元的本构关系,概念是比较清楚的且能够得到简单受力条件下的本构方程,但复杂应力条件下的关系则很难建立起来。

9.8 本构模型的研究与选用

9.8.1 本构模型的研究

到目前为止,大多数岩土材料本构模型的理论基础仍是适用于金属材料的经典弹塑性理论。杨光华(1997)认为:“要较好地解决土的本构模型问题,仅仅利用简单材料的本构理论是很不够的,若总是在简单材料的理论基础上进行增补,也难以彻底解决问题。这好比一幢已有的低层建筑要加层至高层建筑,若不改变基础只是修修补补的加层是很难做到的一样。”

显然,建立岩土材料的本构模型,必须根据经验事实提出基本假设。否则,与事实不符的假设必定导致错误的理论。岩体材料的变形一般同时具有粘性、弹性和塑性成分。就其主要方面来说,各种情况下的变形机制可能完全不同。看来要想建立一种本构模型来全面地、正确地反映岩体材料所有复杂的特性几乎是不可能的。而且即使找到了这种模型,也将因为太复杂而不能有效地应用于实际。因此,作一定程度的简化是必要的。黄文熙(1983)对土体材料本构关系研究提出的建议更加适合岩体材料:研究的方向应是针对特殊的岩土材料、特殊的工程对象和问题的特点,去找简单而能说明最主要问题的本构模型。龚晓南(2001)认为,岩土材料本构模型的研究可以沿两个方向努力。一是建立用于解决实际工程问题的实用模型,二是建立比较严密的理论模型。理论模型应能较好地反映材料的某种或几种变形特性,是建立工程实用模型的基础。工程实用模型应是为某地区岩土、某类岩土工程问题建立的本构模型,它应能反映这种情况下岩土体的主要性状,要求概念清楚、简单、实用、参数容易测定或选用,易于被工程师接受,用它进行工程计算应可以获得工程所需精度的分析成果。

龚晓南(2001)指出:"在以往本构模型研究中不少学者只重视本构方程的建立,而不重视模型参数测定和选用研究,也不重视本构模型的验证工作。在以后的研究中特别要重视模型参数的测定和选用,重视本构模型验证以及推广应用研究,只有这样,才能更好地为工程建设服务。"

近年来,有些学者试图用神经网络建立本构关系。试验中的实测数据直接用于神经网络的学习中,不采用其他的人为假设,得到的是一种高度非线性的、神经网络表达的模型(冯夏庭,2000)。但是,这种模型不问材料的变形机理,获得试验数据的条件又具明显的局限性,因此其适用性还有待进一步的研究。

岩体的地质特征和变形破坏机制如果搞不清楚,岩体材料本构关系的研究还有意义吗?因岩体特征的复杂性和未确知性而轻视甚至否定岩体材料本构模型的研究是不明智的。此外,研究高精度的、适用范围广泛的复杂本构模型也是有意义的。我们可以用它们对简单模型进行验证或修正,以便提高简单模型的实用性。而且,在计算技术高度发展的现今,它们本身也可纳入计算机程序而不妨碍其实际应用。

9.8.2　本构模型的选择

最有用的模型是能解决实际问题的最简单模型。举例来说,如果应用线弹性模型和变形模量估算出来的地基沉降量的精度能满足工程的需要,就无需采用弹塑性模型来求更精确的解答。沈珠江(2000)也认为:"假设是对复杂事物的一种简化,只要能在一定范围内适用,简化假设就会有生命力,土的弹性体假设就是例证。假设越少,考虑的因素越全面的理论,如果使用起来太复杂,就未必优于更简单的理论,有的甚至是画蛇添足,多此一举。该简单的地方简单,该复杂的地方复杂,这恐怕是研究工作的一条重要原则。”

不同岩土材料的力学特性相差悬殊,新鲜的花岗岩在高达几百兆帕的围压作用下,性脆而具有弹性;而碳酸岩类在一般的压力下即呈塑性,并像粘土一样地流动。一般地说,岩石在应力水平较低时,可被视为弹性材料,甚至有时可作为均质和各向同性的介质来处理。例如,变形能力较差的脆性岩石可以近似地用弹性理论来进行分析;如果岩体的变形主要由软弱结构面控制,则可以把结构体视为均质各向同性材料。当然,在多数情况下这样处理问题是非常近似的。通常岩体中某些部位的应力会超过弹性极限,而且这也往往是允许的,因为这样可充分发挥材料的强度潜力。因此,弹塑性分析往往是需要的。

理想刚塑性模型和理想弹塑性模型也常被人们采用。一般的岩体材料都属于应变硬化或软化型,但对强化不明显的材料,在应变不太大时可忽略强化效应而采用理想弹塑性模型。当材料的强化效应较高且在一定范围内变化不大时,可采用线性强化弹塑性模型。

岩体材料的变形均具有粘性成分。在时间不太长的情况下,可以忽略蠕变和松弛的效应;在应变率不太大的情况下,也可以忽略应变率对变形的影响。但有些岩体材料比如软岩的力学性态,其时效特征可能非常明显,必须考虑粘性。

最后强调指出,任何模型都有它的局限性。重要的是确定各种模型的适用范围,而不是因某种模型不适用于某种具体情况就否定它。例如,剑桥模型只适用于仅发生剪缩而没有剪胀的正常固结粘土和松砂。具体选择何种模型,需要以经验为基础做出健全的工程判断。

第10章　岩体力学参数的确定

10.1　前言

岩体材料的力学性质是岩体力学分析和稳定性评价的前提条件,又是岩体力学分析结果可靠与否的关键因素。因此,研究岩体材料的力学性质便成为岩体力学的一项基本任务,而岩体力学试验则是确定岩体材料本构关系和力学参数的基本方法。事实上,岩体力学试验研究不论对岩体力学理论的发展,还是实际问题的解决都有十分重要的意义。

岩体力学试验工作绝不是一个孤立的技术问题,其中渗透着各种各样的理论观点。对岩体特性的认识会直接反映到岩体力学试验当中。谷德振曾经谈到,以前在苏联的影响下,对岩石做了很多的力学试验。而实践表明,除半坚硬岩石外,岩块本身的受力很少能达到极限抗压强度,几乎都是因岩体中的结构面强度不够而引起破坏。这样,岩石试验就可以少做些,而将研究的重点放在结构面的特性上。现在人们对这种岩体力学观念已经有了深刻的认识。

岩体力学试验领域的问题很多,有些是因为岩体的复杂性,有些则是人为造成的。在现有的岩体试验技术中,有些是抄袭其他学科的,有些是根据需要建立起来的,目前还远没有达到成熟的程度。试验应该有明确的目的和针对性并接受正确的岩体力学理论指导,但是实际工作中的盲目性到处存在。结果必然是惊人的浪费和试验数据的失真。

10.2 岩体力学参数确定方法

岩体结构系统是一个高度复杂的不确定性系统,我们面临的最大困难是很难准确地定义岩体的地质条件和环境作用。地应力量测和岩体材料本构参数的现场测定都是很费钱的,绝大多数工程并不具备这种条件。而且如何合理地确定地应力和岩体材料的力学性质参数也是一个大问题。一般说来,用于确定岩体力学参数的方法都是反演分析计算法。有些参数可以通过简单的试验予以测定,有些则需要辅以较为复杂的理论分析。

10.2.1 试验方法

Müller(1974)曾经在经典力学的框架内指出当时确定岩体力学特性的两种途径:一种是岩体结构探测和室内岩体材料试验相结合,用分析和综合的方法求解岩体的力学特性;另一种是进行现场大尺度的岩体力学试验以确定岩体综合的力学特性,将其直接作为输入参数进行连续介质力学分析。他主张采取第二条途径,并指出:"完全不依靠代价昂贵的现场试验,要描述岩体的性质是不可能的。据我看,只有现场试验的结果才使我们有可能正确地判断岩体的强度和变形性。"实际上,现场大尺度岩体力学试验也很难得到整个岩体的力学特性,因为试件并不一定具有代表性。欲通过现场载荷试验确定整个岩体的变形特性,加荷面积必须足够大,以便使岩体受力部分包含足够多的不连续面,从而能代表岩体。显然,当岩体中存在断层时,我们很难做到这一点。

确定岩体材料力学参数的最基本方法的确是试验方法。但是,岩体力学试验及材料参数问题十分复杂,这不仅仅是因为显著的空间变异性和随时间变化性,还因为很难取得有代表性的材料单元。即使在现场进行大型原位试验,也很难确定试件应该多大合适。由于现场大型岩块试验的试件并不一定能够满足节理岩体材料单元的尺寸,因此试验结果是可疑的。而且,如果现场试验的数量太少,则难以说明问题;如果进行足够数量的现场试验,则花费大、周期长,以至于绝大多数工程难以负担。此外,在试样制备、原始状态、加载条件、排水条件等方面完全符合实际几乎是不可能的。事实上,我们有时连实际情况是怎样的都很不清楚,那么指望试验能够准确地进行模拟并获得可靠数据则是没有根据的。正是因为如此,人们根据试验数据选取参数时,常参照工程经验进行修正,尽管这种修正无疑带有一定的任意性。

10.2.2 综合方法

室内试验和数值分析相结合是一种可选的途径。这种方法的基本思想是:首先,通过现场测量获得节理参数并建立岩体材料单元的结构模型;其次,进行岩石和节理的室内力学试验以确定它们的力学特性;第三,通过数值模拟预测节理岩体单元的力学特性;最后,通过物理模型试验或实际应用进行检验。朱维申等(1992)认为这种方法有着十分广阔的应用前景。

10.2.3 反分析法

岩体参数的反分析现在普遍受到重视。我们根据实际的滑坡,反演滑动面上强度参数;根据现场量测的位移,反演岩体的变形模量等参数。位移反分析方法自20世纪70年代提出以来,日益受到岩土工程界的重视。这是因为它为确定工程设计中最棘手的岩土参数问题提供了一个独特而实用的方法。

10.3 岩体力学试验原则

详尽的地质研究是岩体力学试验的基础。岩体力学试验是一项极其复杂的工作,从事岩体力学特性试验研究者对此都有深刻的体会。由于具体岩体条件的巨大差别以及工程要求的特殊性,岩体力学试验几乎总是带有研究和探索的性质。开展岩体力学试验总的指导思想是将岩体地质因素的研究与力学过程的分析结合起来(陶振宇,1976;孙广忠,1983)。

10.3.1 材料单元的确定

岩体力学试验的关键问题是获取具有代表性的岩体材料单元,否则试验结果就没有任何价值。

岩体由结构体和结构面组成。欲对其进行变形和强度分析,必须弄清结构体和结构面材料的应力变形特性,这种特性是通过本构模型及其参数加以描述的。研究岩体材料的本构模型及其参数需要对有代表性的材料单元进行试验。结构体可以是完整的岩块,也可以是包含众多节理裂隙的次岩体。结构面一般是由面内物质和两侧岩壁组成的。这样,岩体材料单元就包括岩石单元、节理岩体单元和结构面单元。当岩体具有散体或碎裂结构并且作为连续介质看待时,就只有节理单元。岩体力学试验的目的就是要确定这三类岩体材料单元的力学性质,当然有时也是为了确定整个岩体的力学性能(例如地基承载力)。此外,还有些岩体力学试验(例如岩体力学模型试验、岩体力学现场观测)虽然也用于研究岩体的力学性能,但主要是为了模拟和观测实际岩体的力学反应,因此我们认为它们应属于岩体力学分析方法的范畴。

国内外的学者都曾经进行过现场和室内试验研究,探讨试件尺寸对节理岩体力学特性的影响。结果表明,存在着某种尺寸,当试件尺寸大于它时,其强度不会进一步降低(Goodman,1980;孙玉科等,1988;刘宝琛等,1998)。尺寸效应消失的最小单元就是节理岩体或次岩体的基本单元即代表性单元。

10.3.2 试验计划的制定

具体的岩体力学试验包括准备工作(试件制备和试验设备准备)、进行试验、取得试件地质及力学试验资料、资料分析整理等。在试验开始之前,必须精心地制定试验计划。特别是现场岩体力学试验常常花费大量的投资和时间,如果组织不善,则可能使得到的试验结果不能有效地为工程建设服务,从而造成巨大损失。做好岩体力学试验计划,必须了解工程建设的意图、工程类型、范围以及所涉及工程岩体的范围、岩体的地质条件、分析岩体工程地质问题。只有在此基础上，才能比较容易弄清试验对象、要求和范围、取得数据的精确度等。

岩体力学试验计划是以岩体力学试验的组织原则为根据的。试验计划包括试验方案和试验大纲。试验方案包括岩体力学试验内容及方法。试验方案确定以后，就要详细地编制试验大纲。试验大纲是实现试验方案要求的具体保证措施，要求对试验内容、试件要求及布置、试验方法与技术以及资料整理原则及方法均做出具体设计，给出比较具体的规定。具体地讲，首先，要确认需测定哪些项目，如岩体变形模量、地应力、地下水位等；其次，确定在什么位置和深度上进行试验，这需要对地质条件进行充分研究，根据工程特点由面到点地选择地点，这是关系试验是否具有代表性的关键；第三，确定进行试验的时间，一般在工程正式开工之前进行，有时需要与工程同时进行。取得岩体力学分析所需的输入数据通常是很昂贵的，因此岩体工程各方面的人员应该仔细讨论，确定哪些是必须获得的资料。

10.3.3　各环节的协调

岩体力学问题是一个系统性很强的课题，其中的各个环节是相互关联着的。岩体力学试验的计划和组织实施必须紧密地与岩体变形破坏机制的判断、岩体力学介质类型的确定和岩体力学分析方法的选择等相结合。特别是试验方法的选择与试验结果的目的性要一致。否则，不仅可能造成事倍功半的浪费，而且可能做出脱离实际的错误结论。例如，岩体边坡的变形破坏机制是沿大型结构面的剪切滑移，则最好选择能使这种剪切形式发展的工作应力条件，即室内剪切盒试验或现场结构面剪切试验。

因此，从事岩体力学试验的工作者不仅应精通岩体力学试验原理和技术，而且还必须对岩体力学的基本原理和总的工作内容与程序做到心中有数，从而使各方面的工作相协调。

10.3.4 试验条件的确定

岩体力学试验成果是否可靠关键在于试验条件是否与实际相符。这里所说的试验条件包括试件的代表性和加载条件。如果试验条件与岩体的实际工作条件不同,那么所得到的试验结果可能与实际相差甚远,很难可靠地用于岩体力学分析。

加载条件包括加载方式、加载方向、加载过程、加载速度以及荷载大小等。这些条件中,有的是可以办到的,有的则办不到。如加载速度,工程对岩体的作用速度可能是很慢的,试验中按实际的工程加载速度就会需要过长的时间,很难办到。而不符合实际的加载方式得到的试验结果有时可能造成十分危险的结果,因此应慎重对待。岩体结构条件相似也很难办到,因为制备试件时的扰动会使试件结构遭到破坏而失真。当然,有时可采取加大试件的办法来消除其影响,可这又引起经费问题。应该指出,无论怎样严谨地控制,任何室内和现场岩体力学试验都不能做到和工程所特有的规模、加载特征、边界条件、环境条件完全一致。但为了得到比较符合实际的结果,必须要求尽可能地做到试验条件与工程条件的相似。

这里应该特别谈到的是应力路径问题。严格地说,除理想的弹性材料外,任何材料的力学性质都与应力路径相关,对于岩体材料来讲就更是如此。岩体材料在加载变形过程中,其体积、结构都在不断地发生变化,应力应变关系中体现出来的性质也就不同。因此,岩体力学试验条件必须与现场加载条件相近,至少性质相同。关于加载和卸载问题,有个概念问题需要探讨。岩体工程领域中的学者们都十分关注工程岩体的荷载过程,并把隧道、边坡等开挖说成是卸载过程。Müller(1986)认为这种卸载过程意味着岩体强度的降低,这是由于侧向压力减小的缘故。在工程师当中有一种普遍的说法:岩体在加荷状态下的性态比在卸荷状态下要好得多。其根源在于卸荷后岩体在回弹过程中要经历一个松动甚至解体过程(陈宗基,1992)。哈秋舲等(1998)也认为:"在岩体中多各类节理,这些结构面在加载力学状态下,仍有很好的力学特征。但是,卸荷条件下,在卸荷量很大的情况下,特别是在拉应力出现后,岩体中结构面的力学条件将发生本质的变化。这些结构面迅速劣化岩体质量,因此其力学参数急剧下降,其力学特征不再符合在加载条件下研究所得结果。"

岩体开挖卸荷的说法似是而非,需要我们进行细致的分析。在岩体中开挖洞室破坏了原来地层应力的平衡状态,使围岩应力状态重新分布。结果是在开挖过程中,形变应变能逐渐增大。正是形变能的增大使得围岩发生变形甚至破坏。陈宗基(1992)断言:开挖对岩体稳定性的影响根本上说有三个方面,即累积弹性能的释放、新产生的应力状态扩容以及泥质材料的润滑和膨胀。他解释说,地下洞室的开挖扰动了在地质历史时期内保持稳定平衡的力系。围岩上已作用了数百万年的约束力会部分解除,块体将"各不相顾地"从累积能中解放自己,并力图沿约束力最小的方向膨胀。他所说的累积弹性能是开挖以前岩体中贮存的,而弹性回弹和蠕变恢复就是这种残余累积能量释放的必然结果。问题是:围岩变形或松动是因卸荷而弹性回弹和蠕变恢复的结果吗?实际上,洞室开挖过程相当于逐渐地施加一系列平衡力系,改变了临近区域的原始应力状态。在理想弹性介质中开挖圆形隧洞的情况下,相当于在开挖面上施加拉应力,结果是围岩径向应力逐渐减小,而环向应力逐渐增大。特别地,开挖使得开挖面处岩体单元的受力状态由三维变成二维,结果单元所受的剪应力逐渐增大。这种荷载变化过程显然是加载过程,而不能说成是卸荷。

开挖过程中的围岩变形里到底有多少回弹成分?或者说围岩中原来贮存的弹性应变能减少了多少?在远场初始地应力相等的情况下,围岩中原来贮存的应变能是体积应变能,不存在形变应变能。在开挖过程中这种体积应变能释放了吗?实际上,开挖并未引起体积应力发生变化,因此也就没有体积应变的减小和相应的回弹现象。那么,围岩变形和松动又是怎样产生的呢?答案是由于剪应力的逐渐增大,形变应变能也相应增大,从而引起剪胀或扩容。到此我们已经看得很清楚,开挖过程中围岩体积应变能保持不变,形变应变能逐渐增大。因此,围岩系统总的应变能不断增加,变形或破坏就是因此而产生的。哈秋舲等人(1998)把加载和卸载仅仅理解成某个方向上的应力条件:"地下工程形成后,洞挖卸荷,产生二次应力场,二次应力场在其切向主要表现为加载,其径向为卸载。""地面工程中的边坡工程,当石方开挖后,力学条件主要表现为卸载。……局部地方出现应力集中,卸荷区内也出现一定范围的拉应力区。"吴刚等(1998)也把三轴试验中大主应力保持不变而小主应力减小说成是卸荷应力状态,并提出了"卸荷与加荷一样均可导致岩体的破坏失稳"这样的说法。

可见,Müller、哈秋舲、吴刚等人所说的"卸荷"与塑性力学中"卸载"概念并不相同。在塑性力学中,通常的观念是:"只有应力增量满足塑性加载准则时,才可能产生塑性应变增量;卸载时只有弹性变形恢复,而塑性变形保持不变"(刘元雪等,2001)。很显然,如果岩体开挖引起的是塑性力学中的卸载,那么工程岩体决不会出现破坏,最多是弹性状态下的回弹而已。实际上,即使大主应力不变,小主应力减小也是加载。在这种情况下,材料所受到的剪应力增大了。在隧道开挖过程中,围岩表面或其中的材料单元,其应力路径同边坡的情况大致相同,即径向压力由原始应力不断减小甚至到零,与此同时切向应力在原始应力的基础上不断增大。

10.3.5　室内与现场的结合

研究岩体力学性质的试验方法分为两类,即室内试验和现场试验。室内试验早已是人们熟悉的方法了。在工程建筑力学理论与实践领域,工程师们为了进行结构设计,必须了解结构材料的变形和强度等力学性质。对大部分工程材料而言,可以看成是均质连续的。所以根据小试件的室内试验结果就能合理地预测大块体的性能。在这些领域内,室内试验方法能够很好地承担力学性质的研究。

然而,当涉及到工程岩体时,力学性质的研究就变得复杂得多了。室内试验所用的试件很难代表岩体,原因是岩体中存在有地质不连续面。因此,人们对室内小试件试验产生了怀疑。在20世纪50~70年代中,学者们得出结论说取得资料的最好办法是现场岩体力学试验研究。的确,完全不依靠代价昂贵的现场试验,要描述岩体的性质是很困难的,甚至是不可能的。因此,Müller认为(1974):“只有现场试验的结果才能使我们有可能正确地判断岩体的强度和变形性。”他这种主张大尺度现场试验的观点是奥地利地质力学学派的主要原则之一。斯塔格也认为(1969):“由于还没有可靠的方法根据室内试验成果事先预测岩体的总刚度,因而尽管费用相当昂贵,野外现场试验仍是必要的。”

看来,由于实际岩体显著的复杂性,现场试验是必不可少的。从满足实际设计要求参数的可靠性来看,这似乎是必然的结论。大型现场试验实际上是试图考虑各种现今无法很好地识别的因素,而进行综合性研究的方法。然而,对现场岩体试验的过分偏重,导向了问题的另一方面,即研究的分析方面。从20世纪70年代中期以后,即使主张现场试验的学者,也开始承认了细致的实验室研究的重要性。这一方面是因为在工程现象解释(如确定马尔帕塞坝失事原因)上发生的困难。另一方面的原因就在于问题本身的逻辑。事实上,正是由于岩体的复杂性,室内的分析研究以及模型试验研究是必不可少的。众所周知,影响岩体的力学性质的因素很多,如岩性、结构、天然应力状态、加荷条件等。将这些因素混杂在一起进行的“黑箱”试验,除了得到实际上无法解释的一个结果以外,我们什么也都无法知道。要研究这些因素对岩体的力学性质之影响,只能根据地质现象、工程现象和具体要求,在实验室内严格控制某些因素进行。这样,我们才能够确定哪些是主要影响因素,哪些是次要因素。因此,近些年来,人们对室内试验研究的看法有了很大的转变,并在室内对岩体结构的力学效应进行了较深入的研究。在这些研究当中,“常把实物抽象成为简单的模型,例如先研究一组结构面的力学特性,进而研究存在多组结构面模型的力学性能。只有对个别单一的现象研究清楚,再进行现场大型试验,与之分析对比,才能较好地分析包括错综复杂地质结构在内的岩体性态”(张清,1986a)。

现场试验和室内试验的原理是相同的,方法亦大同小异。所不同的是试验条件,特别是试件条件。现场可以较好地模拟岩体的实际条件和工程作用,但试验难度大,费用高。室内试验比较方便,较完整的岩体可以做室内试验来分析研究。但有时很难保证与实际情况相同,特别是比较破碎和软弱的岩体比均质的岩体不易取得供室内试验的试件。在这种情况下,现场试验要比室内做得好。现场试验是十分昂贵的,现在已经认识到取样室内试验是很有前途的。有些情况下,室内试验可以代替现场试验。比如软弱夹层厚度大于 1～2cm 时室内试验结果可以代替原位大型试验。另外,现场试验结果往往是分散的,除非有室内试验的补充,仅有几个现场试验的结果是靠不住的(Goodman,1976)。现在,国内对非常重要的泥化夹层的研究已逐步形成野外与室内试验研究结合,大、中、小试件结合的试验系列,能收到较好的效果。因此,陶振宇(1981)强调要注意室内与现场试验的结合,忽视室内试验是不恰当的。

10.3.6 试验与地质的综合

岩体力学试验是按典型的地质单元取样的。大型岩体力学试验的结果往往被看做是岩体的力学特性。而实际上,工程岩体的范围较岩体力学试验所涉及的岩体范围要大得多,所以试验所得的结果一般至多代表典型地质单元的特性,即试块的力学性质。

因此,把这种大型岩体力学试验结果视为岩体的力学性质往往是不恰当的。

可见,不论是现场试验还是室内试验,所涉及的岩样对于整个岩体来说,往往只是极小的单元。因此,试验结果很难反映岩体的性质。在数据处理和分析中若再脱离岩体的具体地质条件的话,那么所得结论就不符合实际。因此,在研究岩体的力学性能方面,仅仅定量是不够的,必须定量和定性相结合。也就是说,试验数据分析必须与岩体地质背景相结合。比如,软弱结构面的综合强度参数很难由试验直接测得;而且岩体中常有很多类型的结构面,进行很多的现场试验就会花费很大。因此,在大多数实际工程中,稳定性分析就必须以估计的强度参数为依据。合适的办法是采用典型地质单元试验与结构面大比尺地质素描相结合进行综合分析确定。岩体力学试验是要测定典型地质单元的力学性质。因此,岩体力学试验必须紧密地与地质研究相结合,以得到符合实际的结果。

10.3.7　具体问题具体对待

岩体力学试验规程和指南是岩体力学试验一般原理的体现。按规程组织岩体力学试验便于统一思想,统一行动,便于交流。但有些情况下,岩体及其力学作用太复杂,简单地按规程办事难于取得符合实际的结果。试验规程不是先验的,而是实践的总结。规程给出一些规则要求,不可能包括所有的细节。另一方面,工程类型不同,也要求进行不同条件下的岩体力学试验。比如,库岸边坡稳定问题,必须考虑库水位升降对岩体力学性能的影响,而对露天矿边坡而言,与水电工程中的要求就完全不同。因此,合理的做法是参照规程阐述的原则,从岩体实际出发,模拟岩体力学作用过程,组织岩体力学试验,这是岩体力学试验的一条重要原则。也正是由于这一点,岩体力学试验总是有探索的性质。

10.4 资料整理与取值

任何岩体力学参数的总体或母体是我们不可能知道的,因此必须用少数的试验资料去推断岩体的总体材料特性。从本质上讲,资料整理要求我们使用概率论和数理统计方法。

岩体力学试验资料的整理以及参数的最终取值是一个非常复杂的问题,其中包含着大量的问题和技术,绝不仅仅是统计整理。只有那些具有非常丰富经验的试验人员才能得到比较符合实际的结果。

10.4.1 同质性原则

分析整理岩体力学试验资料的基本原理是统计数学理论。统计数学中一条十分重要的规则是参加统计的事件必须是同质的,否则就不能放在一起进行统计分析。因此,参数统计通常是针对工程地质岩组或相对均匀的区域来进行的。尽管如此,岩体力学试验的资料往往还是很分散的,而且这种分散多半不是偶然误差,而是试件的条件不完全相同。在同一组试件制备时,尽管考虑到试件岩性和结构的相同性,但在复杂的岩体中完全满足相同的地质条件是很困难的。不加分析地进行统计便得不到符合实际的结果。例如,在研究泥化夹层的力学特性时,同一层位不同类型夹层的力学性质相差悬殊。这时必须根据夹层的地质特征对夹层先进行分类,然后按类统计夹层的力学参数。又例如岩石三轴试验,有些试件张裂破坏,有些试件剪切破坏,有些试件沿已有的裂隙面剪切滑移。如果将这些试件的试验结果都按完整试件的剪切破坏进行整理,得出库伦强度参数,则统计就是有问题的。因为不同破坏机制的试件是不同质的,必须按变形破坏机制分别进行统计分析,这样才能得出有规律的结果(孙广忠,1983)。

10.4.2 成果的解释

尽管现场岩体力学试验通常是在非均质、不连续及各向异性的岩体上进行的,但大多数情况下,试验成果的解释还是建立在均质、连续且各向同性的假定之上。近些年来,在试验成果的解释方面取得了一些进展。例如,用有限单元法解释现场岩体变形试验的成果,特别是岩体各向异性参数的分析。横观各向同性体的变形性质可仅用5个参数来描述。由于沉积岩体和变质岩体的变形性质通常是高度横观各向同性的,所以发展评价这些参数的方法是极其重要的。

承压板试验和压力隧洞试验可能包括了大型结构面的影响。如果采用有限单元法解释成果,还得有赖于查明岩体结构。

10.4.3　参数的统计

岩体参数统计特性的研究一般是在岩体工程地质分区的基础之上进行的,也就是说岩体力学分析首先需要将整个工程岩体划分为若干个相对均质的区域。然而,这种相对均质的区域也往往是相当不均匀的。在统计某一区域岩体参数的变异性时,实际上包括了试验及统计变异性,以及因空间位置不同特性不同而带来的固有的空间变异性。结构工程不具有这一特点,因此要根据岩体不同于其他人工材料的特点,选择或设计特殊的统计方法,以求正确地反映岩体参数的统计特征;第二项研究内容是要对各地有工程意义的典型岩体,系统地统计各种主要参数的规律,并建立必要的数据库以便全社会共享信息资源。

在早期的研究中,人们是将岩体设计参数作为随机变量来处理的。对于一个被认为是相对均一的岩体区域来说,通常的方法是在不同的空间位置采用适当的方法确定出岩体材料的性质参数,然后将这些“点”性质值视为随机变量的获得值进行统计分析,得出该区域岩体参数的均值及标准差等。但进一步的研究已经表明,经典的随机变量模型是不充分的。因为岩体很不均匀,岩体参数与空间位置有关,且不同点处的参数之间具有某种程度的相关性,即岩体参数具有自相关的结构特性。将岩体参数视为纯随机变量的经典概率统计已无法满足目前对岩体参数空间变异性做出客观分析与评价的需要。这就需要研究这些参数的空间分布规律。适当的方法是随机场理论,将岩体参数视为区域化变量或随机场量,其值随空间位置而变化。当给定岩体研究域内任一点时,岩体参数的取值具有随机性,也就是说,空间点固定后,观测前区域化变量为一随机变量,观测后获得一普通实数值。如何研究这种随机场的特性并用于岩体工程问题分析中,这是一个很重要的问题。

10.4.4　参数的变化

岩体材料的力学性质与时间因素有很大的关系。在工程服务期内,岩体材料的组成、结构以及变形和强度特性都随时间而变化。这里我们主要谈论强度参数问题。

长期强度指的是这样一个应力值,只要应力不超过它,那么无论作用多么长时间材料也不会破坏。众所周知,随着恒定荷载的增大,材料由趋稳蠕变转变为非趋稳蠕变,也就是由不破坏转变为经蠕变而破坏。因此,一定存在某临界应力值,当材料所受的长期应力小于这临界值时,蠕变趋于稳定,材料不会破坏;而大于这临界应力值时,材料经蠕变最后发展至破坏,该临界应力称为极限长期强度。从物理概念上说,材料所受的应力越大,达到破坏所需要的时间越短;而应力越小,达到破坏所需要的时间越长。但当应力小于某一值,即长期强度时,无论作用时间多么长,材料也不破坏。大量的流变试验结果表明,长期强度一般相当于峰值强度的70%～90%,故工程实践中常用打折扣的办法进行强度取值(陶振宇,1981)。许宏发(1997)的研究表明,弹性模量也是时间的函数,随着时间的延长而降低。他仿照长期强度的概念,提出了岩石长期弹模的概念,并指出软岩的弹模和强度随着时间的延长而降低是由于岩石内部损伤的结果。

岩体材料的物质组成和结构也随时间发生变化,这种时间效应造成的参数变化还很少进行研究。例如,对于超固结粘土中开挖的边坡,虽然开始是稳定的,但土的强度趋向长期的残余状态而不断减小。由于存在裂隙及沿潜在破裂面上的不均匀剪应力,局部能发生大的变形,同时局部的超限应力能导致边坡累进性的破坏。Skempton(1964)曾经指出,如果粘土被裂隙化,那么在低于峰值强度的情况下就会发生初始滑动。但是,残余强度只是在较大的滑动位移之后才会达到,因此相应于初始滑动的强度介于峰值和残余值之间。为此,Skempton 引入了残余因数 R:

$$R = \frac{\text{峰值抗剪强度} - \text{破坏时的平均剪应力}}{\text{峰值抗剪强度} - \text{残余抗剪强度}}$$

对于风化的伦敦粘土,残余因数从 0.56 到 0.8。这就意味着滑动发生时滑面长度的 56% 至 80% 可能已经达到它的残余强度。

在参数取值时,地下水的作用也必须加以考虑。首先是软化作用,其效应对泥岩、粘土岩、软弱结构面非常明显;其次是软弱结构面在长期渗透作用下参数的变化。

10.4.5 参数的取值

通常是根据室内或现场试验资料分别计算每组的试验值,然后进行统计分析,取平均值或小值平均值作为设计指标,有时需要根据经验进行调整。这样取值存在两个问题:一是未能与样本数量和置信概率联系起来,使人们不知道在多大程度上可以相信这些参数;二是粘聚力 c 和摩擦系数 f 是强度线的两个高度相关的变参数,因而不能分别进行统计。

设计人员一般并不直接采用岩体力学试验提供的指标,而是凭经验打一折扣。例如,试验中确定的结构面摩擦系数经常超过1,而设计用过的摩擦系数值最高也不过 0.65(孙广忠,1993)。在水利工程中,有关文件曾规定由地质、试验和设计三方共同商定。事实上,由于各种原因,许多工程中选用的岩土参数不够科学合理,偏于保守(韩文峰等,1989)。参数取值问题上的分歧是有原因的。事实上,在进行现场大型岩块试验时,通常试件很少,试验结果的离散性较大。建议的设计指标实际上只能由专家通过综合分析和经验判断确定。

随着资料的积累,参数取值的可靠性有望增加。我国水利部门曾经建立了岩体抗剪强度试验成果大型数据库,资料覆盖全国水利水电勘测设计单位承担的大中型水利水电工程(包括117个工程1 100组抗剪强度资料)(叶金汉等,1990)。

10.4.6　节理岩体参数

有很多工程修建在裂隙密集的软弱岩体中,确定节理岩体的抗剪强度及其变形特性也早已被看做是一个重要的理论问题和工程问题,而且也取得了一些研究成果。以往主要凭经验选取节理岩体的力学参数。经验类比法基于岩体的工程分级,即对每个等级的岩体给出统一的力学参数供设计选用。这种方法的不足之处在于只能得到参数的取值范围,而且由于范围较大,使用时仍具有较大的任意性(周维垣,杨延毅,1992)。现在,研究节理岩体单元力学性质的方法有四种,即现场节理岩体试验、室内节理岩体试验、室内节理岩体模型试验、试验与计算相结合。现场岩体力学试验被认为是最可靠的方法,这种大尺度的现场试验首次由萨尔茨堡的 Interfels 在日本进行,他们在 $16m^3$ 的岩块上进行了剪切和三轴试验。值得指出的是,人们常常把原位大型岩块力学试验结果视为岩体的力学性质。实际上,这种试验结果往往只能表征岩体内一小部分或称为典型地质单元的力学性质(孙广忠,1988)。

从目前情况看,大多数研究是针对人造“岩石”块所制成的试件进行的试验。首先对节理岩体单元进行模型试验研究的是 Müller 和 Pacher(1965)。他们根据现场地质资料的调查统计,主要是节理组的平均长度、密度、贯通性、展布方向等将其概化为一些典型的分布模式进行试验或分析研究。在进行节理岩体模型试验时,模型材料的选择及其力学特性的保证是十分关键的问题。

应使其材料特性尽量相似于原型材料的各种参数。当然,要使所有参数都满足相似率是不可能的,通常是使主要参数满足相似要求,次要参数近似满足就可以了。

近些年来,试验与计算相结合的方法也受到重视(周维垣等,1992;朱维申等,1995;何满潮等,2001)。这是因为,采取原状密集节理岩体试样是一件非常困难的工作,而要通过现场试验来研究含足够多节理的材料单元力学特性,所需试体尺度可能达到十余米至数十米,这在很多情况下是不现实的。此外,由于岩体的不均质性和试验中的尺寸效应,现场试验结果很难具有代表性。试验和计算相结合方法的基本思路是:将节理岩体单元离散为两种类型的单元,即岩块和节理,分别研究其力学特性,再把它们装配在一起,从而通过数值计算得出节理岩体的力学特性。也就是说,根据岩石的力学参数、节理的力学参数、节理的分布,采用数值方法确定节理岩体单元的力学参数。周维垣等(1992)借助损伤模型采用数值计算来预测节理岩体的力学参数。他们把完整岩块看做无损伤材料,节理岩体看做损伤材料。通过定义的损伤张量将岩块和节理的力学参数与节理岩体的等效力学参数联系起来。这样,只要弄清岩块和节理的力学参数(室内试验确定)和节理裂隙的几何分布特征(现场统计),就可以计算出节理岩体的力学参数。

10.5　岩体参数的位移反分析

如上所述,岩体的力学参数是岩体力学分析输入的必要参数,这些参数的准确与否在很大程度上决定着力学分析成果的可靠性。解决力学参数的经典力学思路是进行室内或现场岩体力学试验和地应力测试。问题是在通常情况下,岩体的地质条件都非常复杂且不均匀。因此,如果现场试验的数量太少,则难以说明问题;如果进行足够数量的现场试验,则花费大、周期长,以至于绝大多数工程难以负担。如何解决岩体力学分析中所遇到的这种尖锐的矛盾?

位移反分析法成就卓著,自 20 世纪 70 年代提出以来,日益受到岩土工程界的重视。这是因为它为确定工程设计中最棘手的岩土参数问题提供了一个独特而实用的方法。

10.5.1 位移反分析

岩体位移反分析体现的是一种逆向思维,主要是为了求得岩体材料参数和地应力。当然,也可以反演地质构造参数、岩体作用在支护结构上的荷载等。反演正算预测法就是根据位移监测资料反演岩土参数,然后利用反演结果进行位移预测。由于周边收敛是新奥法地下工程监控量测的必要项目,因而反演正算预测法能够普及应用于围岩分析中。

位移反分析的具体方法很多,材料模型可以是弹性的、弹塑性的、粘弹性的;问题可以是平面的,也可以是三维的。目前比较成熟的是弹性均匀介质的位移反分析。因此,我们必须注意弹性和均质这两个基本假定的意义。当我们把围岩视为均匀弹性介质时,弹性模量应理解为变形模量,因为部分塑性变形成分也包含在位移之中。在软弱地层中开挖时,围岩变形除了弹性成分外,还可能表现出显著的流变特性。这种粘弹性介质的流变参数也可以通过位移反分析加以确定。粘弹性反分析的困难在于待分析的参数过多。为此人们提出了两步反分析法,即把待分析参数分成两部分,先利用零时刻的瞬时弹性位移确定部分参数,再通过蠕变变形反估其余参数。

10.5.2 方法的实质

在任何情况下对某种未知因素做出判断,必然需要与该因素有关的各方面信息。位移反分析的实质是在岩体内部及其变形机制不清楚的情况下,由系统的输出反向分析系统的输入。任何反分析问题的核心都是识别,包括模型识别和模型参数识别。在岩土工程位移反分析中,主要涉及到模型参数的识别问题。

如果反分析仅仅依靠观测数据,那么位移反分析的模型便是系统论中的黑箱。显然,位移观测数据所携带的信息不可能是完全的,因此其他方面的信息往往是必要的。刘维宁(1993)在其博士论文中对位移反分析方法的信息本质进行了深刻的研究。他给出的反演定理表明:对被反演参数的观测信息、理论预测信息和先验信息(主要是经验信息)的综合,将给出关于这个参数的更高信息含量的信息表达。理论信息就是对系统物理关系的一种描述,是关于系统的理论模型;先验信息则是已知的认识和经验,是对系统中不可直接观测量的主观估计。

通常人们都把位移反分析获得的参数看做是岩体的"等效参数"或"综合参数"(刘怀恒等,1990;王芝银等,1997)。刘怀恒等(1990)认为:"不论模型的基本假定与真实岩体一致与否,用反分析的参数进行正演总解得到同现场量测一致的结果。因此,把反演得到的参数用于正演以预测未来变形的发展是有效的。"关于位移反分析的精度问题,很多人相信,反分析参数通过观测信息和理论信息的不断改进确实可望获得质量上的逐步提高。刘维宁(1993)指出,对于任何反分析,初次的先验信息总是不充分的,而且理论模型也未必合理。如果在反分析过程中能有效地获取若干次独立观测信息,并且能相应地对理论模型不断地加以完善,那么对系统的模拟就可大大改观。这就是反演定理的递推形式,它似乎在理论上证明:随着对系统的观测信息和理论信息的不断改进,反分析将最终实现对物理系统的彻底认识。杨志法等(1995)认为,利用反演结果进行位移预测并通过预测值与新的实测值的对比不断地检验和提高反分析的精度。王芝银等(1997)也认为:"这种参数的实际用途在于用它们能得到与现场量测信息相符合的计算分析结果,用于对工程后期或同等条件的工程进行预测和比较切合实际的评价。"

然而,学者们的期望可能是不太现实的。实际上,这种反演参数无论精度多高,应用到当前岩体后期变形或前方岩体变形预测时都不能保证其可靠性。这是因为岩体材料的变形本构关系是非线性的,因而当前岩体后期变形阶段的参数必然会改变;前方岩体的地质条件更有可能与当前岩体的完全不同。因此,就反分析的真正目的而言,这种方法永远是试探性的和近似的。

10.5.3 模型的问题

众所周知,位移反分析中通常只能采用十分简单的模型:将围岩视为均质连续的线弹性介质。这种模型与实际的岩体相去甚远,因此人们自然会提出这样的问题:位移反分析所用的分析模型问题很重要吗?袁勇等(1993)认为在位移反分析中,本构模型的选择起着关键作用。刘怀恒等(1990)则认为:"建立更复杂的反分析模型并无意义,它将使我们重新陷入原先的困难中。"

显然,问题的实质是:如果反分析时的围岩与正分析预测时的围岩相同或相近,结果是可靠的;若不同,则结果就是可疑的。在此人们面临着一个两难问题:如果要使模型符合实际,就得查清岩体的地质条件和进行岩体力学试验;而位移反分析方法就是为避免这些困难而提出的。在不能保证前方岩体与当前岩体完全相同的情况下,采用更为复杂的模型似乎并无多大必要。

尽管如此,模型问题还是很重要的。但是,反分析本身并不能解决模型问题。

10.5.4 成果的应用

刘怀恒等(1990)指出:"反分析通常只能采用十分简单的模型,提供用于计算的'等效参数'或叫'综合参数'。用这种参数进行分析只能保证位移结果是可信的。所得的围岩应力场是不真实的。因而,不能指望这种计算结果对围岩稳定性做出可靠的评价。"

例如,当反分析中将岩体视为均质连续介质时,影响这种等效综合参数的因素包括岩体结构、岩性、地下水、地应力等。用这种参数进行力学分析,确定的应力并不代表实际的应力,因而确实不能指望这种计算结果对围岩稳定性做出可靠的评价。

位移反分析法是一种立足于工程实践的实用方法,在围岩条件大致相似的情况下,反分析获得的参数用于围岩变形的预测是可行的。但是,我们不能无条件地相信这种结果,也不能指望无限地提高反分析的精度。

10.6　地应力的确定

岩体中的地应力也称为初始应力,就是在任何工程作用之前存在于岩体中的应力。与初始应力相对应,由于工程活动人为引起的应力称为诱导应力。根据地质力学的观点,地壳上的构造形迹是地应力作用的结果。因此,构造地质与地震地质工作者主要着重于分析地质构造现象与地应力场的关系。岩体工程技术人员关注地应力,是因为它对岩体的材料特性和稳定性有直接的影响。为此,人们设计出了很多仪器和技术并进行了大量的实际测量。遗憾的是到目前为止,我们仍然不能准确地确定地应力。

10.6.1　地应力的作用

岩体地应力的确定是一个十分困难的课题。事实上,在岩体力学的发展过程中,没有任何问题比确定岩体的地应力状态更加难以捉摸,没有任何问题曾给予过更多的注意。为什么人们如此重视地应力？这是因为只要我们不能确定岩体的初始应力状态,岩体力学和岩体工程就只能是一种艺术,因为岩体力学参数的选择、岩体破坏准则的应用、岩体稳定性评价等都取决于符合实际的初始应力状态。

工程作用产生的附加应力与地应力叠加构成岩体的最终应力状态。这最终的应力状态决定岩体的变形和破坏;进行岩体的应力变形分析需要用到岩体材料的本构关系及其参数,而这些性质也受到地应力的影响;初始应力也会影响岩体的承载能力、岩体的变形破坏机制,影响岩体中应力传播方式和力学介质类型。可以说地应力既是岩体的一种基本属性,又是岩体变形破坏的动力因素。

现仅以围压对岩石力学性质的影响,来说明地应力的工程意义。围压对岩石的变形破坏模式、弹性模量和强度都有影响。我们知道,平行于单轴加载方向的破裂是大多数岩石的主要破坏机理。而当围压存在时,就会迅速地减轻轴向开裂。随着围压增大,材料将呈现越来越大的延性。在高侧限压力时,延性状态宏观上的特点是出现“利德线”,它是错位移动的剪切面在试件表面上的表露。可见,围压的增大可使某些岩石从脆性破坏转变为延性破坏。这两种破坏方式可用延性度来区别。延性度就是岩石达到破坏前的全应变或永久应变。一般情况下,当延性度小于3%时,称脆性破坏;大于5%时称延性破坏;3%~5%则为过渡型。对岩石由脆性破坏转化为延性破坏的转化压力,目前研究得不够。根据已有资料,有人认为转化压力约为(1/3~2/3)倍的单轴抗压强度。

围压增大、强度增大的趋势在20世纪初前后早就为人们所定性地了解到了。已有的完整岩块室内三轴试验结果表明,脆性破坏的岩石,其极限强度随围压增长很快,两者多呈直线关系;而延性破坏的岩石,极限强度随围压增长缓慢。围压的影响当然因岩性的不同而异,对高强度坚硬致密的岩石,其弹性模量并不因围压的不同而有明显的变化;而对于岩性较弱的岩石,其应力应变曲线的斜率随着围压的增加明显变陡,弹性模量随围压增大而增大,说明这类岩石原来具有较多的空隙,在围压作用下,空隙闭合而使岩石刚度增大。

10.6.2 地应力的构成

岩体的初始应力状态包括由上覆岩层的重量而引起的自重应力、由地壳运动而引起的构造应力,以及起源于诸如结晶、变质、脱水等作用的封闭应力。其中的重力作用和构造运动是引起地应力的主要因素。自重应力是岩体的重量产生的应力，这种应力总是存在的且在岩体建造过程中就逐渐形成了。自重应力概念清晰而且可以比较容易地计算出来，在此不加讨论。

很多情况下，人们发现岩体中的水平应力大于垂直应力。有些学者认为这是由于剥蚀作用引起的，即由于地壳表层被风化剥蚀以致垂直应力降低，水平应力则保持不变；更多的学者则认为是由于构造作用引起的。早在 20 世纪 20 年代，李四光就指出："在构造应力的作用仅影响地壳上层一定厚度的情况下，水平应力分量的重要性远远超过垂直应力分量。"N. Hast 在 20 世纪 50 年代首次测得近地表地层中的水平应力大于垂直应力，这件事具有重要意义，因为它否定了传统地应力理论的假设，对地质构造和岩体工程研究产生显著影响。当前的构造应力状态主要由最近一次的构造运动所控制，但也与历史上的构造运动有关。显然，当前存在于岩体中的构造应力可能是以前构造运动残留下来的，也可能是目前正在进行的构造加载所产生的，也可能两者都有。

岩体通常都经历过多次构造运动。当一次构造运动停止、构造加载消失后，岩体内仍然残留塑性变形和构造残余应力。卡斯特奈(1971)认为，这种构造残余应力属于自应力的范畴。卡氏所谓物体的自应力是指与该物体上当前所作用的外力无关的应力。如果一个物体在卸除了先前所施加的荷载以后仍残留着明显的应力，则这种应力就属于自应力。这种自应力只有在荷载作用下，局部范围内产生了塑性变形后才可能出现。构造残余应力正是由于周围对局部残留塑性变形的强制作用导致产生的自应力。我们知道受到约束的岩体，其内部的粘土或石膏膨胀也能产生自应力。岩体的弹性后效和蠕变作用会使地层中的构造自应力趋于消失。因此，尽管构造运动产生残余应力，但它是否在地质年代的过程中一直保持着，这确实是个问题。

学者们所说的封闭应力也类似于自应力的概念。封闭应力的存在是孤石内也可以测出应力的原因。陈宗基等(1991)借助应力包裹体的概念解释封闭应力。假设包裹体嵌在具有不同力学性质的基质中。在较小应力的作用下,包裹体和基质都处于弹性状态,且应力将集中于包裹体。随着应力的增大,基质将产生塑性变形,而包裹体则仍保持为弹性。当外载被卸除时,系统将试图恢复到它原来的状态,而摩擦力或结合力等则将阻止其恢复。结果内应力并不能降低到零,并被封闭在内。他们认为,在岩体中可能有大量的这种应力包裹体,只有外载的适度变化才能使内应变能得到释放。

岩体中残余构造应力的逐渐释放和现行构造运动的逐渐加载都使得构造应力场成为非稳定应力场,其场强是时间和空间位置的函数。但是,工程服务期与构造运动的地质时代相比是极其短暂的一刹那,故很多情况下可以近似地认为构造应力场是稳定的。不过,在地震活动活跃的地区,地应力的大小和方向随时间有明显的变化。震前处于应力积累阶段,应力值不断升高,而地震使集中的应力得到释放,应力值突然大幅度下降,主应力方向也发生明显改变。

10.6.3　地应力测量

岩体地应力很复杂,而且构造应力也无法计算。目前的地应力计算只能考虑自重作用,而在构造作用明显的地区,地应力只能依靠实测。套孔应力解除法是目前国内最普遍采用的地应力测量方法。地应力测量通常是逐点进行的,然后通过构造分析、回归分析、数值模拟等方法得到地应力场(薛玺成等,1987)。

地应力测量的可靠性是经常引起争论的问题。实际上,地应力很难准确测量,因为进行测量必定引起扰动:在掘进或钻孔中被挖开的局部地区的初始应力状态已经转变为二次应力状态(卡斯特奈,1971)。因此,问题在于怎样把量测仪器放入岩体并且尽可能地使岩体不受扰动,或者至少能够预计这种扰动的影响(Gudehus,1977)。现今所有的应力测量技术都要扰动岩体,以便产生一种可以进行测量,并利用理论模式进行分析,以估算现场应力张量要素所必须的反应。扰动后对初始应力场有多大影响,目前还无法予以精确估计。蔡美峰(1993)认为,应力解除法是能够比较准确地和定量地测量地应力的惟一方法:一般是从已开挖的洞室表面向岩体内部打大孔,直至需要测量地应力的部位。大孔深度为洞室跨度的2.5倍以上,以保证测点位于未受岩体开挖扰动的区域。但是,打大孔必然对孔底处一定区域内的岩体产生扰动。

在连续介质岩体力学分析中,代表性的材料单元可能是含有很多节理裂隙的节理岩体单元。显然,这种单元内部的应力是很不均匀的,实际分布情况也很难搞清楚。地应力测量中测得的是什么应力?显然,上述材料单元的应力是无法测定的。因此,我们如何能够把实测的应力作为初始应力赋给连续介质力学分析中的材料单元呢?

10.6.4　地质构造分析

地质力学理论对构造应力场的研究具有指导作用。实践表明,了解过去的地质史对于了解现时的地应力状态,以及它与过去的应力在数值上的关系都是非常重要的。谷德振(1974)认为,要搞清楚地应力场必须从地史、新构造运动等方面的情况来研究。Bielenstein等人(1970)也曾指出,应力测量结果必须联系该区的构造应力场的分析。这是因为所取得的数值以至于分析的细节都在一定程度上和该区岩体所经历的构造变动有密切关系。构造应力总是同较大范围的区域性地质构造背景相联系,因而它在地壳岩体中的分布具有区域性特征(姚宝魁,1980)。运用地质力学的方法,根据构造分析以推导该地区的主应力方位,从而使我们得以了解岩体所处的应力场情况。这是研究岩体地应力的一个重要方面,因为了解地应力场的方向对于实际工程来说是很重要的,甚至要比应力数值更重要。历史上曾受过较大荷载并经卸荷的岩体,在后期加载方式相同、数值较小的应力条件下，不发生或发生很小的变形；在超出历史上前期固结应力后才发生正常变形。这就是应力历史的重要性。Müller(1974)曾指出："如果作用在节理岩体上力的方向和造成这些节理的大地构造力的原来作用方向相同，则岩体表现出较低强度和较低的变形模量；荷载作用在其他方向，则岩体较坚固，刚度也较大。"

10.6.5 地应力的经验判断

地应力测量十分昂贵，在是否投资举棋不定时，若能得到定性的判断也将是十分可贵的。在勘探初期，利用勘探所揭露出来的现象有可能对该地区地应力的高低做出定性的判断，这对确定是否进行地应力测量大有裨益(孙广忠，1988)。

很多工程钻探中都出现过大量的饼状岩芯现象，例如在二滩坝址勘探工作中，正长岩体 112 个钻孔中的 58 个有饼状岩芯，河床部位 48 个钻孔中有 40 个出现饼状岩芯现象。该地区两岸测得的地应力高达 20～30MPa，山坡脚处测得的最高地应力达 65.9MPa。很多学者对饼状岩芯的形成条件进行了有益的计算研究，认为这种现象是高地应力的表现。美国 L. Obert 等人用试验的方法研究了饼状岩芯现象。他们的试验方法是先给试件加围压和轴压，然后用钻头钻取岩芯，将饼化的和不饼化的记录下来，求得了岩芯饼化的应力条件。结果表明，饼状岩芯是高地应力下剪张破裂的产物，且岩芯饼化主要与地应力差有关；垂直于钻进方向的应力越大，就越易发生饼化；轴向应力分量越大，越不易产生饼化。

剥离和岩爆是洞室开挖引起应力集中，导致脆性岩体产生的张破裂现象。因此，岩爆也是高地应力的表现。而在软岩地区，高地应力的表现则是缩径和流变现象。此外，在基坑或边坡开挖工程中，如果岩层层间抗剪强度较高，那么开挖卸荷产生的回弹变形是连续的。而当岩体内有软弱夹层时，开挖到软弱夹层就可能发生下部不动,上部岩层沿软弱夹层错动回弹,形成错动台阶,这也是地应力作用的结果。在葛洲坝厂房基坑开挖过程中曾见到软弱夹层上部岩层回弹达3~6cm。我国湖北某水电站厂房基坑开挖后,由于强大的水平地应力作用,使基坑坡脚发生了80mm的水平位移。

10.6.6 地应力的分布规律

对地应力测量资料进行统计分析,通常需要根据地应力的分布规律来进行。从目前得到的地应力测量资料,可以总结出若干规律,这对于进一步研究地应力和建立岩体地质模型具有十分重要的指导意义。但是,我们不应简单地对整个岩体采用同样的规律进行分析,因为不同的区域服从不同的规律。

岩体内的地应力当然不是均匀的。陶振宇曾经阐述过这样一条基本规律,即地应力的大小与岩石强度成正比。孙广忠(1993)认为这可能是强烈构造作用地区的现象,而轻缓构造作用地区的地应力水平可能与弹性模量有关:弹性模量大的岩层内地应力高,弹性模量小的岩层内地应力低。中科院武汉岩体土力学研究所在葛洲坝二江电厂基坑内的实测地应力资料表明,地应力大小就是由岩层弹性模量控制的。

对地应力测量结果与区域构造运动研究结果结合起来分析则发现,现阶段地壳内应力场多半是与本区控制性的构造变形场相一致的。晚期构造运动的强度如果不超过早期构造运动强度的话,则它对早期地应力场只有某些影响,而很难改变它。另外,现阶段地壳浅部的构造应力主要为构造残余应力,它与本区内最强烈的一期构造运动应力场密切相关。

第 11 章 岩体工程问题的系统范式

11.1 前言

现代科学的兴趣正从简单性向着复杂性转变,这种转变引导我们把重点放到新概念和新方法上。众所周知,人类有两种不同的思维方式,一种是原子论式的,一种是整体论式的。近代以来经典科学的思维方式是分析或分解,这种由繁化简的分析方法取得了很大的成功。但是,当我们试图说明系统整体行为的形成机制时,就遇到了“只见树木,不见森林”的困难。即使对系统的每个部分都弄清了,对系统的整体行为可能还是不完全理解。虽然整体性不久前还被认为是超越于科学范围的形而上学概念,但现在我们已经清楚地认识到,对于理解整体或系统来说,需要的不仅仅是理解其要素,更重要的是还需要理解它们之间的相互联系。这就是系统理论与范式在现代科学中取得显著地位的背景。事实上,系统思维已成为科学研究和社会生活中的一种普遍思维方式,具有深远的方法论意义。

岩体工程是由大量相互作用的部分或要素组成的复杂巨系统,需要用系统方法处理这种具有复杂相互作用的问题。但是,复杂非线性系统科学在岩体工程领域中的应用还刚刚开始,因此现在就对它们的适用性进行评价还为时过早。不过,从这些理论的本质特点出发,探讨在岩体工程问题研究中应用的可能性还是有一定实际意义的。任何方法和理论都不是万能的,借用时必须了解其适用范围。本章阐述系统科学的概念框架,后面的两章探讨各种非线性科学和智能系统的实质和适用范围。

11.2 岩体系统

系统理论最突出的特征在于强调整体性,其重要性也在于使我们能够透视系统的整体性。当代科学实际上已经放弃了仅仅把孤立的单个实体作为研究对象的习惯,系统方法与概念独立地在大多数学科中发展起来,并逐渐获得了中心地位。这表明科学研究已经突破了以往的理论模式和研究框架,正在由追求基元性向深究组织性挺进,由向往简单性向探索复杂性发展,由崇拜线性律向探讨非线性律而努力。

11.2.1 系统与环境

系统就是由相互作用和相互联系的若干组成部分结合而成的具有特定功能的整体。把所要研究的部分从复杂相互作用着的世界中划分出来,就成为系统;所有其他与系统相互作用的部分称为外界或环境。系统中那些相互联系、相互制约的要素称为子系统。任何科学研究的具体对象总可以被视为某种层次上的事物,被概念化为系统。针对具体问题划定系统和环境后,就容易抓住问题的总体特征及系统与外部环境的联系。

系统的主要特征是整体性、层次性、动态性,其行为很难用系统组成部分的特性和行为加以说明,如生物体的生命现象不能还原为物理化学现象。系统科学所体现出来的根本哲学思想是整体性原则。系统的整体性意味着系统都是有组织结构的整体,是物质、能量以及信息的有机综合体。部分之间发生相互作用,整体具有它的各单个部分所不具有的特性,因此整体不是其各部分的简单叠加。对于复杂系统来说,要素之间的非线性相互作用可以导致系统行为的极端复杂化。传统上,整体经常被错误地当做定性的和本质上不可测的实在属性。现在人们认识到,对于复杂系统来讲,深入地研究各有关要素是必要的,但仅仅这种分析研究不能很好地回答整个系统的问题,必须建立描述系统整体行为的理论。

11.2.2 开放与封闭

系统与环境的相互作用是通过能量和物质交换来实现的。根据系统与环境的相互关系,系统可分为孤立系统、封闭系统和开放系统。与环境没有任何能量和物质交换的系统称为孤立系统;只有能量交换而没有物质交换的系统称为封闭系统;既有能量交换又有物质交换的系统称为开放系统。

上述热力学的系统划分为研究复杂现象提供了重要概念,它们的应用范围远不局限于热力学,而是渗透到了几乎所有的研究领域。根据热力学第二定律,孤立系统的内部宏观状态总是随着时间的持续趋于平衡且这种过程是自发进行的。系统内部宏观状态趋于平衡的现象可用熵增大来描述,即孤立系统的熵总是不断地增加,直到最大值。熵增大的微观意义是系统内部无序性增加,有序性减少。严格的孤立系统在自然界是不存在的。但在一定时间内,当系统所受的外界作用对所研究的问题影响很小时,可以近似地将其视为孤立系统。

开放系统的特性与孤立系统的大不相同。开放系统的无序性减少,有序性增加。一个远离平衡的开放系统,当外界条件变化达到某特定阈值时,量变将引起质变而形成有序的新结构。一个开放系统可能处于平衡态,这时没有涨落的发生;也可能处于稳定的非平衡态,即系统接近于平衡态。这时,涨落的发生只会使系统状态暂时偏离平衡态,而这种偏离会不断地衰减,直到消失而达到稳定状态;也可能处于非稳定的非平衡态,这时系统的一个微小扰动就可使系统状态发生巨大的涨落,使系统进入不稳定状态并跃进到另一个新的稳定的有序状态。

11.2.3 等级体系

任何事物都具有多层次结构,因而可视为等级体系。我们可以把等级体系说成是一种“多重整体”型结构,在这种结构中,某个层次上作为整体发挥功能的系统在较高层次上作为其部分发挥功能。而且任何层次上某个系统的部分都是较低层次上的整体。即高层次的系统由低层次的系统共同作用而形成(拉兹洛,1972)。等级体系的结构和功能多样性的可能性随其层次的增加而增加。也就是说,较高层次的系统比较低层次的系统具有更丰富的功能。

实际的岩体可看成等级体系,其中每个较高层次的系统都由较低层次的系统组成。在等级体系中,所有系统都是适应性的、有序的整体,并且部分地被它们的环境中存在的其他同类系统所包围。由于它们之间相互适应的结果,这样的系统便形成了更高一级的上层系统。它们的主要特点是,各个不同部分在相互依赖、共同作用的基础上能够做到适应性地自我维持。系统的分层原则是根据组织性。

11.2.4 岩体系统

岩体是一种有机而复杂的天然地质体,岩体系统无论在施工阶段还是运营阶段,都与外部环境不断地发生物质、能量、信息交换。工程岩体与人工结构物相互作用组合成更为复杂的系统。至于岩体工程勘察、设计、施工及运行诸环节所构成的系统就更加复杂,因为这种系统中渗透着主客观的相互作用以及各种难以定量表达的因素。岩体工程科学的任务是在所有岩体工程系统的组织层次上探讨系统的性质、系统的行为机制与规律,并对实际系统的行为做出预测。

我们可以将岩体工程系统例如岩体系统的组成部分分离出来进行专门的研究,但是岩体的行为或实际发生的现象不是支离破碎的。作为必要且重要的补充,需要用相互作用的观点看待岩体系统。岩体系统的边界是人为划定的。但是,岩体范围一经划定,其内部的任何因素便都成为岩体系统的部分,包括岩石块体、结构面、地下水、地应力及地温等。与岩体系统可能发生作用的环境因素包括地质的(例如地下水的流入与流出)、大气的(例如大气降水的渗入或岩体中水分的蒸发)和人为的(例如工程加载)。

11.3　系统状态描述

11.3.1　状态与过程

系统的状态可以由若干个状态变量加以描述或定义。我们谈论系统的状态,最好从热力学系统开始。众所周知,经典热力学系统是由大量分子组成的宏观系统,要描述所有分子的运动状态是不可能的。实际上,我们对这种系统中某个分子的位置和运动量并不感兴趣。因此,热力学所关心的是温度和压强等宏观状态参量,这些参量是大量分子集体作用所产生的平均行为。这样,一个热力学系统的状态和演化就可以用若干个宏观参量及其变化加以描述。

可见,热力学方法对于研究复杂系统问题很有启发性。因为这种方法强调系统的总体特征,容易使我们在宏观上抓住复杂系统的本质。不同的系统可能需要采用非常不同的方式描述系统的状态。有限粒子小系统的状态可以用粒子的位置、速度和它们之间的作用力来做充分的描述。但是,对于复杂的大系统则需要一些新的方式。例如,人们需要用温度、压力、熵等宏观参量来描述分子系统的状态。当用经典力学框架观察时,它们就显得别扭:气体中的一个单独的粒子既没有温度,也没有压力。如果分析方法硬要坚持惟我独尊,那么事物就会被分割成不同的碎片。

过程是系统的状态随时间变化的经历。系统从一个平衡态过渡到另一个平衡态,原来的平衡态必然被破坏,即出现非平衡态。但是,如果条件微量改变所用的时间远大于弛豫时间(即从非平衡态发展到平衡态所经历的时间),则系统完全来得及瞬时地调整到非常接近于平衡态。这样的状态称为准静态。一系列准静态实现的过程称为准静态过程。准静态过程中出现的惯性项可忽略不计。如果系统的过程可在相反方向进行而不在外界引起其他变化,则称为可逆系统,否则就是不可逆过程。可逆过程要求过程进行得无限缓慢,并且没有摩擦出现,这对实际事物的宏观过程来说是不可能的。

加入人的因素后,必将引起与其他因素复杂的相互作用。由于人具有能动选择和干预的能力,系统的过程便可成为选择或控制的过程。

11.3.2　变量与相空间

许多系统的状态可由有限个变量值决定,每个变量都在严格的界限内变化。以系统状态变量数为维数的多维空间称为相空间。系统有多少个状态变量,它的相空间就有多少维。如果系统状态变量可用数值表示,那么相应的状态空间就可以用几何空间来表示。系统状态表示为空间中的点,而状态的变化则可表示为状态空间的一条曲线,通常称之为轨线。因此,我们可以通过相空间来观察系统演化的全过程及其最后的归宿。

系统行为的最后归宿称为吸引子。系统演化的轨线要么趋于一个点(定态吸引子),要么趋于一条闭合曲线(周期吸引子),要么被吸引到一个区域作无规则的随机运动(奇怪吸引子)。

在岩体系统分析中,通常不考虑微观结构和反应机制,而用宏观参量来描述系统的状态。例如,位移、应力、应变等都是岩体系统的状态变量。应用现有的系统科学进行分析时,岩体系统的状态变量并不那么容易确定。正如人们所指出的,位移的确是很多因素综合作用的结果,但岩体中某点的位移显然不能代表整个系统的状态,而实际岩体的位移场很难通过观测的方式建立起来。

11.3.3　动力学方程

要预测系统行为的演变,最理想的方法就是建立系统动力学方程。耗散结构理论、协同学、混沌理论、突变论等非线性科学方法的严密分析都要求我们建立这种动力学方程。就系统状态变量的个数与性质而言,我们可以把系统分成两种。第一种系统的状态变量是时间和空间位置的函数,状态变量的个数是无限的,此时的动力学方程为偏微分方程。第二种系统的状态变量与空间坐标无关,动力学方程为常微分方程。我们知道,非线性科学理论主要是针对第二种系统建立起来的。

岩体系统的状态变量显然是空间坐标的函数,只有在一些简单情况下可以用有限个变量描述其状态。仅就此而言,大大限制了非线性科学理论在岩体工程中的应用。

11.3.4 平衡与稳定

从热力学角度讲,一个系统可能处于平衡态,也可能处于非平衡态。所谓平衡态就是在没有外界影响下,系统内各部分长时间不发生任何变化的状态,即系统的宏观状态参量不随时间而变化。热力学非平衡态是指系统的状态参量随时间而变。

非平衡热力学系统可能处于近平衡态的线性非平衡区域,此时系统的性质是线性的;也可能处于远离平衡态的非线性平衡区域,系统表现出强烈的非线性。与典型的平衡结构不同,在远离平衡的非平衡区可能会出现耗散结构。

固体力学中的平衡态、稳定态同热力学中的相应概念是不同的。在热力学中,平衡状态是指随时间不变的状态;固体力学中的力学平衡则是指系统各部分之间以及系统与环境之间没有不平衡的力存在。岩体受到外部因素的作用,原有平衡遭到破坏。通过自组织过程而产生变形以形成新的平衡。这种趋向平衡的过程可能很短如弹性变形几乎在瞬间完成;也可能很长如软岩的流变。

系统的平衡包括稳定平衡和非稳定平衡。如果一个与之略有差异的状态,或对之略加干扰而产生的状态会变成全然不同的状态,那么这个平衡就是不稳定的。如果微小的初始扰动不致导致大变异,则它是稳定的。处于平衡状态的岩体系统可以是稳定平衡,也可以是非稳定平衡。系统处于稳定平衡时,势能取极小值。处于极限平衡状态的岩体,显然是非稳定平衡,其系统势能取极大值。可见,系统对输入或干扰的响应与系统平衡态的性质有关。

处于临界或极限平衡状态的系统,微小的干扰便可能使系统失去稳定。

靠近稳定平衡态时,系统总是向自由能最小的状态运动,而且这一事实就保证了该状态的稳定性。任何小的涨落将受到系统响应的反向作用,把系统拉回自由能最小的状态。在远离稳定平衡态的地方,一些新型的结构可能产生。因此,当岩体系统远离稳定平衡态时,往往具有非线性特性。在这个非线性区内,系统可能发生自组织而产生新结构。处于临界状态的岩体就是远离稳定平衡态的实例,控制参数的微小变化就会导致巨大的涨落而使系统失稳。地震、火山爆发、岩爆、采场顶板塌落等突变现象都说明远离稳定平衡态系统的存在。

天然岩体可能处于不同的平衡状态,例如,水平岩层处于势能极小的稳定平衡状态,而边坡岩体则通常处于稳定平衡和不稳定平衡之间的某个状态。岩体开挖或施加荷载使岩体离开原来的平衡状态,甚至达到远离稳定平衡状态的程度。

11.3.5　自稳和自组

系统与环境发生相互作用可以引起各种反应。只要系统受到的扰动不大于其抗扰动能力,那么系统整体就保持其参量不变。这就是系统的适应性自稳,在适应过程中系统保持结构稳定性。当系统与环境相互作用的强度超过稳定的极限时,系统就发生自组织过程。此时,系统特有的参量凭借自组过程得到修正。简单地说,外部作用→内部约束=适应性自组。

系统自组织就是系统各部分之间相互作用、协调一致地行动。不是依靠外界安排而是依靠系统内部协作自发产生有序结构的现象称为自组织。自组织过程是这样一种过程:由于环境作用于结构的连续不断的扰动,系统特有的参量凭借自组织过程得到修正。显然,只有开放系统才能实现自组织,因为系统与环境的相互作用是自组织的先决条件。在系统行为的线性区内,系统不可能发生自组织过程而产生新的结构。系统自组织演化的基本动力来自于系统内部各个子系统之间的竞争和协同即非线性相互作用,而不能是外部向系统输入特定的指令,尽管各子系统像接到命令似地组织起来表现出规则性的集体行为。

适应性重组系统不一定是一个更稳定的系统。适应性与结构稳定性不是同义的。适应性系统对于引起自组织过程的各种外部作用是最理想的抵抗者。岩体受开挖或工程加载等因素的影响,其应力分布状态将发生变化并产生一定的变形。在外界作用下,岩体系统会把自己组织成对于环境作用于它的那些力具有最大抗拒功能的系统。但是,当作用超过一定限度后,将导致结构的不稳定而解体。

一个系统要想成为自组织系统,也需要一些基本条件。从系统的内部来说,组成系统的要素必须大于三,这是保证系统内部存在非线性相互作用的前提,非线性相互作用是自组织基本动力所必需的基础。从系统外部环境来说,系统需要与外界环境交换物质、能量或信息。只有外部环境向系统输入的物质、能量和信息达到一定阈值时,系统的自组织才能发生,即只有开放系统才可能形成自组织。应指出,外部环境只是一种条件,系统的有序状态的形成和维护完全靠系统内部的相互作用,靠系统的自组织。

11.3.6 灰色和无序

很多高级复杂系统都是结构和机理不明的系统。当我们很难了解复杂事物的内部结构的状态和方式时,只能把它看做一个黑箱或灰箱,并通过它的外部联系(例如输入—输出关系)的状态和方式来把握该事物的信息。典型的外部描述是将系统作为一种黑箱,并且探索输入和输出之间的相互关联。但是,一般情况下,对系统的一些认识特别是经验认识将参与分析过程,因此都属于灰色分析,例如位移反分析和神经网络分析。

熵是描述复杂系统状态的一个优秀物理量,它是无序度的一种量度,而无序则意味着大量的各种各样的可能性。熵的概念来源于经典热力学。热力学几率是指系统的任一宏观状态所对应的微观状态数。一个宏观状态对应许多微观状态,这种少对多的关系就意味着不确定性;一个宏观状态对应的微观状态数越多,这种不确定性就越大。

11.4　系统范式的应用

如上所述,人们通常是将具体的事物从普遍联系中隔离出来,并将其视为系统。这种系统本身往往也是十分复杂的并可视为有机的整体。如果人们开始就将其作为整体进行认识,事物便表现为感性具体,具有直观、形象、混沌、模糊的特点。为了把握事物的本质和发展规律,人们必须对这种感性具体进行科学分析和抽象。但是,分析和抽象所得到的认识成果,虽然能够把握对象系统某一方面的本质和规律,可还没有达到对象的整体性把握。人们认识的最终目的无疑是对事物整体性的理解,因此认识不能停留在分析与抽象阶段。

不同复杂程度的系统要求采用不同的研究方法。有些系统的行为可以从子系统之间相互作用出发加以研究,经典力学处理的对象大多属于此类系统。有些系统的子系统数量巨大,不可能从每个子系统及其相互作用入手来研究系统的行为,可以采用统计力学加以研究。而对于那些开放的复杂巨系统,既不能从子系统相互作用出发,也不能采用统计方法来研究,目前合适的方法是综合集成法。

非线性系统理论是一种跨学科的方法论,可以解释系统要素非线性相互作用造成的宏观现象。这种系统思维对我们理解很多复杂现象都有很大启发。而且,有时宏观方法简单易行,它可以处理对子系统尚不清楚的复杂系统。在关于岩体力学如何发展的问题上,学者们都强调思维方式转变的重要性(于学馥,1991;黄润秋,1994)。从根本上说,岩体工程要求我们必须解决某种“综合”的问题。岩体工程工作者应关注其他学科的发展,从中吸取新思想、新理论和新方法。

沈珠江(2000)强调从相邻学科中借用理论与方法的重要性,并以 Terzaghi 固结理论借用热传导理论中的已有解答为例加以说明。“借用相邻学科中的成熟的东西,是重视理论研究的一条途径”。但是,跨学科地应用知识从来都不是一件简单的事情,因此应用非线性理论解决岩体工程问题决不会是轻而易举的。任何方法和理论也都不是万能的,借用时必须了解其适用范围。因此,沈珠江(2000)指出,借用成功与否,“关键在于把握所研究对象的具体特点,加以灵活运用。如果仅仅从相邻学科中引进一些新名词,而不深入研究土的具体特性,恐怕算不上什么创新。”

应用系统范式求解问题,关键是建立非线性动力学模型,它们可以是系统模型或局部模型;也可以是概念模型或数学模型。如果系统行为不能用确定性的简单定律来刻画,那就试着定性地说明这种系统行为的倾向性。非线性系统科学在岩体工程中的应用,目前主要还停留在用这些理论中的新概念定性地说明岩体系统的行为。要使这些理论定量地预测岩体力学行为,恐怕还有一段很长的路要走。因此,最重要的是把握新概念的启发意义,而不是照搬数学和物理学中的现成东西。笔者同意这样的态度:大胆,大胆,再大胆;谨慎,谨慎,再谨慎。不大胆可能会丧失良机,不谨慎则可能滑向伪科学。

复杂系统非线性科学开拓了人们的视野,在岩体工程中的应用也给学科发展带来了崭新的生机。但是,从目前情况看,我们还不能说给岩体工程科学带来一次根本性的变革。

第12章　岩体工程问题与非线性理论

12.1　前言

复杂非线性系统科学使我们对事物的研究实现了由静态到动态、由局部到整体、由线性到非线性、由简单到复杂的认知走向。各种复杂非线性系统科学理论几乎同时创立于20世纪70年代，都是跨学科的方法论。它们从不同的角度揭示出复杂现象的规律性，被誉为继量子力学和相对论之后的一次科学革命。各个领域内的实践表明，系统科学处理复杂系统问题具有强大的生命力。

岩体工程问题的极端复杂性是其他建筑工程问题所不可比拟的，因而在经典的理论计算方面遇到了严重困难。人们早就认识到岩体结构体系是非常复杂的系统，只是苦于没有找到有效处理这种复杂性的方法。近些年来，人们把目光投向了复杂非线性系统理论，试图在系统科学的基础上探索解决问题的途径。

鉴于系统理论在其他领域已经取得的巨大成功，岩体工程学科引入这些理论和方法，满怀信心地寻找解决岩体工程问题的突破口便是理所当然的。谢和平等(1996)认为："岩土工程失稳的研究要取得突破性进展，迫切需要引进非线性科学研究的原理与方法。近年来，有关岩石破坏、失稳的分叉与混沌研究，分叉和混沌理论在固体材料与结构失稳分析的应用，不仅为在岩土力学中的应用奠定了基础，也为岩土工程失稳分析提供了全新的理论与方法。"郑颖人等(1996)认为，把岩体的破坏与远离平衡条件下的非线性动力系统理论联系起来，可能成为21世纪岩石或岩体破坏理论的突破口。

本章探讨各种非线性科学的实质和适用范围,并强调岩体工程科学中非线性科学研究的艰巨性和长期性。如果不注意这些方面的问题,这种研究很可能浮于形式,结果是原地踏步,徘徊不前。

12.2 耗散结构理论

耗散结构理论原本是普利高津提出的一种物理化学理论,但是它已经被广泛地应用于包括社会系统在内的很多领域。近些年来,在岩体工程领域也有人常常提到耗散结构的概念。这种理论的实质到底是什么?真的能够被应用于岩体工程问题的求解吗?

12.2.1 耗散结构理论

耗散结构理论的研究对象是开放系统,它所研究的是非线性系统在远离平衡态时所发生的新的有序现象。该理论指出:一个远离平衡的开放系统通过不断地与外界交换物质和能量,在外界条件的变化达到一定的阈值时,可能从原有的混沌无序的混乱状态,转变为一种时间上、空间上或功能上的有序状态,这种在远离平衡情况下所形成的新的有序结构就是耗散结构。

普利高津及其同事在《从混沌到有序》中,研究了许多无序系统自发地获得有序结构的方式。首先,只有开放系统才有可能形成耗散结构,因为孤立系统的演化方向必然是沿着熵增长的方向进行。其次,仅仅开放系统并不能保证耗散结构的形成,远离平衡态也是系统出现有序结构的必要条件。若系统接近平衡态,即仅在线性非平衡区振荡,则不足以产生有序结构。事实上,复杂系统远离平衡态时才发生非线性相互作用,从而形成协同并使局部小涨落得到放大,引起系统由稳定到不稳定再到新的稳定的跃迁式演化。再次,在远离平衡态时,只有耗散能量才能保持其耗散结构。最后,维持耗散结构需要很狭窄的外部条件,因此环境对这种系统总构成潜在的威胁。

12.2.2　耗散结构的特点

耗散结构理论中所说的有序结构不包括平衡结构。平衡结构是微观粒子规则排列形成的,是宏观不变结构如晶体、冰等。而有序结构则是活结构,它是由微观上每个子系统不停地运动构成的宏观稳定结构。因此,耗散结构的特点是:空间有序;时间上结构发生周期振荡;这种结构依赖于外界不断地供给物质和能量加以维持。

岩体系统在远离平衡态时会出现什么情况?会出现普利高津所意谓的耗散结构吗?

12.2.3　岩体系统与结构

黄润秋(1994)曾经指出:“地质体中平衡和封闭是相对的,非平衡和开放才是绝对的。在自发地质过程的非平衡演变中,可能形成非平衡耗散结构,如地震、滑坡等的孕育过程,均是耗散结构形成的过程。”事实上,普利高津意谓的耗散结构在工程岩体系统中是不可能存在的,但这不是说岩体受外界作用后不发生耗散过程,也不是说在远离稳定平衡态后不会出现新的结构或达到功能上的有序。事实是上述过程和结果是常见的,只不过这样形成的结构本质上都属于普氏所谓的平衡结构,它们甚至不需要进行任何能量或物质交换就能维持结构。

岩体工程中的岩体通常是远离稳定平衡状态的开放系统。岩体变形破坏过程中,摩擦的存在也是无可置疑的。在开挖过程中,围岩的确逐渐离开原始的稳定平衡状态,趋于另一种平衡状态。演化的结果可能是各种各样的:组成围岩的单元块体发生自组织现象并形成有序的围岩结构,这种结构具有闭合承载功能。实践表明,具有镶嵌碎裂结构的断层破碎带能够发生自组织现象而形成有序的闭合承载结构;因围岩坚固而不能发生物质的自组织现象,仅仅发生应力状态由原始的平衡状态到二次应力状态的动态转变,这种有序的二次应力状态也可以被视为自组织的结果。

即使围岩结构的形成过程表现为自组织现象,经自组织过程形成的闭合承载结构是有序的,也是远离原始平衡状态的,但这种结构并不是“活”的有序结构,其维持也可能不需要耗散能量。

12.2.4 初步评论

耗散结构理论的确是研究开放系统的,但并非任何开放系统的演化都可用这种理论进行分析。如上所述,耗散结构是指活结构,并不包括静态或准静态的平衡结构。也就是说,耗散结构系统各部分不停地运动,依靠外界不断地供给物质和能量来维持。这种结构的特点是空间有序,时间上结构发生周期振荡。可见,耗散结构理论并不适用于岩体系统的分析。

事实上,耗散结构理论研究的对象是简单巨系统。这种系统虽然子系统数量庞大,但种类并不多,较少中间层次,相互关系也简单。例如,物理学领域的分子系统就是这样的系统,其行为可以采用统计力学方法加以研究。当然,耗散结构理论也被应用到复杂的社会领域,而且这种定性的应用很有意义,但在岩体工程领域内应用的可能性并不大。

12.3 协同学

协同学研究由大量子系统组成的宏观系统的相变与自组织,即描述各类非平衡相变的条件和规律。它是经过与突变理论和耗散结构理论交流而形成的,其突出贡献是发现了在分支点附近慢变量支配快变量的普遍原理并给以动力学表述。众所周知,耗散结构理论通过发展热力学理论来阐述从无序产生有序结构的条件,用于分析其他系统时会受到热力学概念的限制。而协同学则是从动力学角度研究从无序产生有序结构的规律性的,因而可较为容易地应用于其他系统。

12.3.1 协同现象

在由大量子系统组成的复杂系统中,子系统间通常都存在着非线性相互作用，即协同作用。这种相互作用使它们在一定条件下自发组织起来形成在宏观上的时间和空间有序结构。如果我们研究系统的整体行为，就会发现系统的各个子系统被一只看不见的手驱动着；而正是子系统间的协同作用创造了这只看不见的手。这只处于支配地位的、看不见的手就是序参量，它是子系统协同作用创建的，反过来它又支配子系统的行为。

12.3.2　协同学原理

协同学探索在系统宏观状态发生质的改变的转折点附近，支配子系统协同作用的一般性原理。其中，宏观状态“质的改变”是指从无序中产生有序结构，或由一种有序结构转变为另一种有序结构；而“一般性”是指与子系统的性质无关。

系统在临界点附近的状态变量按其阻尼大小可分为快弛豫变量（快变量）和慢弛豫变量（慢变量）。一个基本事实是在临界点上，绝大多数变量受到阻尼而迅速衰减，对系统演化过程的性质并不起主导作用，只有少数几个甚至只有一个变量出现临界无阻尼现象，从而支配其他快变量并决定系统演化的最终状态和结构。

慢变量是子系统协同作用的集体变量。慢变量一旦产生，它就作为序参量支配所有的子系统，而子系统受序参量支配产生的运动又强化序参量自身。哈肯通过绝热消去法用慢变量表示所有快变量，最后仅存慢变量的方程，即序参量方程。这样，一个高维非线性问题就归结为维数很低的非线性方程。

12.3.3　协同学的应用

如上所述，复杂系统要素的相互作用造成一定的宏观现象，这种宏观现象用序参量作为标志。序参量有些情况下是可测量的量，有些情况则是定性的性质。它们代表着真实的宏观现象的性质，例如场势、社会力量，甚至思想等。

序参量的产生机制及其支配行为是个一般性法则。这样，我们就可以通过它把已经得到的较简单系统的结果应用到较复杂系统中去。对于一个多变量的非线性动力系统,如果我们能分辨出哪些是序参量,便能抓住问题的主要矛盾,就能使问题由多维化为很少几个序参量控制的低维问题。

协同学在岩体工程中的应用还处于探讨的初始阶段,通常限于岩体自组织过程的定性说明。例如,岩体工程中开挖引起的岩体活动过程往往被视为自组织演化(于学馥,1995)。协同学定量应用的事例还很少,例如谭云亮等(1997)把声发射现象看做是岩石裂纹扩展、顶板损伤演化的直接反映,并应用协同论思想首次建立了反映顶板活动演化过程的声发射序参量方程。实际上,无论任何系统,只有当控制参数达到分支点附近时,才有可能形成序参量。

12.4　混沌理论

混沌理论告诉我们:发现事物坚实的客观规律性,并不能保证事物发展过程预测的坚实性,因为确定性的系统中可能包含着不可预见性,例如混沌。只要系统具有混沌的性质,那么系统行为的短期预测是可行的,而长期的预测则是不可能的。

简单地说,混沌是一种确定的系统中出现的无规则运动。混沌研究的目的是要揭示貌似随机的现象背后可能隐藏的简单规律。20 世纪 70 年代混沌现象的发现引发了人们对复杂非线性问题的广泛兴趣。有人甚至这样宣称:混沌理论对科学思想的影响最终将可与相对论和量子力学相匹敌。

12.4.1　混沌系统

被誉为"混沌之父"的美国学者洛伦兹在研究天气预报理论时发现了混沌现象,这种现象表面上看是随机的、不可预报的,而事实上却是按照严格的且经常是易于表述的规则运动着的。现实当中可作为混沌范例的系统一直存在且十分常见,包括简单的日常小事如树叶掉落或旗帜飘扬,也包括复杂得多的过程如气候起伏或生命过程。事实上,人们发现现实世界中的很多现象都表现为混沌运动,而规则运动相对地只在局部范围和较短时间内存在。

混沌现象是确定性系统的内禀随机性,它是由系统内部的非线性因素引起的,是系统内在随机性的一种表现,而不是外来随机扰动所产生的不规则结果。所谓确定性系统一般是指动力学系统,它们可用微分方程或简单的迭代方程来描述,方程中的系数都是确定的。

真实的物理系统一般都至少包含一些真正的随机性。因此,可拓宽混沌的定义使其包括那些弱随机的现象,只要这些现象中看起来明显得多的那部分随机性不是其微弱的真随机性的副产品即可。这样,现实世界中看起来具有随机行为的很多过程可被视为符合混沌条件,此类系统中即使真随机性消失了,它们仍然是貌似随机的。

在某些动力系统中,两个几乎一致的状态经过充分长时间后会变得毫不一致。这种系统被称为敏感地依赖于初始条件。混沌系统的基本特征之一是系统行为对初始条件或扰动的极端敏感性。很小的初始偏差会随着时间呈指数地增长,因而系统的长期行为是不可预测的。混沌系统的另一个特征是确定性,因而系统的短期行为是可预测的。

12.4.2　混沌理论

混沌理论的目的就是揭示这些貌似随机的现象背后可能隐藏着的简单规律,以求发现复杂问题普遍遵循的共同规律。混沌研究的重要任务是刻画吸引子,采用的指标有李雅普诺夫指数、维数和熵。

系统微分方程的解可以是不动点,即当时间趋于无穷时系统趋向于一个与时间无关的定点,这种不动点是零维吸引子。方程的解也可以是极限环,即当时间趋于无穷时,系统趋向于一种周期运动。极限环是由不动点发展来的。无论系统状态方程的解是不动点,还是极限环,相应的吸引子都是平庸吸引子。除此外,方程的解还可以是奇怪吸引子,即无穷多个点的集合,这些点对应系统的一个无序状态。奇怪吸引子是一个紧集合,并满足某种不可分解条件和对初始值的敏感依赖性。

吸引子的维数是确定吸引子上点的位置所需的独立坐标数目。确定吸引子的维数有助于判断它是否“奇怪”,即区分周期运动和混沌运动。此外,当相空间维数未知时,吸引子维数对判断混沌运动的机制也是重要的,因为吸引子的维数说明了刻画该吸引子所必需的信息量。吸引子维数的定义有多种,例如相似维数、信息维数、关联维数等。1983 年,根茹斯帕格等人引入了关联维数,从而使人们仅凭系统的一个解序列就能得到关于吸引子维数的信息。

12.4.3　行为预测

早在 20 世纪初,彭加勒就在其《科学与方法》中指出:“没有被我们注意到的某一个非常小的原因,会确定出一个我们不可能视而不见的相当重要的结果,而我们却说这种结果是偶然引起的。如果我们精确地知道自然界的规律和宇宙在初始时刻的情况,那么我们就能精确地预言同一个宇宙在以后时刻的情况。但是,即使情况是自然界规律对我们来说已经不再有任何秘密,我们依然只能近似地知道初始情况,如果能让我们以同样的近似预言以后的情况,那么就是我们所要求的全部东西。”然而,“以同样的近似预言”也可能是无法实现的,发现混沌现象的彭加勒本应很自然地得出这种结论。

由确定性规律决定的系统可以有效地表现出随机行为,而且像掷硬币那样的随机,这完全与我们通常的直觉相违背。因为混沌系统的行为敏感地依赖于初始条件,因而不能做出准确预报,对充分遥远的未来甚至连粗略预报都不可能。

尽管混沌系统的长期行为不可预测,但短期行为预测还是可行的,而且根据系统行为的时间序列,能够计算出可确定性预测的时间尺度(周萃英等,1995)。

12.4.4 混沌控制

对混沌系统进行控制是人们非常感兴趣的课题。现实当中的混沌运动类似随机运动,在大多数情况下是人们所不期望的,因此人们希望利用混沌的特点对其进行控制。

混沌控制的关键问题是:如何通过外界人为扰动使混沌系统表现出期望的动力学行为?显然,所需的人为外界扰动决定于混沌系统的性质和人们期望的动力学行为。

对混沌系统的控制与对规则系统的控制相比具有显著的灵活性。这一方面是由于混沌系统具有对外界扰动的极端敏感性。这样,受控系统可以在不同的目标行为之间转换,同时扰动幅度变化不大。另一方面,实际系统很难给出数学模型,而对混沌系统可利用时间序列延迟嵌入技术,获得其吸引子的信息,并可根据这些信息对系统进行控制。

12.4.5 初步评论

混沌理论是一种非线性系统动力学理论,它是一种关于过程的科学而不是关于状态的科学。

岩体变形破坏的过程是混沌现象吗?或者说,在什么条件下岩体系统会表现出混沌行为?人们的研究已经发现,很多岩体变形现象表现为混沌运动。这就意味着尽管它们的变形服从牛顿定律,变形的轨迹却是敏感地依赖于其起始条件,因而排除了长期预测的可能性。目前,混沌理论在岩体工程中的应用主要集中在时间序列的混沌动力学分析领域,下面将进行专门探讨。

12.5 位移时间序列分析

岩体是动态发展着的,其状态变量都随着时间发生变化。事实上,任何真实系统都是随时间演化的,对系统的状态变量进行观测和记录就可获得该变量的时间序列。人们研究的时间序列大多是在固定空间点处状态变量的量测值。系统演化的时间序列数据含有系统演化的丰富信息。尽管我们不知道它包含了哪些状态变量或多少状态变量,但可以断言它记录着几乎所有状态变量的痕迹(仪垂祥,1995)。

在早期的时间序列分析中,人们把时间序列看成是随机过程,依次从中提取出趋势项、周期项和随机项,分别加以处理之后叠加在一起预测系统的行为。这就是著名的 Fourier 变换技术和滤波方法,其优越之处在于线性 Fourier 变换将微分方程组变为代数方程组,使问题变得简单易处理。但是,当时间序列以混沌为主时,这种线性的、纯粹统计性的方法就不再适用了,应当采用非线性的方法进行预报。非线性时间序列的预报是对重构相空间中动力学轨迹的预报,它与传统的单一标量时间序列预报有本质上的不同。因此,在对时间序列进行分析之前,应对其性质进行判断。如果判定时间序列以随机为主,则应当采用统计方法进行建模预报;如果判定时间序列以混沌为主,则应采用混沌动力学方法进行分析预报。

12.5.1 灰色建模预测

(1)灰色理论:如果一个系统的内部情况和行为机理都完全不清楚,那它就被称为"黑箱";如果部分清楚部分不清楚,就被称为灰色系统。灰色系统理论将随机量看做是一定范围内变化的灰色量,将随机过程看做为在一定幅值、一定时区变化的灰色过程。灰色系统的预测主要以 $GM(m,n)$模型为基础,这里的 m 为模型微分方程的阶数,而 n 则为预测变量的个数。这种模型不仅可以起到回归分析的作用,还可以用它进行变量预测。

面对杂乱无章的数据序列,只有依据过去的大量数据才能整理出某种经验性的统计规律。回归分析是人们处理数据、建立经验公式常用的经验拟合方法。但这种方法不能分析因素间动态的关联程度。灰色理论将随机量看做是在一定范围内变化的灰色量,对原始数据序列进行累加生成处理,从而使原本没有明显规律的数据呈现出较强的规律(灰指数规律),然后进行建模与预测并用后验差方法检验模型的精度(邓聚龙,1990)。

(2)理论质疑:灰色理论认为,尽管原始数据没有显示出规律性,但经累加处理后的生成数却可能显现出较强的规律。也就是说,生成数的随机性被显著削弱,从而容易建立微分方程的模型。张玉祥(1998)则指出:“然而,一个非负的时间序列其累加生成数列未必有指数规律,事实上是常常不具有指数规律。”他认为,通过累加生成和累减还原的方法建模必然加大模型的误差。张玉祥还同时转引了朱宝璋的如下观点:灰色建模的后验差检验方法是错误的,而且不存在真正有效的或改进的灰色建模方法。他建议,对岩土工程中时间序列预报问题,要慎用灰色系统进行建模。

(3)基本假设:灰色模型预测隐含的假设是,与现有历史数据吻合得最好的模式将也是能超出这种数据做出未来预测的最好模式。也就是说,在数据系列中的某种模式是可以在时间上再现的,可以外推到未来。

这种假设当然不见得符合实际。有时,过去的数据完全不能显示未来的变化。某种循环模式可能不会以恒定的时间间隔再现自身。如果没有关于系统内部机制的知识,要预测模式的变化是不可能的。此外,在复杂现象的数据序列中,可能隐含着多种模式。某种水平的模式可能在现有数据中并没有得到体现,例如滑坡位移的季节性变化模式在短期的位移记录中无法体现。显然,不存在惟一的模式,可以用来进行所有水平的预测。

(4)初步评论:廖野澜(1996)认为用灰色系统理论对位移时间序列建模预测的精度是高的,很多其他学者也得到了同样的结论。

我们可以对预测模型同时进行精度检验和可靠度分析。将模型计算得到的平滑值(过去的值)与历史数据进行比较,以判断平滑曲线与历史曲线的关联度;用灰色平面(未来可能的发展范围)的均值与模型得到的预测曲线作关联度计算,以判断预测数据的信赖度。很多情况下,灰色模型预测的确可以得到较高精度的预测值。如果预测有问题,那主要是由于实际情况不符合前述的暗含假定。

实际上,位移时序曲线可区分为两种类型,即稳定型和失稳型。张军胜等人(1996)的研究表明,用加速度作为失稳和稳定识别的判据是可行的。对于稳定的情况,用灰色系统模型预测最终稳定位移能获得比曲线拟合较高精度的预测值。对于失稳的情况,阈值很难确定,用割线角法可进行失稳时间预报。

此外,时间序列模型是纯现象表观模型,不可能对数据模式背后的原因做出解释。刘汉东(1996)对滑坡位移数据进行过时间序列分析,他认为时间序列模型只适用于短期预报。而且,由于所得规律不是基于机理,因此对其预报结果难以直接做出分析。要想进行中长期预报,必须结合边坡失稳判据及其他方面进行。

12.5.2 混沌动力学

(1)混沌系统:很多时间序列数据表面上看似乎是随机的过程,而实际上往往是由某些确定性规律所支配的。具有这种行为的系统就是所谓混沌系统,对混沌系统的时间序列进行分析具有很重要的理论和实践意义。研究表明,自然界中的绝大部分运动都是混沌运动,这种运动的时间序列中存在着非线性特征。

(2)混沌分析:动力学意义上的非线性时间序列分析开始于20世纪80年代初,它以重建相空间为基础,研究相空间动力轨道的性质并据此进行预测。由于混沌时间序列中存在着非线性,因此混沌时序分析原则上不同于传统的时间序列分析。

混沌时间序列分析的任务是从时间序列数据出发,建立复杂系统的动力学模型,以便宏观地描述系统、发现系统的运动规律以及预测系统将来的动态。

要想预测系统演化的行为,最理想的办法就是建立描述系统演化的动力学方程。因此,混沌时间序列分析在岩体行为预测中受到重视(黄国明等,1996;黄宏伟等,1997)。

(3)重构相空间:动力学意义上的非线性时间序列分析以重建相空间为基础。为了建立模型,必须确定出描述系统所需变量的个数。实际的系统都是高维的,特别是偏微分方程描述的系统具有无限多自由度,其相空间维数是无穷的。通常的情况是我们既不知道数理模型,也不知道系统相空间的大小。但是,对于耗散系统,相空间要发生收缩。也就是说,系统演化的结局要归结到一个比实际相空间维数低的子空间上。我们可以根据已知的时间序列来测算它最后收缩到那个子空间的维数。如果这个维数是整数,就可以判断出它为吸引子;如果这个维数是分数,就可以判断出它是复杂到什么程度的奇怪吸引子,同时还可获得描述该系统所需实质性状态变量的最少个数。

首要的工作是根据时间序列数据重构系统的相空间。相空间重构的方法有多种,最常用的是时间延迟坐标方法。这个方法的原理简明,便于实际应用,且有坚实的数学理论作为基础。但在实际应用中,也不是没有问题。这种方法的基本思路是,将固定的时间间隔 Δt 的整数倍逐次提高变位,把原有的一维时间序列拓展到多维序列空间。问题是采用不同的 Δt 会得到不同的维数 d。黄宏伟等(1997)为了考虑 Δt 对维数的影响,对若干个基坑位移时间序列进行了分析。他们发现维数 d 随着 Δt 的增加而增大,例如在某个实例中,当 Δt 取值 2,3,4,5,6,7 时,计算的维数 d 依次为 1.72,1.98,2.02,2.16,2.33,2.56。

根据时间序列数据计算吸引子维数 d 后,可确定建模应该考虑的状态变量的最小个数 n,最后选用 n 个状态变量建立非线性动力学方程(田野等,1991)。该方程可用于系统行为的预测,但对混沌系统不可能进行长期预测,可预测的时间尺度可以根据动力学方程确定。

(4)初步评论:混沌分析也假定在数据序列中的某种模式是可以在时间上再现的,可以外推到未来(迈因策尔,1996)。因此,这种方法存在与灰色模型预测中同样的问题。事实上,任何时间序列分析都不可能对数据背后的原因做出解释。

岩体系统都是无限自由度的系统,其状态变量是时空的函数。这种系统的动力学方程必定是偏微分方程,但我们处理的是固定空间点处的观测量。如何能够根据某点处的位移时间序列来重构相空间呢?难道一点处的位移信息真的能够反映整个系统的演化信息吗?我们凭什么就断定它记录着几乎所有状态变量的痕迹?

12.6 突变理论

突变论是一种研究系统状态随控制变量连续改变而发生突变的数学理论(托姆,1983)。众所周知,人们运用微分方程成功地建立了各种数学模型。但是,这些分析数学只能描述那种连续的和光滑变化的现象,而现实当中充满着不连续的或突变现象,诸如结构失稳、冲击波形成、地震发生、经济危机、企业倒闭、政权更迭、战争爆发等。这些不连续性使数学家们大为头痛,因为任何定量模型从根本上都依赖于解析函数。正当传统的分析数学在解释不连续和突变现象面前束手无策之时,突变论给了我们新颖的思考方法。

12.6.1 突变论原理

突变论将引起系统状态变量突变的原因,即连续变化的因素称为控制变量或控制参数。按照对系统状态的影响程度,可将控制参数分为实质性的和非实质性的。在临界点附近实质性的控制参数发生微小变化,会导致状态变量的急剧突变。

如果系统由 n 个状态变量、m 个控制参数来描述,则动力学方程可以写为:

$$\frac{\mathrm{d}x_i}{\mathrm{d}t} = f_i(\{x_j\},\{c_k\}) \tag{12-1}$$

$$i,j = 1,2,\cdots,n \qquad k = 1,2,\cdots,m$$

突变论方法的要点是:确定刻画系统状态的状态变量(x_1, x_2,…,x_n)和影响系统状态的控制参数(u_1,u_2,…,u_r);系统行为受某个依赖于状态变量和控制参数的函数 V 所支配,这个$V(x_1, x_2,\cdots,x_n;u_1,u_2,\cdots,u_r)$统称为势函数;求出系统所有可能出现的平衡态构成的空间 M_V,M_V 是R^{n+r}中由方程式$\partial V/\partial x_i=0$ 所确定的曲面;以 R^r 记R^{n+r}的由 $x_i=0$ 所确定的子空间

$x_V:M_V\rightarrow R^r$　　　x_V 的奇点集

方程(12-1)的右边可以表达为一个势函数 $V(\{x_j\},\{c_k\})$的梯度,即:

$$\frac{\mathrm{d}x_i}{\mathrm{d}t} = -\frac{\partial V}{\partial x_i} \tag{12-2}$$

系统的定态解可由方程

$$\frac{\partial V}{\partial x_i} = 0 \tag{12-3}$$

来求得。定态解$\{x_{j0}\}$在相空间表现为奇点。突变论的核心是研究奇点如何随控制参数变化。

奇点使势函数取极值,其稳定性可由势函数的二阶导数来确定。势函数取极小值为稳定平衡状态(吸引子);势函数取极大值为不稳定平衡状态(排斥子)。对于 m 个控制参数、n 个状态变量的系统,其临界点所构成的临界曲面为维空间中的高维曲面。状态变量的每种组合意味着一个行为点,这些行为点组成行为曲面。突变论模型表明行为曲面在中间发生折叠。在表示最少可能行为的中间叶,控制变量的微小变化均可能导致状态变量的急剧突变,表示系统的极端行为。

托姆证明(1983),只要控制变量不多于4个,在某种等价意义

下,只有7种基本突变:尖顶型、折叠型、燕尾型、蝴蝶型、双曲脐点型、椭圆脐点型和抛物脐点型。对于每种突变类型,托姆都给出了相应的势函数。目前岩体工程领域中最常用的是尖点突变模型,其他模型的应用还有待于进一步的研究。

12.6.2 结构稳定性

如何判断非线性微分方程组的解是否稳定?首先需要区别两种稳定性,即Lyapunov稳定性和结构稳定性。如果初始条件发生微小变化,方程组的解也只产生微小变化,那么这种稳定性就称为Lyapunov稳定性。结构稳定性涉及到系统的控制参数对系统稳定性的影响。如果控制参数的微小变化导致状态变量的急剧突变,那么就意味着结构失稳。

我们都很熟悉实体系统的结构稳定性概念,但突变论中的结构稳定性概念起源于数学,是指含有参数的方程对参数变动而言的。突变现象都是系统结构失稳的表现。突变论中的结构稳定性概念应该在两种含义下加以理解。一方面是物理实体的结构稳定性,另一方面是系统数学模型函数的结构稳定性。显然,数学模型的正确性在于符合实际地描述了物理系统的状态。

结构稳定性是量变导致的质变,这种不连续现象的数学模型只能是突变论模型。一般地说,定性分析和定量分析是针对事物发展变化的两种不同状态所做的分析。而突变论则在两种分析之间架起了桥梁。

12.6.3 突变论实质

突变论用拓扑学的方法,保留了突变现象中的共性。突变理论与具体的模型无关,它表现为在一定范围内(例如梯度动力系统)突变现象遵循的普适原则。因此,一种突变模型(例如尖点突变)可以用来解释许多学科中众多的突变现象。

在线性系统中,外界条件的连续变化只能导致系统状态成比例地连续改变。突变现象都表现为在短时间内系统状态的变化十分急剧,这种外界条件的微变导致系统宏观状态剧变的现象只有在非线性系统中才可能出现。因此,非线性是突变现象出现的基本条件。

突变论是研究系统状态随控制参数连续改变而发生不连续变化的数学理论。因为突变和分叉都发生在结构不稳定的地方,因此有时难以将突变理论和分叉理论截然分开。可以说,突变论是用拓扑学的方法对分叉理论的发展,它提供的是一种研究所有跃迁、不连续性和突然质变的更普遍的数学方法。突变理论的重要贡献是对突变的类型作了分类,并指出突变类型的数目不取决于状态变量的数目,而取决于控制参数的数目。

突变理论采用势函数描述状态,而分叉理论则采用运动微分方程描述状态。分叉理论研究非线性系统的力学性态对参数的依赖性,即研究系统力学性态在某些关节点(分叉点)发生质变的机理。可以获得系统丧失稳定性时的临界参数,还可以对系统分叉以后的特性进行追踪估计。突变理论主要研究非线性系统如何从连续渐变状态走向系统行为的突变。分叉就是在分叉点附近,控制参数的微小变化将导致系统从一个吸引子跃迁到另一个吸引子的突变。

自然界和人类社会中的突变现象几乎随处可见,它们都是结构失稳的表现。以往人们研究失稳大多只关注失稳的状态,即主要关心失稳的判据,对失稳前后的力学过程很少涉及,因而很难回答失稳前兆有何规律这样的问题。失稳前兆规律的研究有助于对失稳的发生进行预测预报。失稳只可能发生在非线性系统中,突变论有可能揭开突变现象之谜。

12.6.4 突变论的应用

应用突变论研究实际问题时,首先需要选择系统的状态变量和控制参数。通常情况下,选择能代表突变发生的实质性状态变量并不困难。在实质性状态变量和独立控制参数选定后,对于定量极差的突变现象就可以用突变理论的结果对其进行描述和解释;对于定量稍好的突变现象还可以进一步得到它的势函数,由此可以建立它的动力学方程(仪垂祥,1995)。

岩体系统的控制参数主要包括外部荷载和岩体材料的强度参数,状态变量包括位移、应力等。岩体系统在自然和人类活动的影响下,一般是从比较稳定的平衡态向非稳定平衡态演化。在系统的临界状态,即非稳定平衡状态,对外部扰动特别敏感。也就是说,当系统到达非稳定平衡态时,微小的扰动就可能使岩体失稳。我们知道,突变论所研究的核心问题是结构稳定性。岩体工程的根本问题是岩体稳定性,而岩体失稳就是岩体系统状态的突变。因此,突变论在岩体力学中的应用受到重视是理所当然的。

到目前为止,学者们用突变理论研究了地震(殷有泉等,1988)、岩石失稳破裂(唐春安等,1990)、岩爆(徐曾和等,1996)等结构失稳问题。欧拉关于梁的屈曲理论也是突变论的一部分。但是,这些研究所涉及的都是比较简单的系统,状态变量的选取和势函数的构造也都比较容易。李造鼎等(1997)认为:"岩土材料的破坏从根本上讲是材料受力后,其内部能量积累到一定程度,超过材料所容许的极限,从而采用破坏的方式使自身达到另一水平平衡的现象。能量的突然释放或能量的突变成为破坏的最大和最根本的特征。"因此,他们建立了岩土动态开挖的能量突变模型。遗憾的是能量还得由应力应变状态计算,而应力应变计算出以后再用能量判断材料破坏似乎没有多大价值。

12.6.5 初步评论

在岩体力学领域中,传统的破坏判据是用强度的概念,针对材料而言的。结构失稳的判据有待于一种新的理论。我们研究岩体突变现象,无疑是要解决两方面的问题,即认识并预测突变现象的发生以及采取适当的措施对可能发生的突变现象加以控制。

突变论目前所讨论的数学模型比较简单,只能用于分析那些非常简单的系统。对于像岩体这样的复杂系统,突变论分析的数学模型还难以建立。这就是为什么突变论在岩体力学中的应用见到初步成果之后未能继续发展的原因。

突变论在各种领域中的应用,目前主要限于对突变现象的解释,预测突变发生的难度较大。当对描述系统的动力学方程不清楚,甚至连状态变量及其个数也不能准确地确定时,只能凭借对问题的感性知识或粗糙的试验做出推测。突变论对很多现象还不能进行定量的描述,因此有时定性应用不免有牵强附会之感。但即使是定性描述也有一定的意义,因为这种分析能够激发人们的想象,启迪人们的思维,从而增进对现实的认识。就岩体力学问题而言,在突变论分析方面取得进一步突破的可能性不大。

12.7　分形理论

经典几何学以规则而光滑的几何形状为研究对象。然而,自然界中连绵的山峰、蜿蜒的河流、曲折的海岸线、构件的断裂、岩石的破裂等既不光滑又不规则。分形几何学的任务就是采用严格、有效的定量方式描述这些不规则和支离破碎的形状。

具体地说,分形几何学的研究对象是具有自相似性的不规则曲线、具有自反演性的不规则图形、具有自平方性的分形变换等,其中应用较多的是研究自相似性的线性分形理论。

12.7.1　分形与分维

简单地说,分形是具有自相似结构的复杂几何形体,其主要特点是自相似。所谓自相似性就是局部是整体成比例地缩小的性质。也就是说,分形内部任何一个相对独立的部分,在一定程度上都应是整体的再现和缩影。现实事物的自相似现象是很普遍的,例如水系的自相似性、矿藏分布的自相似性。尽管从几何图形的角度容易理解分形,但是分形的概念要宽广得多。除了几何分形以外,还有功能分形、信息分形、能量分形等。当然,自然界中表现出的自相似性很少有像数学家设想的那种理想的或严格的自相似性,它们通常表现为某种统计上的自相似性。

一个几何对象的维数等于确定其中一个点的位置所需要的独立坐标数目。通常称研究形状的几何学为拓扑学。根据拓扑学的概念,所有单个岛屿的海岸线都具有相同的形状,因为它们在拓扑上等同于一个圆周。在19世纪末20世纪初的数学危机中,数学家们发现:为了恰当地理解不规则性或支离破碎性,把维数限定为坐标的数目是不令人满意的。后来,学者们发现定量描述分形自相似性的参数是分维,分维也用来度量一个对象的不规则性和破碎程度。

现在人们已经清楚地认识到,分形现象没有特征尺度,测量结果与尺度有关,而与尺度无关的特征量就是分维。把维数推广到超越整数范围是一种影响深远的思想。可以说,分维的概念在分形几何学中具有核心作用,它是度量自相似性的特征量,所反映的是分形的复杂性。但是,分维究竟能够给我们提供多少更有价值的信息,这仍是有待研究的课题。

12.7.2　岩体的分形

岩体是一种具有初始损伤的复杂系统。岩体系统中的很多信息都具有分形的特征。已经查明在任何几何尺度上测量所得到的裂缝分布都具有自相似的特征(王泳嘉等,1996)。例如,孙广忠(1988)曾经指出不同级别的结构面其分布规律具有自相似性。易顺民等(1999)指出:在一个很宽的无标度区内,岩石脆性破裂均表现出很好的自相似性。

分形的认定本身就很重要,因为其自相似性使得从部分认识整体、从整体认识部分成为可能。仪垂祥(1995)指出:"具有自相似的现象,可把其局部看做整体的缩影,整体也可看做局部的放大,而分维正是这种放大或缩小自相似变换的不变量。根据这一规律我们可以做两件事:①提高手头现有资料的分辨率,即由大尺度趋势来复原小尺度趋势,因为在无特征尺度区它们具有自相似性;②以降低分辨率为代价外推现有资料的样本时段或空间范围,即由小尺度趋势复原大尺度趋势。”

目前,分形理论的实际应用主要是分析哪些现象具有自相似性并计算其分维。至于究竟这些分维能够给我们提供多少更有价值的信息以及怎样用分维来解决岩体工程问题,这仍是有待深入研究的问题。例如,人们已得到了各种断裂的分维值。问题是:这些几何特征量与哪些宏观力学量有关系呢?谢和平等(1991)研究了岩石材料损伤演化过程中的分形几何特征,得出了裂纹尖端损伤演化过程中分形维数随荷载变化的关系曲线。分维越大,材料损伤越严重。因此,分维很可能是材料损伤的某种统计特征量,基本上扮演了材料损伤变量的角色。将分维与岩石损伤演化程度联系起来,有可能建立分维表达的本构方程。

12.7.3　初步评论

虽然自然界中不存在严格的分形,自相似性仅在统计意义下成立,但是分形毕竟为复杂形态的描述提供了一种途径。

人们已经将分形理论引入了岩体力学,但主要是寻找分维和材料特征参数之间的表征联系并建立相应的拟合公式。目前,对岩体中不连续面的几何形态和力学性质的描述十分粗糙;在动力学的意义上,依靠分形概念对系统行为的理解仍然获益不多;一个粗略的统计数据往往不能满足人们的需要。可见,分形理论在岩体力学中的应用还处于开始阶段。

第 13 章 岩体工程问题与智能系统

13.1 前言

岩体的地质条件、变形破坏机制、材料本构模型及其参数等很难准确地加以确定,在许多情况下对岩体进行精细定量的模拟难以成功。因此,在现阶段的岩体工程设计与施工中,经验方法仍占有突出的地位,有些工程甚至完全采用经验方法。这样,人们很自然地把智能科学看做是解决岩体工程问题的一条可能途径。智能科学包括专家系统、神经网络、综合集成等。

智能系统的特点是牵涉到人的智能活动,引入经验知识。这种方法同样要求我们弄清影响岩体稳定性的重要因素。例如,岩体的地质条件、工程作用等。智能方法可与经典力学方法结合起来,共同解决某些岩体工程问题。例如,在边坡工程中,我们可以先采用神经网络方法确定设计边坡角、进行破坏模式识别,然后采用经典力学方法对边坡稳定性进行分析。

13.2 专家系统

近些年来,计算机技术的发展,特别是人工智能科学的发展,使人们科学地利用知识和经验成为可能。1984 年 H. H. Einstein 等人首先发表了题为《人工智能在岩石力学中的应用》的论文。1985 年 Fairhurst 提出用模糊数学结合专家系统解决隧道支护问题。1987 年以后,岩体工程领域人工智能研究发展迅速并陆续出现了一些专家系统。

13.2.1　专家系统

基于知识的专家系统是利用知识和推理来解决问题的计算机程序,其内部具有大量专家水平的经验知识。专家系统要求对推理过程中涉及的每个因素都作为参数加以说明,即每个参数用一个参数框架加以描述。领域内的专家知识被提炼成计算机可以处理的形式并显式地表示在计算机的知识库中。在实际应用时,计算机根据具体的环境条件及要达到的目标,在控制策略的指导下,通过探索来寻找问题的解答。实践表明,专家系统的效率通常都很高,并且已经在很多领域中得到应用。由于在岩体工程设计中专家经验占有突出的重要地位,因此人们自然期望专家系统发挥积极作用。

专家系统的核心是知识库和推理机,即专家经验知识的组织与表达以及推理规则的建立,专家系统的水平则取决于专家经验的水平和推理的科学性。

13.2.2　专家经验

在专家系统的知识库中存储的是经验规则,推理就是借助这些规则进行的。专家所掌握的知识是专家通过实践获得的经验知识,也称为启发式知识。这种知识是专家区别于非专家的标志所在,也是专家能力的关键所在。专家经验知识的有效利用涉及到多个方面的问题,其中的核心问题是知识表达,即如何把各种经验知识表示成计算机能接受并能加以处理的形式,这是必须解决的基本问题。在现有的专家系统中,专家知识用产生式的简单规则组成的庞大集合来表示。每一条产生式规则都是构成一个知识模块的一条规则,可 IF a THEN b 写成的形式。

13.2.3　推理机制

以规则为基础的专家系统,在推理时必须用现有数据逐项匹配每一条规则的所有条件。因此,大量的运算量都用于条件匹配。显然,专家系统中包含的知识越多,系统解决问题搜索的时间越长,因此就显得越笨(戴汝为等,1988)。

专家系统要求推理的自适应性,即对于确定性问题,可以采用确定性推理;对于不确定性问题,可以采用不确定性推理。实际上,经验规则通常都是不确定性的,因此不确定性推理问题至关重要。姚建国(1991)的研究表明,用确定性推理往往会损失大量信息或延长推理过程,而使结果失真。

13.2.4 初步评论

专家系统实际上就是统计预报,它基于对过去所发生的事物的观察与经验认识,而不是基于物理力学原理的动力学预报。

专家系统是为那些需要借助专家经验才能解决的问题而设计的。如果专家系统能达到专家处理问题的水平,那将是非常有价值的。但是,"对专家系统的应用而言,并不是所有由专家们解决的问题都可以很容易地利用专家系统来解决"(阎金安,1991)。而且,专家系统当然不能摆脱经验方法的固有缺陷,即对超出经验范围的场合无能为力。

目前,专家系统研制的较多,而达到实用的较少。这是因为专家们的思维是异常复杂的。他们在解决复杂问题时,所调用的大脑信息不仅有理论知识,而且还有感觉表象、形象源。对这些信息的处理方式显然是不同的,也就是采用不同的思维方式如逻辑思维、形象思维。基于规则的传统专家系统可以对专家的逻辑思维活动进行较好的模拟,而对于形象思维的模拟则显得无能为力。专家系统工作时,与实际问题的感知者是相互分离的。专家系统的解题过程肯定同专家实际的解题过程有较大差异。例如,在设备故障诊断中,经验丰富的人能很快找到设备的毛病,但他的思维过程不是扫描维修手册的条例。

事实上,有些经验知识既难以用一组规则来表示,也难以用简洁的语言描述清楚。研究表明,专家知识的获取,尤其是经验知识的获取已经成为专家系统的"瓶颈"(张清、田盛丰等,1992;冯夏庭等,1995)。

在专家系统的实际应用中,比较好的策略也许是:在岩体工程的初步设计中,可以使用专家系统;待施工开始后,采用信息化设计与施工。

13.3 神经网络

神经网络是20世纪80年代后期迅速发展起来的一种智能科学,它是由大量的简单处理单元即神经元所构成的非线性动力学系统,是一种模仿延伸人脑认知功能的新型信息处理系统。神经网络具有较强的非线性映射能力和学习能力。在处理信息十分复杂、背景知识不清楚、推理规则不明确的问题时,更能显示出其独特的优越性。张清等人(1986,1992)首先将这种方法引入岩体力学与工程领域,此后发展很快并受到广泛重视。

13.3.1 神经网络原理

从数学上讲,神经网络是一组输入单元(n 个)到一组输出单元(m 个)的映射:

$$F: R^n \rightarrow R^m \qquad Y = F(x)$$

对于样本集合(输入 x 和输出 y),可以认为存在某一映射 G,使 $y_i = G(x_i)$,$(i=1,2,\cdots,k)$。求解问题就是要求得一映射 F,使其成为 G 的最佳逼近。Kolmogorov 的神经网络映射定理已经证明:只要采用有隐单元的网络,这种映射就存在。很多实际问题,尽管其具体内容不相同,但在数学上都可归纳为上述映射关系,或称为"问题—答案"的形式。

神经元是神经网络的基本处理单元,它只执行一些非常简单的计算任务。典型神经单元 i 的任务是接收沿输入加权连接 w_{ij} 输入的信号 $n_j(t)$ 并将所有输入信号以一定的规则综合成一个总输入值。最常用的综合规则(输入函数)是加权和,即 $w_{ij}n_j(t)$。总输入经活化规则(活化函数)处理后得到神经元的当前活化值

$n_j(t+1)$。神经网络的非线性主要就表现为神经元活化函数的非线性。根据当前活化值,按转换规则(输出函数)确定该单元的输出值并沿着输出连接传给其他神经元。

13.3.2 神经网络模型

神经网络模型很多,目前应用最广泛的是多层前馈神经网络模型(Back—Propagation,简称 BP 网络)。BP 网络由输入层、输出层及隐含层组成。隐含层可有一个或多个,每层由若干个神经元组成。当信号输入时,首先传到隐节点,经过活化函数后,再把隐节点的输出信号传播到输出层节点,经过处理后给出输出结果。

BP 网络采用误差反传学习算法。学习过程由正向传播和反向传播组成。在正向传播过程中,输入信号从输入层经隐层单元逐层处理,并传向输出层。每一层神经元的状态只影响下一层神经元的状态。如果在输出层不能得到期望的输出,则转向反向传播,将输出信号的误差按原来的连接通路返回。通过修改各层神经元的权值,使得误差信号最小。得到合适的网络连接权值后,便可对新样本进行预测。

在确定合理的网络结构后,利用大量的实际资料对网络进行训练,即可获得神经网络模型。在实际应用中,还可不断地用实际资料来扩充样本库并训练网络,这样就可提高网络的预测精度。

13.3.3 神经网络的特点

人工神经网络是借鉴真实神经系统的某些功能,抽象、概括、简化而成的一类数学模型。人类大脑惊人的计算速度和有效的结果来源于大量的并行机制,这一机制使大脑中的数百万神经元同时工作。真正的神经元是惊人的复杂系统,例如它们能根据输入信号改变阈值或延迟时间,而且在不同状态下,同一神经元可以对输入信号进行几种不同的计算。人的思维过程基于模式识别,根据观察到的信息,可做出相当可靠的判断。

人工神经网络力图模拟人脑的优异功能,采用并行机制,从而能够大规模地处理单元及其相互联结。神经网络的记忆是动态的,新信息的到来要修正联结强度,产生新的稳定模式。学习由动态地改变网络单元联结的权值来实现。因此,我们可以用成功的实例建立工程实例数据库,而且还可不断地丰富和完善神经网络的学习实例。

神经网络可以通过学习功能从大量学习样本中获得复杂的非线性关系。由于没有集中处理单元,信息存储和处理表现为整个网络全部单元及其连接模式的集体行为,故具有良好的容错性。

专家们解决复杂问题的思维过程通常基于模式识别,他们在观察的基础上能做出可靠的判断。神经网络可以较好地对人脑这种模式识别过程进行模拟。

13.3.4　神经网络的实质

传统的专家系统所采用的知识表示方式是显式表示。神经网络则采用隐式表示。用神经网络表示知识是用网络结构、网络连接权值表示问题求解的知识,知识的获得是根据积累的大量工程实例通过学习进行的。也就是说,神经网络系统的知识获取不需要由知识工程师来整理、总结、消化领域专家的知识,只要求领域专家提供范例或实例及相应的解,通过特定的学习算法对样本进行学习,经过网络内部自适应算法不断修改权值分布以达到要求,把专家求解实际问题的启发式知识分配到网络的拓扑结构及权值分布上(Lee *et al*.,1992)。

神经网络具有严格的数学基础,而专家系统则极大地依赖于经验主义。综观目前的应用,神经网络所起的作用基本上类似于经验回归分析和函数逼近。也就是说,神经网络可以对输入与输出间的关系做出正确的映射。这种映射与经验公式相似,但却是高度非线性的。神经网络只是针对给定的某些样本点,确定映射关系,即“从事例得规律”。经验公式的本质意味着神经网络的缺陷。它假定:学习样本中存在的模式亦适合于其他情况。显然,这种外推对于全新的情况并不合适。另外,质量不高的样本会降低整个非线性关系的可靠性,因为机器不可能识别样本质量的高低。

13.3.5 神经网络的应用

神经网络是一种信息处理系统,它可以进行模式识别和变量估算。在岩体工程问题中采用神经网络方法的显著优点是可以把大量的相关因素(即便是描述性的因素)作为输入变量。例如,要建立边坡角神经网络估计模型,可以把影响边坡角的因素作为网络的输入节点来表达,边坡角则用网络的输出节点来表达。神经网络通过对实例的学习,找出蕴含在边坡实例中的边坡角与各种影响因素之间的非线性关系,并用平行分布式表达。然后,利用这种非线性的平行分布式表达对新的边坡进行边坡角估计(冯夏庭,2000)。

我们也可以岩体稳定性评价神经网络系统为例加以说明。网络的输入神经元表示影响岩体稳定性的各种因素,输出神经元表示岩体稳定性评价的若干等级。用岩体稳定性分类的实例作网络的学习样本,用反向传播算法训练,获得稳定的权值与最佳网络结构,用以表示各种影响因素与岩体稳定级别之间的非线性关系。

13.3.6 初步评论

神经网络是智能信息处理系统,适用于那些要求在应用环境下自适应完成的信息处理任务。我们知道,基于规则的专家系统可以对专家的逻辑思维活动进行较好的模拟,而对形象思维的模拟则显得无能为力。因此,知识获取已经成为专家系统的“瓶颈”问题。神经网络系统的知识获取则不需要由知识工程师来整理、总结、消化领域专家的知识,只要求领域专家提供范例或实例及相应的解,通过特定的学习算法对样本进行学习,经过网络内部自适应算法不断修改权值分布以达到要求,把专家求解实际问题的启发式知识分配到网络的拓扑结构及权值分布上。

神经网络可以对输入与输出间的关系做出正确的映射,在模式识别和变量计算方面效果显著。这种方法对于解决基本依靠经验的复杂问题具有现实的可能性和良好的前景。

神经网络和专家系统也都需要了解岩体的地质条件和主要机制,否则就无法表征问题。例如,如果岩体稳定性的影响因素考虑不当,建立了不符合实际的模型,那就很难说智能系统的有效性。因此,这些方法只是省掉了复杂的力学分析,而与力学分析相应的问题大都依然存在。智能方法也不能使我们增进对问题机理的认识。此外,神经网络系统和专家系统一样,从原则上讲并不能解决新问题,因为它们完全依赖过去的经验。实际上,如果引入的经验实例并不优秀甚至是不成功的,那么这种分析的结果则根本谈不上经验的优化,更谈不上创新。因此,神经网络分析应该建立在相似系统类比的基础之上。将完全不相似的事例放在一起分析,不可避免地污染所得到的经验关系。

13.4 综合集成方法

细心的人们很容易获得一种令人忧虑的发现,即岩体工程科学领域中的经验和知识在迅速增长,然而这些经验和知识大多仍然处于支离破碎的状态。岩体工程师履行其职责所需要的是一种跨学科综合模式,这种模式可以帮助他们确定任何实际情况下所需要的信息。过多未消化的信息所引起的混乱会使他们感到疑惑,因此我们最好是将工程经验和理论知识组织在某种简单而灵活的概念框架和系统中,从定性到定量的综合集成法为实现这一设想提供了工具。

13.4.1 系统分类理论

为解决复杂系统问题,钱学森及其合作者(1990)对系统进行了分类并探讨了各层次系统分析可用的方法。在此基础上,他们提出了综合集成法(Metasynthesis)作为开放的复杂巨系统方法论。按照他们的系统分类理论,系统可以分为简单系统和巨系统两类。简单系统是指组成系统的子系统数量比较少,它们之间的关系也比较单纯。如果子系统的数量非常大,则称作巨系统。若巨系统中子系统种类不太多,且它们之间的关系又比较简单,就称为简单巨系统。如果子系统种类很多并具有层次结构,它们之间的关系也很复杂,就把这种系统称为复杂巨系统。

13.4.2 综合集成方法

简单系统可以从子系统相互之间的作用出发,直接综合成全系统的功能。复杂巨系统在结构、功能、行为和演化方面都十分复杂,很难用直接综合的方法进行研究。目前对于开放的复杂巨系统,还没有建立起合适的统计力学理论。人们已经认识到,从子系统相互作用出发建立这种系统的分析模型有时是行不通的。也许能有效处理这种问题的方法是定性与定量相结合的综合集成方法,其实质是将理论分析成果、专家经验、实测数据等方面有机地结合起来(钱学森等,1990;戴汝为,1991)。钱学森等人指出:综合集成法就是将各种分析成果和专家经验集成到一个系统中的综合方法。这种方法在解决问题的过程中,专家群体和专家个人的经验知识起着重要作用。

13.4.3 岩体工程问题

在岩体工程设计特别是隧道工程设计中,长期以来经验方法占据主导地位。因此,定量或半定量设计方法必然成为人们追求的目标。然而,单纯岩体力学定量计算成果还远不能作为设计的可靠依据,专家经验仍然是非常重要的。从目前情况看,综合考虑各种信息的可行办法是综合集成方法。这类研究目前还不多,这里我们仅以李世辉等人的研究为例说明方法的基本应用。

李世辉等(1997)将围岩稳定状态系统看做开放的复杂巨系统,它不仅包括围岩与支护结构,还包括施工方法等人为因素。他们基于综合集成观点将解决问题的各种知识和分析方法有机地结合起来,形成具有特定功能的整体系统,用来预测洞周径向位移。

所开发的典型类比分析法具有如下结构:专家经验、理论分析和现场测试资料。位移预测采用线弹性理论公式作为基本模型,其中的等效弹性模量是将典型工程中现场岩体力学试验资料和位移反分析成果纳入围岩分级框架得到的。预测公式中引入综合性修正系数,该系数是采用典型工程现场变形量测资料进行拟合计算得出的。

李世辉等人开发的综合集成系统采用"人帮机,机帮人"方案,既发挥人的长处又发挥计算机的长处。那些繁重推演和计算等可以形式化地解决的任务由机器完成,而人则在关键之处给出定性的决策。典型类比分析系统的实际应用是以人为主体进行的,围岩级别的判断、初选支护参数等由有关专家给出。

13.4.4　初步评论

综合集成方法是一种智能系统方法论。钱学森等对系统的分类具有重大意义,因为很可能不同层次的系统要求不同性质的求解方法。目前,能有效处理开放复杂巨系统的方法是定性与定量相结合的综合集成方法。这种方法虽然不像突变论、混沌理论、耗散结构理论、协同学那样建立系统的精致数学模型,但也需要建立复杂系统行为的预测模型,而且需要从定性和定量两个方面考虑。

对各种关于岩体的知识进行深思熟虑的综合,显然是一种非常重要的创造性活动。综合集成方法在建立模型时基于经验性假设,假设的正确性只能通过实践进行检验。目前,这种方法在岩体工程中的应用只能说是刚刚开始,但我们相信它是解决岩体工程系统问题的根本方法。

第14章 岩体工程中的不确定性与对策

14.1 前言

一般地说,岩体工程活动涉及到建筑结构、岩体及其环境。无论是在建筑过程当中还是在完工以后,这三者都构成一个复杂的、相互作用的系统。若从工程勘察、设计、施工及运营全过程来考虑,那么系统将更加复杂。

岩体工程系统的各个环节都存在着显著的不确定性,我们面临的问题是在岩体工程勘察、设计和施工中,对各种各样的不确定性因素应该怎样处理。显然,要对这类系统进行确定性分析,我们将不得不做出大量的简化,以至于在很多情况下分析结果与实际不符;而对其进行可靠性分析则远未达到成熟的水平。正是因为如此,直到现在大型岩体工程活动就整体而言仍然是依靠经验来进行的,尽管岩体工程科学分析方法不断地引入设计过程。

然而,岩体工程系统无论多么复杂,我们总是能够对其中的不确定性因素进行分析。显然,岩体工程水平的提高在很大程度上取决于对不确定性因素的分析质量和处理的合理性。本章的目的就是探讨岩体工程中各种不确定性因素及其对策。

14.2 岩体工程中的不确定性

岩体工程中的很多因素往往难以预先知道,或仅在某种程度上可加以预估而无确切的把握。例如,我们可以通过地质勘察了解岩体的结构及其他地质条件,但不可能彻底搞清楚;我们可以对某岩层取样进行试验测定岩性参数,但不可能获得参数的真值;我们可以采用某种方法预测建筑物的沉降,但实际的观测结果可能与此有很大的出入。在岩体工程问题的分析中,由于问题的复杂性以及资料不足,我们不得不做出某些必要的简化与假定。这样,分析模型和输入参数都将具有不确定性。如果我们能够定量地描述岩体工程中的各种不确定性因素,并研究出适当的方法在工程问题的分析中考虑它们的影响,那么岩体工程设计与施工的质量必将大大提高。

14.2.1　不确定性的概念

不确定性包括随机性、模糊性和未确知性。随机性思维的数学描述是概率论,它弥补了经典因果律的不足,用可能性取代必然性。模糊性思维在数学上可由模糊数学来描述,它弥补了经典排中律的不足,用隶属度来表示肯定、否定与中介过渡状态。有些因素既无随机性也无模糊性,纯粹由于条件限制而对它们认识不清。也就是说,我们所掌握的信息不足以确定事物的真实状态和数量关系,这就是未确知性(王光远,1992)。

普遍地说,凡是我们不能确切认定的因素或事件都可以说成是不确定性,或者说不确定性就是“未来的现象或作用的结果不能用因果法则加以预测”。那么,具体到岩体工程来说,与工程有关或对工程有影响的任何因素,当需要我们考虑而又不能确切地加以确定时,都应该视为不确定性因素。显然,在人们进行工程分析与决策并要采取行动时,不确定性是不可避免的。岩体工程中存在各种各样的不确定性因素,与结构工程相比有其特殊性。因此,对其应该进行系统的研究与分类,并总结到目前为止各种不确定性因素研究的现状和成果。

这项研究应从影响工程分析与决策的所有变量研究入手,这些变量包括社会的、经济的、自然的、人为的等等,特别地涉及到我们对各种现象的认识现状(人们认识的不足或无知)。从主要方面讲,不确定性有以下几种:岩体分析模型的不确定性和近似性;岩体地质参数和材料性能方面的不确定性和变异性;荷载及其他作用因素的不确定性和变异性;决策中人为的不确定性等等。这些都使岩体工程系统的行为具有不确定性,并且使得可靠性分析与设计问题变得极其复杂。

14.2.2 行为的不确定性

岩体工程设计的根本问题是系统行为的不确定性。人们大力发展岩体工程科学就是为了消除或减少这种不确定性。我们可以从两个不同的角度谈论这种不确定性。首先,从先验的角度上说,岩体或岩体工程系统行为具有多种可能性,这种可能性越多,设计的难度就越大。其次,后验地说,我们即使知道了系统的宏观状态,也面临着很多难题。例如,我们已经观察到岩体的变形,但是要对岩体进一步采取行动却难以确定具体的方案,因为变形的机理不清楚。实际上,系统的任一宏观状态可能对应很多微观状态或微观机制,这种少对多的关系就产生了一种不确定性。一个宏观状态对应的微观状态数越多,这种不确定性就越大。

岩体系统行为的不确定性归根到底是行为预测中各种影响因素的不确定性所造成的。因此,我们真正需要分析和加以对付的是如下几种不确定性。

14.2.3 模型的不确定性

对于任何复杂事物的分析,其出发点必是对现实事物进行逼真而又可行的理想化,也就是建立分析模型。模型是原型的理想化替代物,它反映原型的主要特征,略去次要特征。分析的可靠性和实用价值,主要取决于在确立模型时对研究对象的认识以及对客观存在的各种控制条件和参数的正确反映程度。

建立分析模型需要进行抽象。这种抽象必须反映最重要的特征,而最重要的特征与问题的性质和所关注的目标有关,因而确立模型并无统一的标准;就具体问题而言,分析模型也不是惟一的。

模型的不确定性由此而来。在岩体工程问题中,具体到分析模型的种类,主要包括岩体的地质模型、岩体变形破坏机制、岩体力学介质类型、岩体材料的本构模型,以及岩体的力学计算模型。以下我们列出岩体的力学分析模型,可以看出,其中的每一个模型都包含着不确定性,而目前关于这一问题的可靠性研究几乎还是空白。

岩体的地质模型是根据岩体的地质特征和工程地质问题进行科学抽象得到的模型。对岩体的地质信息进行抽象,建立岩体的地质模型,这是岩体力学工作的第一步,也是岩体力学分析成败的关键之一。建立岩体的地质模型需要考虑的地质信息主要涉及岩体的形成、物质组成、岩体结构以及地应力、地下水和地温等岩体状态因素。在岩体地质模型中,最重要的是岩体结构模型。

岩体的变形破坏机制是根据地质模型和工程作用加以判断的。预测可能出现的岩体变形及破坏的形式和机制是很关键的问题。若不能正确判断岩体的变形破坏形式和机制,就无法正确确定岩体的力学介质类型,也不能进行合理的岩体力学试验,更不能选取合适的岩体力学分析方法。岩体的变形破坏形式和机制主要受岩体结构及应力状况控制,通常情况下很难准确地加以确定。

岩体力学介质类型的划分是整个岩体力学研究的中心和基础。对于具体的岩体力学问题,介质类型的选择或判断是整个岩体力学研究工作成败的关键。如果岩体力学介质不搞清楚,那么就很难有把握对岩体做出正确的力学分析。

岩体材料的本构模型即岩体材料的应力应变关系和强度理论等。没有变形的本构模型,应力变形分析就无法进行;没有破坏的本构关系就无法根据计算结果判断材料是否发生破坏。本构模型的建立需要以变形和破坏机制为基础,而实际材料的力学机制是复杂的、不清楚的。

岩体力学计算必然要基于一定的计算公式。这种设计公式中除了参数或变量的概率分布特征以外,还有很多未能考虑的不确定性。例如,岩体破坏的机制和模式。计算模型必定会因机制未明和简化处理而带来不确定性。对计算模型的合理评价,要求我们研究其本身的不确定性。岩体的力学计算模型是根据岩体的地质模型、变形破坏机制、力学介质模型,再加上工程作用而建立起来的,是岩体力学计算的简图。岩体力学模型是多种多样的,它必须与具体的岩体工程相结合才能确定,也就是说同一种介质可能出现多种力学模型,如板裂介质岩体可能具有倾倒、溃屈或弯折等力学模型。实际岩体破坏的模式具有多种可能性,事前我们不能肯定地做出判断。

人们采用的分析模型,就其实用性和复杂程度来说,是以人们的认识水平和分析能力直接相关的。岩体工程设计发展的趋势是越来越多地考虑实际结构的特点和性能,这必然要求岩体力学分析将使用越来越复杂的模型,且引入模型的变异性因素。

14.2.4 岩体参数的不确定性

岩体参数包括岩体地质参数和岩体材料性质参数。这些参数依时空而有显著变化,即具有空间变异性和时间变异性。当我们不考虑随时间变化的因素时,岩体的地质条件和特性参数都是确定性的量,但我们无法确切地得到这些参数的真值。

岩体参数不确定性的来源主要有两个方面:一是岩体介质不均匀而带来的固有变异性,二是系统不确定性。从理论上讲,岩体介质特性是空间坐标和时间坐标的函数,在岩体结构行为的分析计算中,若能够考虑这种精确关系则是最理想的。但实际当中很难办到,而且对工程而言也没有必要这样做。因此,需要用统计的方法来处理这种空间变异性和离散性。系统不确定性主要包括由试验偏差和随机量测误差构成的试验不确定性,以及因试样数量不充分而引起的统计不确定性。一般来说,试验不确定性会随着试验设备的改进和试验技术的提高而减小;统计不确定性则随着统计方法的改善和试样数量的增加而减小;空间变异性则是岩体固有的,我们只能尽可能准确地描述它,而不能实质性地减小它。

14.2.5 荷载的不确定性

结构在施工和使用期间,要受到其自身的和外加的各种因素的作用并因而产生各种效应。“作用”的含义比“荷载”这一名词更为广泛、更为合理。“效应”是指施加在结构上的各种作用使结构所产生的内力、变形、破坏等。

未来可能发生的自然现象如地震、降雨、风压力等都是概率现象,这些因素在岩体工程设计时需要加以考虑,但是我们不能确知。另外,工程中遇到的其他荷载或作用也往往是不确定性的。因为作用因素的不确定性同岩体参数的不确定性一样,对分析结果将产生重要的影响,所以大量的调查统计研究便是必不可少的。

14.2.6 决策中的不确定性

在若干个比较方案中,必须以某种方法选出实际要实施的方案。最佳方案的确定是一个决策问题。从力学观点看,每个设计方案均有自身的破坏概率或可靠指标;而从经济观点看,每个方案又需要不同的经费。目前在做决策时,一般采用以费用表示的损失函数作为评价标准,它主要与破坏概率有关。即使如此,由于决策者思维方式和价值观念的不同,可能选用全然不同的方案。他们可能根据比较充分的科学事实做出决策,而有时所做出的选择只凭决策者自己的经验和直观感觉。

14.3 岩体工程不确定性的对策

岩体工程的勘测、设计和施工都具有研究的性质,因为在工程的各个阶段都存在着不确定性因素。如何对这些因素进行处理是关系到工程安全与经济的重大理论问题和实际问题。传统的处理方式,或者是纯经验性的,或者是把它们简化成确定性的量引入分析当中。近些年来发展起来的可靠性设计方法则是采用概率论和数理统计来处理不确定性。

14.3.1 工程类比法

岩体工程经历过完全依靠经验设计的阶段,而且直到现在,经验仍然占有重要地位。在岩体工程问题中,有很多因素是不确定的,因此很难进行准确的分析,有时只能凭经验做出决策。但是,这并不能贬低岩体工程科学经验的实用价值。事实上,绝对精确的知识是没有的,我们只能得到概然性的、近似的知识。而这种知识对于人类用处很大。哲学家洛克曾举例说,一个水手没有必要确切地知道海底有多深,而只要以他的测线为标准,就能指导他避免触礁沉没。

14.3.2 安全系数法

最常用的传统定值设计方法采用安全系数作为安全评价尺度,它是用安全系数考虑问题中众多不确定性因素的方法。与安全系数法相应的力学分析是确定性的,这种解法就是在求解问题时不考虑问题中所有状态变量和参数的随机性、模糊性和未知性,而是将它们统统看成确定的量。显然,对于具体问题,只要分析模型是确定性的,输入是确定性的,那么输出变量即岩体的力学反应必定也是确定性的。

在岩体工程设计中,安全系数是一个非常重要的概念,而且采用多大的安全系数往往成为问题的关键。这种方法长期应用已经使我们积累了相当丰富的资料和经验。可是,采用这种设计法,实质上是用确定性模型处理不确定性的问题,这就在理论上存在着不完备性。安全系数并不是定量表示安全性的尺度。如果对安全系数的定义、强度参数取值的方法以及计算方法等没有严格的规定,那么安全系数就不具有确切的含义。这样,相同的安全系数并不意味着相同的安全储备,反之亦然。例如,就两种不同的设计方法而言,安全系数相同,其安全程度并不相同;甚至安全系数较大者,安全程度反而较低。在不同类型的工程中,设计安全系数的安全度更无法比较。例如, 地基设计中安全系数一般采用2~3, 但是这并不是说地基有 2～3 倍的安全度,只是就现行的设计计算方法来说,经验表明采用这一安全系数是合适的。同样地,当采用已经发展的极限平衡分析确定边坡的安全系数时,1.2～1.3 的安全系数是合适的。在这里,特别地不能进行横向比较,说地基设计的安全度比边坡设计的安全度要高出 2 倍多,我们只能说两者的安全度从实际上是可接受的。不能定量地表示结构的安全度是安全系数法的最大缺点(松尾,1990)。

当前工程规模越来越大,安全系数的作用就越来越重要。这是因为它不仅关系到工程的安全以及由此引起的社会政治效益,而且安全系数稍有差别将对工程费用产生巨大的影响。早期设计安全系数的选择纯粹是经验性的,大多是先武断地估计一个安全系数,然后再逐渐逼近实际情况。具体采用多大的安全系数,主要与分析方法的完善程度和工程的重要性或破坏后的严重性有关。在工程设计的历史发展过程中,安全系数起初用得很大。随着研究工作的深入以及力学计算方法的发展才逐渐降低。另外,不同的分析方法要求采用不同的安全系数。例如,一种能够考虑较多因素的分析设计方法可能采用较小的安全系数,而采用某种非常简化的分析设计法时,则要达到同前种设计具有大致相同的安全度就可能要求较高的设计安全系数。岩体工程结构系统与结构工程相比,具有更多、更大的不确定性。因此,习惯采用比结构工程大得多的安全系数来对付可能发生的偏差。

14.3.3　**科学决策方法**

在决策问题中,经验性的、保守的、感性直观的因素是目前工程设计中普遍存在的一种现象,它可表现为过分保守地确定岩体参数、较多地估算工程所需要的费用、较少地估算工程带来的经济效益、较短地估计工程寿命、较多地考虑危险因素等。当我们对有关的不确定性了解很少时,这样考虑问题是合理的。但是,这种方法目前已不适应大型工程建设的需要,必须引入科学的决策方法。

当然,在有些工程中,人们已经这样考虑问题了,比如用费用评价函数进行最佳方案的决策。但是,评价的标准是很复杂的问题,它不仅与技术有关,而且还与人们的价值观念有直接的关系。更广泛地说,评价标准与社会的发展水平和国家的经济技术政策以及未来的发展趋势和战略有密切的关系。

现代大型工程决策失误会造成非常严重的后果。笔者认为,这是需要详细研究的一个重大问题,特别是关于评价项目与评价标准的研究。这项研究需要考虑价值观、国家建筑经济技术政策、发展战略与工程建设的关系等。

14.3.4 可靠性设计法

安全系数法虽然简单,但安全系数并不是对安全度的确切度量。肖树芳等(1992)指出:“岩体工程中的不确定性,使人们对采用传统的取定值方法研究岩体工程安全问题,即用安全系数表示安全程度产生了疑问。安全系数是岩体的许多参数的函数,既然这些参数具有不确定性,那么把安全系数作为确定值来判断工程安全程度显然是不够合理的。”在这种认识下,人们自然要追求实际工程安全性的定量表达,为此人们已经将可靠度的概念引进了工程设计领域,期望用可靠度指标或失效概率这个基本尺度进行工程设计并比较各种建筑物的安全性。

可靠性分析与设计方法的本质就是力图定量地考虑岩体工程中各种不确定性因素,而且有统一的度量结构安全度的标准。显然,用概率论的观点来研究结构体系的可靠性,可避免“绝对化”,只要失效概率很小,小到公众可以接受的程度,就可以认为结构设计是可靠的。因此,可靠性设计使结构的安全度具有明确的概念。

我们对建筑材料的统计性质和结构系统的可靠度计算已有相当的知识,并已经引入了概率极限状态设计原则。而岩体的不均质性、时间变异性是异常突出的事实,而且通常情况下我们无法彻底搞清它们。因此,岩体工程可靠性研究困难重重。为了进行可靠性设计,我们必须研究并获得岩体参数和荷载等变量的统计特征,计算岩体结构体系的失效概率或可靠性指标,并确定各种结构的目标可靠度或允许的失效概率。这些任务都是十分艰难的。

必须指出,可靠性设计同安全系数法一样,只是处理不确定性问题的一种方法,并不是在所有情况下都是最佳的。在目前的研究水平上,哪些工程问题不适宜采用这种方法,哪些工程问题可以采用这种方法,我们必须有清醒的认识。此外,如包承纲所说,可靠度方法和采用安全系数的定值方法并不相互排斥,而是互为补充。可靠度分析的重要基础仍是资料和经验判断,因此必须借助定值法所积累的资料和经验,而且定值法中常用的许多计算模型也是概率极限状态方程的依据。

14.3.5 动态设计与施工

动态设计与施工方法使岩体工程系统具有弹性,即使得整个系统具有可改变的余地。这显然是一种信息化设计与施工方法,越来越受到岩体工程界的欢迎。由于在施工之前的初步设计阶段存在各种不确定性,可能在施工过程中发生当初没有预料到的事态,例如揭露出未勘察到的断层、岩体分级与原来有出入、岩体将要发生破坏等。遇到这种情况必须修改原来的设计与施工方案。这种方法分为先期设计和动态设计两个阶段。岩体开挖工作根据先期设计中得到的最优解来进行;在施工过程中进行现场观测以便估计施工现场的安全性并用来判断是否要修改先期设计。这样的设计必然要求具有弹性或灵活可变性。人们预测,动态设计法与可靠性方法结合具有很好的前景,实际上,动态设计与施工本身就是根据不断获得的信息来消除设计与施工方面的不确定性。

为了实现信息化设计与施工的思想,必须设法搜集各种相关信息,特别是需要在现场进行变形观测。

14.3.6 多种方法的综合运用

岩体变形和稳定性计算还很难满足设计要求。因此,岩体工程设计与施工仍然停留在经验或半经验阶段。岩体工程中存在各种各样的不确定性因素,要想用惟一的方法处理所有问题是不可能的。这就需要研究处理不同种类不确定性的最佳方法,以及解决具体工程的最佳方法组合。这只能在工程实践中逐渐摸索,总结经验。

实际上,无论采取哪种设计方法,都要求我们分析各种不确定性对整个系统的影响程度,并采取一定的处理方法加以考虑。那么,什么是最有效最适当的处理方法呢?我们赞同松尾(1990)的看法:要想用惟一的方法处理各种各样的不确定性是不可能的。“只能是分析各种不确定性对整个系统的影响程度,采用最有效最适当的处理方法,从整体来看,使其具有相容性,此外别无办法。”

第 15 章　岩体工程类比设计法

15.1　前言

到目前为止,岩体力学计算结果常与实际情况有较大出入,难以用作可靠的设计依据。因此,在很多情况下现场工程师仍不得不采用类比法进行岩体工程设计。我们知道,很多概念的形成和创造性的设计都是通过类比来完成的。在智能科学领域,类比被认为是人类认知能力的基础;在工程领域,类比更是常见的思维方式,是工程师智能的表现。事实上,无论是在日常思维中还是在科学思维中,人们都非常广泛地把类比推理作为认知的工具。

我们这里要探讨的问题是:如何将一个岩体工程中成功的经验和方法应用于另一个岩体工程之中?类比方法在岩体工程问题的分析中至关重要,这是因为岩体工程问题都是定义不明确的问题,这种问题的解决可以而且通常必须利用大量的过去经验。人们早就发现,岩体工程问题的复杂性使得理论分析成果的应用受到很大的限制,在多数情况下经验仍然起着关键作用。

虽然有经验的工程师深知岩体工程类比法的重要性,但是人们还没有触及类比思维的根本方面,也很少有人对类比推理的理论感兴趣。另外,不同岩体工程之间的比较研究也未引起人们足够的注意。本章的目的是运用类比的基本原理探讨岩体工程问题的类比方法。

15.2　类比推理

逻辑学对类比推理的意义估计不足,通常只进行肤浅的描述。

关于类比推理的理论观点主要是来自心理学方面的研究成果(王亚同,1999)。实际上,类比推理是一种比较复杂的技能,基本上可以被看成是一种特殊的归纳推理。如果两个类比对象的某些方面具有相似性,那么根据某对象的一个已知特性便可以推出另一对象也具有与此相似的特性,这就是类比推理,我们可以形式化地将其表述如下:

$$\begin{array}{cccccc} A & a & b & c & d & e \\ B & a & b & c & d & x \end{array}$$

$$x = e$$

$$\begin{array}{cccccc} B & a & b & c & d & e \end{array}$$

类比过程促进理解,突出了共同特征和差异性。我们可以将类比问题的解决过程分为课题表征、检索过程、映射过程和归纳过程,也可以将其划分为目标定向、加工类比物、发现相似性、解答方法的迁移、图式的归纳。

15.2.1 类比物与类比项目

我们将用于类比的熟悉对象称为基础课题或基础范围,不熟悉的对象称为目标课题或目标范围。

世界上的任何事物都处在普遍联系之中。将我们感兴趣的部分隔离出来作为研究对象,就成了所谓系统,而系统以外的部分成了该系统的环境。任何系统总是由若干个要素或子系统组成的。所谓要素或子系统就是系统中与其周围部分有相对明显的边界,具有较完整的结构与功能的部分。系统间存在一个相似要素,便在系统间构成一个相似单元,简称相似元。任何系统都是有层次的,相似元显然相对于特定层次而言。两个要类比的系统可能具有不同数目的要素,但主要的要素应该对应并选做相似类比要素。对系统行为影响不大的次要要素,在类比时不加以考虑。

两系统相似是指对应的特征相似,系统的特征包括要素和要素间的关系。简单地说,类比就是两个对象的相应成分或关系进行匹配。我们不可能也没有必要在所有方面进行比较分析。因此,类比的核心问题就是选择哪些方面进行类比映射。当然,人们会很自然地想到选择那些对问题具有实质性影响的"重要方面",但重要方面的确定并没有统一的标准。

一般地说,每个类比物的结构都可以分为基本特征、解答计划和执行结果三部分。基本特征的相互映射是类比迁移的基础,对正确辨认类比物起着重要作用。如果仅仅知道基础范围的结论而缺乏其基本特征方面的信息,那么就很难进行成功的类比,因为这种情况下类比物的选择难度很大。

15.2.2 相似性与相似度

根据相似系统理论的观点,任何事物都具有一定的特性(包括特征和属性)。当两个事物存在共有特性而刻画其特征值可能有差别时,则称两事物共有的特性为相似特性。当两事物存在相似特性时,便说该两事物存在相似性(周美立,1998)。

相似性认识是在具体考察事物客观特性时取得的。对于研究者来说,重要的是善于从复杂性和差异性中找出简单性和相似性的方面。此外,应该从系统的角度来研究相似,而不应仅从个别方面研究相似性。两事物的类似程度也没有惟一的答案,而且可以是关系相似、结构相似、功能相似、属性相似等。两个事物最相关的信息可能是抽象的,因此重要的类比可以在很抽象的水平上进行。

相似并不是差异的对立面,而只是一种将次要的差异加以忽视,将主要的相似予以强调的概括。两事物的相似性随着它们的共同性而增加,随着它们的差异性而减少。显然,两个事物相似性程度越低,类比方法的效果就越差。

我们认识相似性不能仅靠宏观分析和语言描述,应当努力运用数学方法做到定量计算,即通过认识系统中组成要素的数量及其特性的特征值,在定性分析和定量计算相结合的基础上,进行相似性的数值度量。系统相似度的值由相似要素相似程度确定。在相似系统理论中,基于特征值可度量相似程度的大小,并用相似度 Q 来表示。显然, $Q=[0,1]$,相同和相异是相似的两个极端。当然,岩体工程设计中常用的类比法并没有实现对系统相似程度的度量。

相似性判断涉及到多方面的比较,如何对它们加以整合以形成相似性判断?相似性判断还包括类比者的直觉,如何使相似性判断具有客观性和稳定性?相似性的可塑性太强,甚至让人觉得证据不足而不能成为认知的基础。有时只有指出在哪些方面类似,说两事物类似才有意义。也就是说,谈论两事物的类似性必须有参照系。此外,相似性评定还依赖于理论和其他高层次的因素。

15.2.3 相似与序结构

任何系统都有自己的结构,并表现为特定的发展演化过程。系统的组成部分和演化过程中的时间都是系统要素,并构成系统的序结构。系统序结构除了反映出系统内部组成要素的空间排列组合规律外,还反映出运动过程中时间序列要素之间功能发挥秩序,以及有机联系方式和相互作用的顺序。系统的序结构包括空间序结构、时间序结构和功能序结构。空间序结构指系统中组成要素的空间排列组合及相互联系的方式。时间序结构表示系统中要素的运动时间序列形式。功能序结构指系统要素在相互联系、相互作用过程中表现出来的一定功能。

系统的序结构决定着系统的整体特性。因此,系统序结构的相似程度越大,系统的相似性就越大。这就是所谓的序结构原理。现代系统学理论强调结构与功能的统一、结构有序与功能有序的统一。这里的结构已经超出了物质实体结构的概念,实际是指时空序结构。系统的时空同序可能导致系统功能序结构的相似。

时间序结构同空间序结构既有独立性,又存在相互联系,时空是不可分割的。例如,树木年轮的空间序结构是在时间有序性上形成的。在天体系统中,可以看到天体空间分布的有序性,天体运动时间的有序性,而且空间分布规律同运动时间规律相关联。

15.2.4 课题的表征

课题的表征包括基础课题和目标课题的表征。问题的要点处于表征的高级水平,高质量的表征要求对课题的深刻理解。目标课题的表征就是定义问题,而基础课题的表征则不仅涉及到问题的定义,还包括问题的解答计划和执行结果。特别地,为了顺利地实现解答方法的迁移,必须对类比物解答方法进行概括形成抽象水平的概括表征。

任何问题只有在明确地确定之后才能成为真正的问题。只有在深入理解问题的基础上,才能获得高水平的问题要点,特别是问题的主要目标,进而形成问题的正确表征。课题如果得不到正确的表征,类比物的检索就是盲目的。如果目标问题表征太差,结构特征与表层特征不能区分开来,那么不确定性便进入了检索过程。

复杂情境的类比关系潜在而不明确,类比者必须理解问题才能自发地引起注意。必须深刻理解目标问题和基础问题,否则就不能区分表层特征和结构特征。若不理解问题,不知道什么是结构特征,那么就可能明显地检索表层类似的类比物。

类比的系统性要求表征的系统性。我们可以在许多不同的水平上对基础课题和目标课题进行表征。关键是深刻理解问题的实质,明确问题的主要目标。问题的要点处于表征的高级水平。掌握了要点就表明在形成问题表征的过程中确立了目标定向。正确的目标定向对类比物的选择和解答方法的迁移都具有实质性的影响。

15.2.5 类比检索与映射

通常情况下,类比进行的速度都很快。但是,只有在目标问题和基础类比物之间识别了某些共有的语义成分,才能激活类比物的检索。类比物的错误选择必然导致问题的错误解答,因此类比物的检索在类比推理中占有重要地位。

直到现在人们仍不知道用于类比的信息如何从长时记忆中检索。面对目标问题,人们是如何回忆起熟悉的类似经验的?换句话说,如何检索基础类比物?

类比映射是类比思维的主要过程,简单地说,就是匹配两个课题的方方面面。检索已知的基础课题,一旦发现合适的类比物就开始进行映射过程。开始时在两个类比物基本特征的某些成分之间进行部分映射,然后通过进一步的映射生成目标问题的类似解答。解答生成的过程就是映射过程。此外,类比效度的检查也是在映射过程中,而不是在映射过程之后。

结构映射理论的主要观点是:类比就是知识从基础课题到目标课题的映射,这种映射转换了一个系统的关系。也就是说,基础范围事物具有的关系系统也存在于目标范围内。类比时人们试图将基础范围的事物与目标范围的事物一一对应地放置以获得最大程度的结构匹配。

15.2.6 图式的归纳

在类比问题的解决中,类比者已知若干个类比问题及其解答,并且注意到类比物和目标问题的对应关系,通过迁移这种关系就可以获得目标问题的解答。

如果类比成功地解决了问题,那么反映类比物之间抽象相关对应性的图式就是实质性的问题图式。图式的归纳过程包括发现某种抽象的描述,这种描述可以在两个类比物的基本特征、解答计划和执行结果之间表现共同的东西。形成图式的重要步骤就是“消除性归纳”,即消除类比物之间的差异而保留其共同的东西。专家和新手的重大差异就是专家贮存了大量的课题图式。

15.2.7 类比推理的效度

类比推理是从已知到未知的推理,并且具有或然性或不确定性。就实质而言,进行类比推理意味着我们期望两个类似的事物有某些未知的共性。类比物之间的重要差异显然影响类比的效度,必须给予高度重视。

15.3　传统工程类比设计法

专家的类比是在广泛的认知背景中进行的。专家和新手的差异主要在于各自贮存问题图式的量差与质差。最突出的区别是:专家通常以关系类似性、规律和内在机制作为类比判断的根据,而新手则可能只根据物体类似性或表层类似性,即显著的视觉特征。

15.3.1 岩体工程相似性

岩体工程类比要求系统相似,仅仅某个特征相似并不能保证类比的可靠性。岩体工程涉及到很多方面的因素,通常属于复杂巨系统。在两个岩体工程系统之间,可能存在的相似性包括工程结构上的相似、结构物属性上的相似、结构物功能上的相似、结构物行为上的相似、结构物受力状态上的相似、施工管理方式上的相似、处理特定问题方式的相似、工程技术人员水平的相似、施工队伍和条件的相似等。实际中很有可能出现这样的问题:其他方面完全相似的问题,可能只是因为施工水平跟不上,而使工程设计方案遭受失败。整体地说,岩体工程系统之间的相似程度是比较低的,但具体到某些方面,相似性程度可能较高。

无论遇到什么样的问题,现场工程师最终必须做出决策。这就要求他能够正确地评价他所获得的信息,并毫不犹豫地做出他认为正确的决定。尽管学者和工程师们始终认识到从来不存在两个绝对相同的岩体,但当忽略它们之间的区别并不对解决问题构成严重影响时,他们就会使用类比的方法。类比法建立在系统相似认识的基础之上。我们所说的相似总是相对的,而且从不相似到相似是一个连续的渐变过程。

进行系统相似性分析,首先需要识别系统要素,并确定必须考虑的要素的数量。这里要素的概念是广义的,即包括系统组成元素、特征、特性、作用因素等。我们知道,岩体工程系统的要素很多,但针对具体的问题,相当一部分是可以忽略不计的。在进行要素分析时,要注意层次性和对应性。也就是说,必须在同一层次上进行对应分析,不能层次交叉。

15.3.2 传统工程类比法

类比设计法在岩体工程中的应用非常普遍,尤其在隧道工程中最为典型。国内外隧道工程设计主要应用经验方法,我国多数隧道工程甚至完全依赖工程类比法,处于定性设计水平。之所以如此,是因为隧道工程师通常只能在基本信息极其匮乏的条件下做出设计与施工决策,专家的经验知识不得不起着主导作用。下面的说明仅以隧道工程设计为例。

影响围岩稳定的因素繁多,关系复杂。要想找出统一的适用各种情况的预报模型和方法是不可能的。比较合理的办法是将问题分类,建立各类围岩的经验模型和求解方法。围岩分级是根据影响岩体稳定性的主要地质特征和岩体的物理力学特性,将工程岩体分成稳定程度不同的若干级别,作为评价岩体稳定的基本依据。

在现行的隧道工程类比法设计中,一般是通过围岩分级概括与传授工程经验,预测围岩稳定性,选择支护类型和参数。有丰富实践经验的专家所做的工程类比,一般能提供比较接近实际的经验判断。围岩分级在经验法支护设计中行之有效的原因在于:在围岩分级的过程中已经综合了影响围岩稳定性的四个主要工程地质因素(岩体结构、岩石强度、地下水、地应力)在总体上的作用,并结合一定的工程结构条件(洞室跨度、埋深),从而一般比较合理地判别围岩的整体稳定性及相应的支护措施(邢念信等,1986)。

但是,这种传统的工程类比法也不是没有问题。例如,专家数量通常很少,不可能普遍地实施咨询和指导;专家经验也是有限的,当遇到以往工程中未遇到的问题时,就可能判断失误;专家的判断也会受到偶然因素的影响;经验方法做出的预测是定性的,一般偏于保守。但是,用于软弱围岩时又往往不能保障工程安全。

解决问题的一种途径是建立专家系统。近些年来,已经陆续有一些与围岩稳定性预测有关的专家系统问世。所谓专家系统就是利用某个专门问题的专家知识建立人机系统来进行问题求解。但是,目前专家系统研制和开发的很多,而达到实用程度的少。另外,还存在着输入数据量大、运行效率低等问题。从定性到定量的综合集成法是比较可行的途径(李世辉等,1997)。

15.4　岩体的工程分级

对工程岩体的稳定性进行详细的力学分析,要求事先进行相当详尽的地质勘察和力学研究。当地质条件较为复杂时,前期工作往往拉得很长,因此一般只为大型或重要的工程所采用。针对不同岩体工程的特点,根据影响岩体稳定性的各种因素,将工程岩体划分成稳定程度不同的若干级别,以此为标尺来评价具体工程岩体的稳定性,这是岩体稳定性评价的一种简易快速的方法。

现阶段的岩体工程特别是隧道工程,其设计通常是在岩体分类或分级的基础上采用类比法进行的。例如,在隧道工程设计中,一般通过围岩分级来概括与传授工程经验,预测围岩的稳定性并选择支护类型和参数。因此,符合实际的岩体分级就成为类比设计的基础。实际上,任何学科的发展都有赖于正确的分类或分级,而且分类或分级的成熟程度往往是学科发达程度的重要标志,这是因为科学的分类是实质性研究取得突破的结果。

岩体工程中所遇到的岩体极为复杂多样,其工程力学性能相差悬殊。例如,质量高、稳定性好的岩体,不需要或只需要很少的加固支护措施,并且施工安全、简便;质量差、稳定性不好的岩体,需要复杂、昂贵的加固支护等处理措施,常常在施工中带来预想不到的复杂情况。显然,需要根据岩体工程力学性能的好坏,建立适当的分类或分级方案,作为评价岩体稳定性或作为建筑材料适用性的经验方法。

岩体的工程分类分级方案不可能是固定不变的,人们自然期望随着经验的积累,方案将逐渐得到改善。此外,工程类型不同,岩体的环境条件、荷载条件、施工条件、工作条件等极不相同,因此统一分级方案只能是粗略的、基本的,针对性强的分级体系是必要的。

15.4.1 分级的目的与原则

分类一词通常用来划分有“质”的区别的事物,分级主要是用于对“质”相同而“量”有差异的事物进行“量”的划分。可以说分级是一种有序的分类,是在分类的基础上进行的。但在岩土工程领域内,分类与分级的概念往往是混用的。

进行岩体的工程分级,有利于学者和工程技术人员之间的交流,并帮助人们根据岩体级别预测岩体的工程性状。经过分级之后,可以比较各种岩体的好坏,使设计人员有一个共同的质量标准。岩体力学分析很难达到像建筑结构分析那样的精度,所以岩体力学分析成果的应用是有限的。也正因此,很多情况下,只要能对岩体进行合理的评价就够了,而用岩体分级的方法就能满意地获得这样的评价。

岩体的工程分级有通用和专用之分。所谓通用就是适用于各类工程的统一分级,专用分级则只适用于某类工程。显然,岩体的通用工程分级只能是原则性的、较少针对性的。实际中,专用分级可更清楚、更紧密地反映岩体的特殊工程性质,因而便于应用。

岩体工程类型的不同,相应岩体分级的目的不同,所选择的分级关键指标就不同,从而也就有不同的分级方案。例如,对于开挖工程来说,无论岩石材料或岩体的特性都是重要的,前者影响着可钻性和耐久性,后者主要是影响稳定性,同时也影响开挖的顺利进行。对于地基来说,尤其是对于水工建筑物,主要影响因素是岩体的变形特性、稳定性和渗透性，而这些因素主要取决于岩体中的不连续面。

因此，岩体的工程分级首先应确定目的和应用的对象。例如是为了可钻性，还是为了稳定性；是应用于地基工程、地下工程，还是针对边坡工程。然后确定分级的主要指标或参数。在此必须注意，指标一方面要能基本反映岩体的主要工程性质，同时还要力求确定指标简单方便。最后要求所建立的分级体系逻辑完备、纲目分明。

15.4.2 岩体的工程分级体系

为地下工程服务的岩体分级最早出现，其次是为了坝基和边坡稳定而进行的分级。早在 20 世纪 50 年代初，日本学者就在岩体性质分级中引进了弹性波速及龟裂系数的概念。20 世纪 60 年代初由伊利诺斯大学提出并发展的岩石质量指标 *RQD* 引起了广泛的关注。到了 20 世纪 70 年代中期，挪威学者提出了围岩质量 Q 分级法。20 世纪 60 年代以来在岩体工程分级中采用了基本能反映岩体特性的综合特征值，从而把这项工作推进到较为合理的定量分级阶段。

进入 20 世纪 70 年代以后，在岩体工程分级方面有两个显著的进步，即都十分重视岩体质量的确定。一个鲜明的特点是利用各种测试技术和手段，去获得能够反映岩体工程特性的“综合特征值”，并用它作为工程分级的依据。在划分岩体工程级别时，有的分级还考虑了岩体的稳定时间、施工条件和与之相适应的加固措施等，使分级的目的更加明确，更能反映岩体的质量。另外，在岩体分级中，都非常重视岩体的完整性，节理裂隙是根本因素。以下是几种重要的分级体系。

(1)Barton 岩体质量指标：N. Barton 等人(1974)的分级是专门为评价隧道开挖与支护的需要而制定的围岩分级。该分级采用“岩体质量指标”Q 作为分级依据，按 Q 值将隧道围岩划分为 9 个

级别。其中的 Q 值是通过对 200 个地下工程实例的详细研究而综合得出的,表达式为:

$$Q = \frac{RQD}{J_n} \frac{J_r}{J_a} \frac{J_w}{SRF} \tag{15-1}$$

式中的六个因素分别为岩石质量指标(RQD)、节理组系数(J_n)、节理粗糙度系数(J_r)、节理变异系数(J_a)、节理水折减因素(J_w)、应力折减因素(SRF)。这六个参数组合反映了决定围岩性质的三个重要方面,即 RQD/J_n 表示岩体的完整程度;J_r/J_a 表示裂隙面的形态、充填特征与变异程度,即反映岩体内在抗剪强度;J_w/SRF 表示由于水及其他应力存在对岩体质量的影响程度。

(2)Bieniawski 岩体工程分级:Z. T. Bieniawski(1976)的分级称为地质力学岩体分级,他用岩体的"综合特征值"对岩体划分质量等级。岩体评分(RMR)包括五个方面:完整岩石的强度、RQD、节理间距、节理状态和地下水状况。每项评分的最高值是不同的,是按对岩体工程质量影响程度大小所赋予的。RMR 值的确定分两步进行:第一步,对某一特定岩体,按各项内容逐一鉴定,并对各单项因素评定分数,然后再把五项因素的分数累计起来,就得到 RMR 的初值。第二步,根据节理、裂隙的产状并考虑施工因素修正 RMR,经过修正的 RMR 值就是岩体工程分级的依据。

RMR 是一种较为通用的分级方案,已成功地应用于隧道所需支护的预测。Bieniawski 曾经指出,Barton 的 Q 值和他的 RMR 两者与现场变形模量之间均显示出相当好的相关性。Bieniawski 在评价岩体质量时,十分重视岩体中结构面的因素,他对节理的状态赋分数最多,其次是 RQD 和节理间距。此外,他还根据节理的产状与隧道轴线的关系,进一步加大节理的分数,这是本方法的一个特点。由于充分地重视岩体结构因素的作用,才使得岩体的质量评价比较符合工程实际情况。但是在地应力比较高的地区,最大主应力作用在节理表面上的角度对围岩稳定性的影响程度,往往比节理数量更重要,这时应力控制着岩体的变形与破坏(如围岩的塑性挤入,岩爆等),而 Bieniawski 在进行岩体评分时却未予以考虑,这就使 RMR 分级法的适用范围受到一定的限制。

(3)边坡岩体分级方案:Q 分级体系、RMR 分级体系主要适用于地下开挖工程。Romana 在 RMR 体系的基础上,提出了边坡稳定性评价的 SMR 分级体系。孙东亚等(1997)发现 SMR 体系存在一个重要的缺陷,即没有考虑坡高和控制结构面的性状对稳定性的影响,因此对其进行了修正。

(4)谷德振的岩体质量指标:反映岩体质量的第一个指标是岩体的完整性系数 I:岩石和岩体的最不同之处是岩体的完整性问题。岩体的完整性就是指岩体开裂或破碎的程度,问题是如何表达完整性。人们提出的表达岩体完整性的指标有裂隙密度和频率、RQD、纵波速度、波速比等。日本人认为只用纵波速就可代表岩体的完整性。谷德振等用岩体纵波速度 V_m 与岩石纵波速度 V_r 的平方比表示岩体的完整性系数 I

$$I = \frac{V_m^2}{V_r^2} \tag{15-2}$$

第二个指标是结构面摩擦系数 f:谷德振等强调结构面对岩体稳定性的重要性,所以用 f 作为岩体的分类指标之一。f 与结构面的连续性、平整起伏程度、光滑粗糙度、张开或闭合状态、充填胶结情况,以及结构面两侧岩性的差异性等直接相关。应当指出,岩体中存在各种各样的结构面,其 f 也各不相同。这里所指的是岩体中主要的或起控制作用的结构面,尤其是有利于滑移的优越方位的结构面。第三个指标是岩块的坚强性:岩块的坚强性用坚固系数 S 表示,其值为:

$$S = R_c/100 \tag{15-3}$$

式中 R_c——饱和单轴抗压强度。

谷德振等认为，上述三个内在因素的状况反映了岩体结构的基本特性，决定了岩体质量优劣的程度，其综合指标 Z 可用于表示岩体的质量，即：

$$Z = I \cdot f \cdot S \tag{15-4}$$

显然，岩体质量指标 Z 只考虑了岩体的内在因素，而没有考虑工程作用问题。另外，f 和 S 均为饱和状态下得到的值，故不需再考虑水的因素。

(5)工程岩体分级标准：D. H. Stapledon 等(1983)建议将下述这些岩体的特性作为国际性的标准分级内容，即岩石材料强度、岩层厚度、节理间距、节理强度或节理状态、地下水状态，并可能得到一套与土的统一分级法相当的语言。

我国于 1995 年 7 月 1 日开始施行的《工程岩体分级标准》是强制性的国家标准。它是统一的评价工程岩体稳定性的分级方法，适用于各类岩体工程。该分级方案采用定性与定量相结合的方法，并分两步进行，即先确定岩体基本质量，再结合具体工程的特点确定岩体级别。岩体基本质量由岩石坚硬程度和岩体完整程度两个因素决定，据此为工程岩体进行初步定级；然后针对各类工程岩体的特点，分别考虑其他影响因素，对已经给出的岩体质量进行修正，从而得到具体工程岩体的详细定级。

15.5 传统类比设计法的改进

显然，以纯粹经验或岩体分级为基础的传统类比设计法是定性的，已不能满足设计定量化和科学化的要求。因此，近年来学者们把从定性到定量的综合集成法应用到岩体工程之中(李世辉等，1997；冯夏庭，2000；王思敬等，2001)。这种方法可以使设计至少达到半定量的水平。这里仍以隧道工程设计为例加以说明。

为了提高设计施工水平，使工程达到既安全又经济，需要发展一种隧道围岩稳定性预测预报理论和应用软件系统，它在设计阶段即可以工程实用精度预报和评价围岩稳定性;在施工阶段可帮助隧道工程师迅速解决实际中遇到的未预料到的问题,从而达到快速施工的目的。单纯用理论计算、经验方法或现场变形量测都很难解决隧道围岩稳定性预测预报问题。李世辉等人(1997)应用开放的复杂巨系统方法论,即从定性到定量的综合集成法,提出了典型类比分析法,并开发了能普及应用于隧道工程的、具有围岩稳定技术咨询与位移反分析专家的知识型程序系统。分类类比和典型方法是他们处理问题的基本方法:针对绝大多数隧道工程不具备条件进行岩体力学参数原位测试的实际,充分利用我国现有个别重点隧道工程已有的原位测试资料,纳入围岩分类概念框架,作为代表性的典型工程资料,借以为大多数工程的围岩稳定分析预测提供所缺乏的必要的信息。同时,重视一般隧道工程量测资料,作为工程验证、局部修正的依据。

典型类比分析法是隧道工程中“线弹性分析加个人经验修正”传统方法的继承和发展。其继承和发展表现在:从圆形断面静水压力场高度简化条件下的解析法人工计算,发展到可考虑实际任意断面、埋深、侧压系数和支护配置的计算机数值分析;从个别专家按照个人经验的主观判断选定综合修正系数,发展到在综合应用围岩分类、现场量测和位移反分析等项实用技术和专家群体经验的基础上,用在典型工程原位测试资料基础上专家选定的建议设计值作反馈修正,选定综合修正系数。

典型类比分析法作为综合集成思想的一种应用,其优点之一就是提供了一个框架,能够汇集有关各方面专家群体的经验,共同参与围岩稳定分析预测的过程。进一步的改进可以考虑利用施工地质信息、地质预报信息、专家经验、理论分析和隧道工程师判断等更全面、更及时的信息,综合集成为围岩行为预测系统。

15.6　结论

传统类比设计法属于经验方法,涉及到经验的外推和类比,因此其局限性是显而易见的,特别是当我们面临全新的问题时,这种方法很难使我们信心十足地做出决策。从定性到定量的综合集成法的应用使得我们可以同时考虑专家经验、理论计算和现场信息,从而将类比设计提高到半定量甚至定量的水平。

第 16 章　岩体工程概率极限状态设计

16.1　前言

在岩体工程勘察、设计、施工、运营等各环节中都存在着显著的不确定性,工程师不得不在各种不确定性条件下进行设计与施工。在计算力学和试验技术已经取得相当成就的今天,岩体工程中的不确定性因素已在工程设计中占据了重要地位。很显然,要想进一步改进岩体工程分析与设计方法,必须对各种不确定性因素给予妥善的处理。在处理不确定性的各种方法中,可靠性分析被普遍地认为是最科学的方法。因此,岩体工程可靠性研究越来越受到人们的重视。

可靠性研究早在 20 世纪 30 年代便开始萌芽,当时主要是围绕飞机失事问题展开的。从 20 世纪 40 年代开始便被应用于结构设计中。目前,结构工程设计已经普遍引入了概率极限状态设计原则,采用以荷载分项系数、抗力分项系数描述的设计表达式。近些年来,在岩土工程中要求采用概率极限状态设计法的呼声也越来越高。但是,由于岩土本身的复杂性,岩土工程领域的可靠性研究远远滞后于建筑结构工程,技术贮备不足于适应可靠性设计的要求(高大钊,1996)。特别是岩体工程,可靠性研究仍局限于某些基本问题,还远没有达到实用阶段。

事实上,人们迫切要求岩土工程设计采用概率极限状态设计法,不仅仅是因为这种方法的先进性。在很多岩土工程中,岩土体与建筑结构相互作用并形成岩土—结构体系。这种结构体系中两部分设计原则的不同,必然造成安全控制标准不协调的局面。例如,在建筑工程上部结构的可靠度设计中,荷载采用的是设计值,即标准值乘以荷载分项系数(恒载分项系数为1.2,可变荷载分项系数为1.4)。这样,传到地基基础的荷载比按老规范设计时至少增大了20%,从而使基础设计偏于浪费(高大钊,1996)。因此,很多学者认为,岩体工程领域中的可靠性设计是势在必行的。

本章的目的是探讨概率极限状态设计方法的实质,分析岩体工程设计采用这种方法所存在的关键问题。

16.2 概率极限状态设计原则

20世纪50年代之前,建筑结构设计普遍应用容许应力法或总安全系数法,还没有应用概率设计的安全度概念。典型的设计步骤如下:设计者根据个别或相当多的材料试验资料,凭经验规定材料强度的约定值;凭经验规定各种结构可能出现的荷载值,并基于线弹性理论作结构分析;根据经验选定安全系数,从而可确定出容许应力;设计要求结构在使用期间其内任何一点的应力不得超过容许应力。在地基设计中引入安全系数确定容许承载力、在边坡设计中引入安全系数降低强度参数之类的做法,都是与结构设计中的容许应力法相似的。

显然,传统的容许应力法是定值设计法,而且用一个笼统的安全系数来考虑众多不确定性因素的影响,不加区别地对待材料强度、荷载作用等不确定性因素。事实上,对于不同的变量,我们所具有的知识或了解的程度不同,而且性质也可能不同,因此采用分项安全系数比较合理。后来的确有人采用三个安全系数分别考虑荷载、材料性能及工作条件等方面的不确定性因素的影响。虽然在某些变量或参数取值时也用数理统计方法找出其平均值,但未能考虑各参数的离散性对安全度的影响,也没有给出结构可靠度的定义和分析可靠度的方法。

可靠性分析基于概率论和数理统计,引入不确定性因素并采用结构的可靠度或失效概率取代传统分析中的安全系数来表示安全度。被广泛应用的概率极限状态设计法主要包括三项内容,即极限状态的确定、失效概率或可靠度指标的计算和决策研究。

16.2.1　极限状态的概念

在概率极限状态设计法中,必须弄清结构极限状态的含义,然后才能提出数学模型、定义状态函数和极限状态方程。对于结构的极限状态,我国《工程结构可靠度设计统一标准》给出定义如下:"整个结构或结构的一部分超过某一特定状态就不能满足设计规定的某一功能要求,此种特定状态应为该功能的极限状态。"极限状态设计的优点是比较清楚地区分承载能力极限状态和正常使用极限状态。

(1)承载能力极限状态:对应于结构达到最大承载能力或出现不适于继续承载的变形。例如,岩土体的一部分作为刚体发生倾覆或滑移、建筑结构或板状岩体被压屈、建筑结构因材料强度被超过而破坏、结构发生过度的塑性变形而不适于继续承载。这种极限状态出现的概率应当很低,因为它可能导致人身伤亡和大量财产损失。

(2)正常使用极限状态:对应于结构达到正常使用或耐久性能的某项规定限值。可理解为结构使用功能的破坏或损害,或结构质量的恶化,而结构不失稳并能继续承载。由于这种极限状态对生命的危害较小,故允许出现的概率较高。

(3)破坏-安全极限状态:对应于已出现局部破坏的结构的最大承载能力状态。一般说来,当因偶然事件而出现特大作用时,要求结构仍保持完整无缺是不现实的,只能要求结构不致因此而发生灾难性的破坏。目前计算这种极限状态还缺乏必要的统计资料和实践经验。

在工程设计领域内,首先使用极限状态概念的是 Coulomb(1773),其次是 Rankine(1857)。他们都是从事岩土工程的先驱,至于结构极限状态分析与设计则是后来的事情。

16.2.2 失效概率与可靠度

如果工程结构体系具有安全、适用和耐久这些性能，人们就认为它存在可靠性。一般将可靠性定义为在规定的条件下和规定的时间内，完成预定功能的能力。可靠性的数量化指标就是可靠度，定义为结构在规定的条件下和规定的时间内，具备预定功能的概率。相应地，结构失效或破坏的可能性就称为失效概率。在此，规定的条件是指正常设计、正常施工和正常使用，而设计、施工和使用中的人为过失则不在可靠度考虑的范围之内。规定的时间是指结构的设计基准期。可靠度与时间有密切的关系，没有时间概念就无所谓可靠度。规定时间的长短将随对象和使用目的的不同而不同。设计基准期只是计算结构失效概率的参考时间坐标，即在这个时间域内计算结果有效。结构的使用超过设计基准期后，并不意味着这结构会立即不能使用，而只是其失效概率将比预计值增大。因此，设计基准期虽与寿命有关，但却是不同的概念。我国《建筑结构设计统一标准》明确规定建筑结构的设计基准期为50年。

结构的功能在于以其抗力来承受荷载或作用，因而可把构成功能函数的各随机变量分为抗力和荷载两大类。根据结构设计的传统原则，如果抗力 R 大于荷载作用 S，就认为结构保证可靠。但实际上并非如此，因为不论是 R 还是 S，都是存在不确定性的随机变量。所以，要保证 R 总是大于 S 是不可能的。在一定情况下，R 还是有可能小于 S 的，这种可能性的大小用概率表示就是失效概率。可靠度设计的任务就是设计结构物、计算其失效概率，并使该失效概率小于结构允许的失效概率。

结构允许的失效概率是依据人们的经验、经济因素等确定的可接受的风险值。失效概率的选择应使结构建造费用与期望的破坏损失费的总和为最小。应当指出，失效概率的概念不仅适用于强度问题,而且也适用于变形问题。例如,沉降量超过允许值的概率就可称为失效概率。

16.2.3　概率极限状态设计

结构可靠性问题之所以提出,是由于影响结构反应的一系列基本变量具有不确定性,而处理不确定性的适当方法是可靠性数学。在结构计算理论和试验技术已经取得相当成就的今天,反映在结构实际性能中的不确定因素,已在结构设计方法问题中占据了主要地位。要进一步改进结构的设计方法,必须对不确定性因素给予妥善的处理。结构可靠性的研究主要是围绕着这个问题而进行的。

概率极限状态设计法有三个水准,即全概率法、近似概率法和半概率法。全概率法精确计算失效概率,因而要求知道每个基本变量的概率密度函数,并进行二重积分或多重积分,对整个结构进行精确的概率分析。实际上,无论是基本变量概率密度函数的确定,还是失效概率的计算都很困难。因此,尽管从理论上讲全概率法是处理不确定性的最佳方法,但在实际工程中却是难以应用的,仅在重大的和特殊工程中才有可能。

采用近似概率法不必知道所有基本变量的概率分布,但要求知道荷载和抗力的分布类型和形状。作为近似概率法特例的二阶矩法只考虑荷载和抗力的二阶矩,即均值和变异系数,结构体系的安全度由可靠度指标来表示,而可靠度指标可根据二阶矩计算。在半概率法中,安全度由荷载系数和抗力系数来表示,这些系数可根据二阶矩的可靠度分析得到。目前该法已进入实用阶段,正逐步成为许多国家制定标准规范的基础。

16.2.4　分项系数及其确定

在概率极限状态设计中,安全度不是用一个总安全系数,而是用若干个分项系数来表达的,例如工程重要性系数、作用效应分项系数、抗力分项系数等。分项系数一般应在概率分析的基础上确定,当然也可根据经验确定。它们反映目标可靠度或设计可靠指标以及基本变量变异性的影响,而且林德(N. C. Lind, 1971)已经把分项系数与可靠度指标 β 联系起来,由 β 的算式推演出分项系数的表达式。

设计可靠指标或分项系数的确定涉及到国家的技术经济政策。最好是研究设计安全系数与设计可靠指标或失效概率之间的关系,目的是提出与现行确定性规范中安全系数的安全水准相当的失效概率和分项系数的建议值。这项研究有两种途径:一种途径是进行工程问题的调查研究,了解实际工程的失效概率。另一种是目前广泛采用的校准法,即按用分项系数设计的安全水准与用传统安全系数设计的安全水准大体相当的原则确定设计可靠指标。我们认为,应该同时进行两方面的研究,以便能对最终采用的分项系数做出合理的评价。此外,校核既有工程的可靠度还有另一个好处,即发现既有工程的问题,必要时采取措施以提高安全度。

16.2.5 概率极限状态方程

通常可靠性设计是将该领域中所使用的设计公式和基准作为基础,写出极限状态方程。描述极限状态的功能函数称为极限状态方程。极限状态方程中的基本变量作为随机变量考虑时,这种极限状态方程称为概率极限状态方程。结构的功能在于以其抗力来承受荷载或作用,因而可把构成功能函数的各随机变量分为抗力和荷载两大类。若以 R 表示抗力,以 S 表示荷载或荷载效应,则极限状态方程可写成:

$$R - S = 0 \tag{16-1}$$

此即极限状态的 $R - S$ 模型。

对于十分重要的工程可采用近似概率极限状态法直接进行设计或可靠度校核。但即使是这种近似方法,计算工作量也太大,对于一般工程是不实用的。为此,人们提出在设计验算点处将极限状态方程转化为以基本变量标准值和分项系数表达的极限状态实用设计表达式。这种形式同人们习惯的设计表达式很相近,但其中各分项系数的取值是以近似概率法确定的。这样,设计人员完全可以按照习惯的方式进行设计,无需进行概率运算。

对于仅有恒载效应 S_G 和一种可变荷载效应 S_Q 的情况,在验算点 P^* 处极限状态方程可写成:

$$S_G^* + S_Q^* = R^* \tag{16-2}$$

如取 $S_G^* = \gamma_G S_{G_K}$,$S_Q^* = \gamma_Q S_{Q_K}$,$R^* = R_K / \gamma_R$,则式(16-2)可写成:

$$\gamma_G S_{G_K} + \gamma_Q S_{Q_K} = R_K / \gamma_R$$

或

$$\gamma_R(\gamma_G S_{G_K} + \gamma_Q S_{Q_K}) = R_K \tag{16-3}$$

式(16-3)中,γ_G、γ_Q、γ_R 分别为恒载、可变荷载和抗力的分项系数;S_{G_K}、S_{Q_K}、R_K 分别为按规范规定的标准值计算的恒载效应、可变荷载效应和抗力。在结构工程中,标准值和分项系数都可以列入规范中,因此可靠度设计被标准化了。

16.3 岩体工程与概率极限状态设计

国外岩土工程领域可靠性研究始于20世纪70年代。从20世纪80年代开始,波兰和苏联均规定桩基要按承载力和正常使用两种极限状态进行计算,并给出了有关的分项系数。与此同时,欧洲法规《地基基础规范》系统而全面地论述了基础工程问题,并规定采用极限状态法的分项系数表达式进行设计。20世纪90年代开始编制的岩土工程国际标准给出了不同安全等级下岩土工程的可靠性指标建议值,并认为由于各国的技术条件和经济政策不同,分项系数的具体数字应在各个国家的标准中给出。

国内的岩土工程可靠性研究工作稍晚于国际上的先进国家,开始于20世纪80年代,但发展速度很快并已取得可观的成果。

16.3.1 概率极限状态方程

在岩土工程的定值设计法中,安全系数一般定义如下:

$$F_s = R/S \tag{16-4}$$

在不同的工程问题中,R 和 S 分别定义为不同的力学量。例如,在承载力计算问题中,R 定义为地基承载力,S 定义为基底压力;在挡土结构物倾覆稳定验算问题中,R 为抗倾覆力矩,S 为倾覆力矩;在边坡稳定性分析中,R 为抗滑力(矩),S 为滑动力(矩)。

显然,式(16-4)很容易变成极限状态方程的通用形式,即:

$$R - S = 0 \tag{16-1}$$

由于各个岩土工程的独特性,岩土工程的标准化主要的不在于能提供多少设计参数的标准值或设计值,而在于提供设计参数测定和分析的规范化方法(高大钊,1996)。

16.3.2 岩土参数的统计研究

岩土参数包括地质参数和物理力学性质参数。学者们对这些参数的统计特征进行过很多研究,例如潘别桐等人(1989)的岩体结构参数研究和徐建平等人(1999)的岩体物理力学参数研究。但是,这项基础性研究的水平还远远不能满足可靠度设计的需要。

岩土参数研究是要弄清各种参数的概率模型及统计特征。研究内容包括两个方面,一是统计方法,二是参数的统计规律。对岩土参数的统计特性进行研究一般是在岩土工程分区的基础之上进行的,也就是说岩土力学分析首先需要将整个工程岩土体划分为若干个相对均质的区域。然而,这种相对均质的区域也往往是相当不均匀的。在统计某一区域岩土参数的变异性时,实际上包括了试验及统计变异性,以及因空间位置不同特性不同而带来的固有的空间变异性。结构工程不具有这一特点,因此要根据岩土体不同于其他人工材料的特点,选择或设计特殊的统计方法,以求正确地反映岩土参数的统计特征。另一种研究是要对各典型岩土体,系统地统计各种主要参数的规律,并建立必要的数据库以便全社会共享信息资源。

关于参数或变量的系统不确定性,在很多领域里都进行过大量的研究,但对于包括空间变异性的岩土参数来说,如何研究其系统不确定性仍是一个问题。现场取样测试岩土参数时,该参数的试验变异性,特别是随机量测误差是很难研究的,因为同一位置只能取得一个试样,其试验结果也只能有一个。也就是说,要从某点取得很多数据以获得该处参数的统计性质,这在现实中是不可能的。这就迫使我们寻找合适的统计方法。

16.3.3　参数的空间变异性

岩土参数空间和时间变异性的研究是岩土工程可靠度分析的关键,对此还未形成比较成熟的评价方法。P. Lumb 于 1975 年首次提出空间变异性的概念,E. H. Vanmarcke 在 1977 年提出剖面概率模型。至于岩土参数随时间的变异性还研究得很少。

在早期的研究中,人们是将岩土设计参数作为随机变量来处理的。对于一个被认为是相对均质的岩土区域来说,通常的方法是在不同的空间位置采用适当的方法确定出岩土性质参数,然后将这些“点”性质值视为随机变量的获得值进行统计分析,得出该区域岩土参数的均值及标准差等。但是,进一步的研究已经表明,经典的随机变量模型是不充分的。因为岩土体很不均匀,岩土参数与空间位置有关,且不同点处的参数之间具有某种程度的相关性,即岩土参数具有自相关的结构特性。将岩土参数视为纯随机变量的经典概率统计已无法满足目前对岩土参数空间变异性做出客观分析与评价的需要。这就需要研究这些参数的空间分布规律。

岩土参数的空间变异性是岩土本身固有的不均质造成的,在某些场地可能非常显著。显然,将岩土参数视为纯随机变量进行经典概率统计是不恰当的,因为那样做会丢失空间变异性的结构性信息。比较合理的方式是把岩土参数看成具有结构性和随机性双重性质的区域化变量:在研究区域内,参数取值随空间位置而变化;域内任何一点的参数都具有随机性;域内不同点处的参数之间具有某种程度的相关性(张征等,1996)。这就意味着将岩土参数视为区域化变量或随机场量。如何研究这种随机场的特性并用于岩土工程问题分析中,这是一个很重要的问题。Vanmarcke 随机场理论的一个重要结论是可简捷地用一个折减系数把"点"变异性与"空间变异性"联系在一起,使"点"统计参数转化为空间平均值的统计参数。冷伍明等(1995)和冷伍明(2000)根据随机场理论,详细研究了岩土参数空间平均特性和空间变异系数的计算方法,提出了变异系数的综合计算式。

人们在实际应用中也发现了随机变量模型存在的问题。例如,地基可靠度研究表明,采用子样方差计算得到的可靠度指标远远小于上部结构规范所规定的目标可靠度指标。也就是说,计算得到的失效概率非常高,与工程实际运行情况不符。因此,包承纲等(1997)认为,岩土工程可靠度分析时不应当采用子样的变异系数,而应采用空间均值的变异系数。如果岩土体的性状与行为由岩土参数的空间平均特性所控制,那么,用随机场理论研究参数的空间变异性就显得十分重要,因为参数的变异性会在空间平均中减小(Vanmarcke,1977;包承纲,1989)。而且,人们已经认识到,不考虑岩土参数的自相关性和互相关性,将对可靠度分析和安全度评价带来重大影响。但是,岩土体的行为是否都由空间平均特性控制,这还是需要研究的问题。显然,在渐进破坏的情况下,采用空间平均特性就是有问题的。

空间变异性统计分析应首先提取参数空间分布的结构性信息,这还必须借助于推断,即对离散的试验数据配以适当的理论模型。然后根据试验数据对理论模型进行拟合和检验。人们已经提出了多种参数空间变异理论模型,但还远没有统一的认识。

16.3.4　统计分析方法

从试验数据出发来认识随机现象的规律性，这是数理统计学的研究内容。为了求得工程设计各基本随机变量的分布或其数字特征，必须通过大量的试验和观察获得有关数据，然后进行整理分析并用切合实际的理论曲线进行拟合。对于具体工程，我们将面对以下问题：如何合理地搜集经验数据？如何选择概率分布模型？概率分布的参数如何估计？如何检验拟合的可信度？

在岩土参数的统计分析方面还存在着很多问题。首先，任何随机变量的统计研究首先是统计样本的确定。样本的概念是重要的，没有一定的准则就可能得到不真实的结果。其次，通过大量岩土力学试验获得岩土参数的统计资料，这种方法往往是行不通的，因为经费和时间各方面都会受到限制。再次，岩土参数的空间变异性非常显著，不适当的统计分析本身必然会引进大量的不确定性。最后，基本变量概率分布的假定不当可能会给可靠度分析带来显著的误差。

16.4　可靠性计算方法问题

可靠性设计所需的数学工具问题已基本得到解决。特别地，岩体工程可靠性分析可以移植在工程结构可靠性分析中用得比较成熟的一次二阶矩法。对于一些复杂的情况可以采用蒙特卡洛模拟法、高阶矩法或随机有限元法等。具体地讲，如果只知道状态变量的均值和方差，可以在假定的概率分布下，求得可靠度指标和失效概率；如果已知状态变量的概率分布和参数，既可采用一次二阶矩法，又可以采用蒙特卡洛模拟法求得比较精确的解；如果需要比较详细地了解岩体变形性状和局部破坏状况，可以采用随机有限元法。

众所周知，数值计算方法用于解决复杂岩体工程问题已取得了巨大成就。将各种数值方法与概率方法结合起来，形成各种概率数值方法便成为基础性研究的重要内容。此外，将模糊数学引入可靠性研究领域、高阶矩方法的应用以及全概率方法的研究都需要投入一定的力量。以下简要介绍各种计算方法的基本原理。

16.4.1 近似概率法

一次二阶矩法也称为近似概率法。显然，描述随机变量的分布特性以其概率分布函数为最全面，据此进行多重积分求得的失效概率也最为精确。这样的方法称为全概率法。但在实际工程中，很难精确掌握各设计变量的分布，且进行多重积分还存在问题。因此，全概率法在实用上存在很大困难，为此人们发展了一次二阶矩法。这种方法利用分布的数字特征，即均值和方差近似描述随机变量的分布特性，并用于计算可靠指标或失效概率。这样既可避免全概率法的困难，又可保持基于随机变量可靠度分析的主要优点，且表达式简单、具有足够的工程精度。

根据设计基本变量的实际分布，一次二阶矩法可分为中心点法和验算点法两种。不考虑基本变量的实际分布，直接假定其服从正态或对数正态分布，导出结构可靠度分析的表达式。由于在分析时采用了泰勒级数在均值（中心点）展开，故这种方法称为中心点法。验算点法则考虑基本变量的实际分布类型，把非正态分布的随机变量当量（等效）化成正态变量，然后计算设计验算点处的可靠指标。

冷伍明(2000)提出的最优化计算方法从独立正态分布变量在极限状态方程为线性时可靠度指标的几何含义出发，可以简便地直接求得可靠度指标、设计验算点和失效概率。该法易于编制计算程序，且通用性好、收敛快，计算精度不低于国际结构安全度联合委员会推荐采用的验算点法。

16.4.2 随机模拟法

蒙特卡洛模拟法又称为随机模拟法，是一种依据抽样理论，利用电子计算机研究随机变量的数值计算方法。它是理论比较成熟、精度比较高的一种数值计算方法。蒙特卡洛法的收敛性与极限状态方程的非线性、变量分布的非正态性无关,适应性强。就可靠度计算而言,若随机变量的变异系数大于30%,近似概率法的计算结果往往远离精确解,而蒙特卡洛法无此问题。由于计算是通过大量而简单的重复抽样实现的,模型和程序简单且不受状态分布模型以及变量间关系的限制,所以得到广泛应用。

蒙特卡洛法的基本思想是:若已知状态变量的概率分布,根据结构的极限状态方程 $g(X_1,X_2,\cdots,X_n)=0$,利用蒙特卡洛模拟法产生符合状态变量概率分布的一组随机数 $x_1,x_2,\cdots,x_n$,将其代入状态函数 $g(X_1,X_2,\cdots,X_n)$,便得到计算状态函数的一个随机数。如此用同样的方法可产生 N 个状态函数的随机数。如果在 N 个状态函数的随机数中有 M 个小于或等于其临界值,则当 N 足够大时,根据大数定律,此时的频率已近似于概率,因而可得结构的失效概率为:

$$p_f = p\{g(X_1,X_2,\cdots,X_n)\leqslant 0\} = \frac{M}{N} \tag{16-5}$$

如有必要,也可由已得的 N 个状态函数值来求得其均值 μ_g 和标准差 σ_g,从而得到可靠指标 β。

16.4.3　随机有限元法

完善的岩体工程设计,要求对岩体的应力和变形做出预测,否则很难估计岩体中最危险的部位以及破坏的渐进发展过程,从而也就很难对症下药地采取工程措施。由于岩体的非均质性、非连续性、材料本构关系的非线性等,应力应变分析一般只能借助有限元法等数值方法。随机有限元法是基于有限元原理,计算岩体结构可靠指标或失效概率的最新方法。

随机有限元法的实质是在常规有限元法的基础上,改输入参数如弹性模量、荷载等为随机变量。因为单元应力和结点位移均为随机变量的函数,只要随机变量存在均值和方差,则可以求得应力和位移的统计上的均值和方差。显然,岩土强度参数亦是随机变量,这样求得应力后我们就可根据一定的强度准则建立起稳定性的极限状态方程 $Z=g(X_1,X_2,\cdots,X_n)=0$。下一步的分析可以结合一次二阶矩法进行。与中心点法耦合便形成线性一次逼近法,与验算点法耦合则成为迭代验算法。

16.5 概率极限状态设计的其他问题

岩体结构物与其他工程结构相比,具有一个显著特点,即工程地质条件和岩体物理力学参数所涉及的不确定性远比其他结构工程复杂和难于描述。将可靠度分析引入岩体工程中,必须研究和解决以下几个问题:确定随机变量及其概率分布密度函数;建立岩体可靠度分析的概率模型;研究行之有效的可靠度计算方法;提供岩体工程可靠度设计规范。

从理论上讲,概率极限状态设计显然是一种更科学的设计方法。问题是岩体工程的特殊性能否允许进行这种设计,至少目前的技术贮备还不足以适应标准化的要求。而且,由于岩体参数的概率分布及其统计特性很难确定,失效概率计算是成问题的。有人对可靠度指标的计算就持保留看法,因为通常都要对概率分布做出假定。

16.5.1 定值设计法的发展

采用可靠性设计方法并不意味着否定传统的定值设计法,它只是定值法的发展与补充。在可靠性研究中,计算模式和分析模型一般仍采用确定性方法常用的模式,需要研究的是变量随机性带来的影响、分析各种不同模式的不确定性、研究各种不同模式对各个变量的敏感程度有何差别、从可靠性分析角度评价与选用计算公式或分析模型等。例如,研究地基极限承载力的理论计算时,还是用太沙基公式或汉森公式,而没有必要从承载力公式的改进研究起;研究边坡稳定性时,仍采用已发展的各种条分法等。

16.5.2 设计方法的精度

设计方法本身所具有的精度问题极其重要。按照精度极差或连精度的大致范围也不清楚的设计方法进行可靠性设计,这在工程上是没有实际意义的(松尾,1990)。

我们知道,任何分析与设计方法都基于理想化的模型,误差和不确定性是不可避免的。岩土工程的实际问题很复杂,涉及多种多样的不确定性。这样,整个问题的分析决策过程中必然包含多重的简化。就研究整个设计方法的误差 e 而言,单个考虑各因素的影响是困难的,也是无效的。具体应该怎样研究还是有待探讨的问题。

16.5.3 岩体多重失效模式

实际的岩体工程往往同时存在着几种潜在的破坏机制和模式。例如,建筑物地基的破坏或失效可能是承载力不足,也可能是过大的沉降;桩基础承载力失效可能是地层对桩支撑力的不足,也可能是桩身混凝土强度不足;挡土结构物的失效可能有三种破坏模式,即倾覆、滑动和承载力不足。

不同的变形破坏机制,极限状态方程也不相同。因此,当变形破坏机制不确定时,计算模型便具有不确定性。因此,在估计单个模式失效概率的基础上应当进行系统可靠性分析。

岩体渐进破坏模型的可靠性研究是值得重视的。这一模型认为:岩体的破坏总是起源于岩体的某一个局部区域,然后逐渐扩展到其他部位,这种扩展或停止从而使得岩体保持稳定,或贯通岩体而使得整个结构失稳。

16.5.4 岩体与结构体系

在很多岩体工程中,建筑结构与岩体相互作用形成一个有机的整体系统。人们虽然早已认识到两者复杂的相互作用,但在这种相互作用的分析方面用力不多。现在看来,对这种复杂的相互作用必须给予高度重视和适当的考虑,否则可能出现灾难性的问题。例如,坝体引起坝基变形,坝基的不均匀变形反过来引起坝体开裂。我国泉水拱坝和梅山大坝都因坝基岩体变形过大而开裂,造成重大损失。

可见,如果忽视岩体的性能,那么建筑结构的可靠性再高,整个体系的可靠性也不一定高;如果不考虑相互作用,建筑结构和岩体均有高的可靠性,也不能保证整个系统的可靠性高。目前要把各个部分统一起来进行设计计算还有困难。但实际当中必须从整体概念出发,考虑相互作用,才能收到比较理想的效果。

16.5.5 简短的结语

必须指出,可靠性设计同安全系数法一样,只是处理不确定性问题的一种方法,并不是在所有情况下都是最佳的。在目前的研究水平上,哪些工程问题不适宜采用这种方法,哪些工程问题可以采用这种方法,我们必须有清醒的认识。此外,如包承纲所说,可靠度方法和采用安全系数的定值方法并不相互排斥,而是互为补充。可靠度分析的重要基础仍是资料和经验判断,因此必须借助定值法所积累的资料和经验,而且定值法中常用的许多计算模型也是概率极限状态方程的依据。

鉴于安全系数不是定量表示安全度的指标,传统定值设计法不能恰当地考虑各种不确定性因素,因此人们要求定量地确定岩体结构体系的安全度,进行更加合理的设计无疑是合理的。但是,岩体工程结构系统与建筑结构相比具有更多更显著的不确定性,到目前为止所进行的研究工作还很不充分,因此岩体工程可靠性设计可能还需要较长的时期才能进入实用阶段。

第 17 章　岩体工程信息化设计与施工

17.1　前言

仅仅采用物质结构和能量转换的观点去研究事物,这是经典的自然科学方法。在那些相对简单的场合,忽略信息的作用不会带来什么严重的问题。例如,在机械运动领域,只要研究机械的结构和能量(在这类场合也可以说是力)的关系就可以解决问题。然而,在处理复杂和高级运动形态的事物时,这种方法就难以揭露问题的实质,因而需要信息科学方法。事实上,由于信息科学的崛起,以物质和能量为中心观念的传统科学逐渐让位于以物质、能量和信息为中心观念的现代科学。

现代大型岩体工程是一种复杂的系统工程,其中的根本问题是系统工程问题,即包括人为因素在内的很多变量间相互关联的问题,因此应该按系统科学的基本原则来组织勘察、设计、施工及维护等各项工作。陈宗基(1983)曾指出:解决岩体工程问题的“关键在于要有一个正确的工程概念,这个概念是以充分的地质资料、力学定律、经济法则以及现代技术为基础的。”本章的任务就是要探讨岩体工程实施的基本原则问题。我们认为,工程师只有在充分理解这些原则的基础上,才可能有效地履行他自己的职责。

17.2　岩体工程系统的概念

任何科学研究的具体对象总可以被视为某种层次上的事物,被概念化为系统。针对具体问题划定系统和环境后,就容易抓住问题的总体特征及系统与外部环境的联系。

在本书第 11 章中,我们曾经介绍过系统概念。系统就是由相互作用和相互联系的若干组成部分结合而成的具有特定功能的整体。把所要研究的部分从复杂相互作用着的世界中划分出来,就成为系统;所有其他与系统相互作用的部分称为外界或环境。具体系统中那些相互联系、相互制约的要素称为子系统。由于这种要素本身并不单纯而是由次一级要素组成,所以任何系统都是某种等级体系。这样,在任何层次上某个系统的部分都是较低层次上的整体,即高层次的系统由低层次的系统共同作用而形成(拉兹洛,1972)。等级体系的结构和功能多样性的可能性随其层次的增加而增加。也就是说,较高层次的系统比较低层次的系统具有更丰富的功能。现对岩体工程系统的等级结构阐述如下。

17.2.1 岩体系统

在现代岩体工程科学中,岩体被看成是一种有机的天然地质体。具体的工程岩体作为系统,其边界是人为划定的。岩体范围一经划定,其内部的任何因素便都成为岩体系统的部分或要素,包括岩石块体、结构面、地下水等。与岩体系统可能发生作用的环境因素包括地质的(例如地下水的流入与流出)、大气的(例如大气降水的渗入或岩体中水分的蒸发)和人为的(例如工程加载)。岩体系统无论在施工阶段还是运营阶段,都与外部环境不断地发生物质、能量、信息交换。显然,我们应该用相互作用的观点来看待岩体系统。

17.2.2 岩体结构系统

在很多岩体工程中,建筑结构与岩体相互作用形成一个有机的整体系统。人们虽然早已认识到两者复杂的相互作用,但在这种相互作用的分析方面用力不多。现在看来,对这种复杂的相互作用必须给予高度重视和适当的考虑,否则可能出现灾难性的问题。

显然,岩体与建筑结构物相互作用组合成的系统更为复杂。目前,要把各个部分统一起来进行设计计算还有困难。但实际当中必须从整体概念出发,考虑相互作用,才能收到比较理想的效果。

17.2.3 岩体工程系统

岩体工程本身并不是独立的工程类型,而是主体工程的组成部分。要保证主体工程实现其功能,必然对岩体有一定的要求,即要求岩体具备特定的功能。岩体工程之所以能成为岩体工程学的对象,一方面是由于岩体工程不同于建筑工程的特殊性,另一方面也是由于岩体工程具有相对独立性。也就是说,岩体工程的勘察、设计、施工及运营构成相对独立的系统。

显然,岩体工程勘察、设计、施工及运行诸环节所构成的系统比岩体—结构体系更加复杂,因为这种系统中渗透着主客观的相互作用以及各种难以定量表达的因素,特别是人的因素。岩体工程学的任务是在岩体工程系统的组织层次上探讨系统的性质、系统的行为机制与规律,并对实际系统的行为做出预测。

岩体工程强调要重视环境因素与工程的相互影响,忽视这种影响将造成不良后果甚至引起破坏。特别是由于岩体工程规模越来越大,人为改造可能引起环境的显著变化。如果这些变化使环境不能保持其自身稳定,那么尽管工程本身安全稳定,仍然会影响或破坏系统的整体功能。因此,梁炯鋆等人(1992)把地质工程系统规定为:“由岩体、环境、调控技术、投资、规划、勘察、试验、工程论证、设计、施工、验收等要素组成而且具有整体功能和综合行为的统一体。”在他们看来,工程地质体是由岩体与环境因素组成的,环境即工程影响所及的范围。在规定地质工程系统的要素时之所以把环境要素列入其中,其意义就在于明确环境稳定性对整体功能的制约关系,以确保系统的稳定性。

17.3 岩体工程系统性原则

尽管勘察、设计、施工、运营期间的维护可以分成一系列子任务,但岩体工程的系统性要求我们把它们作为一个整体系统的诸环节来研究。特别是对那些全局性、综合性的问题必须进行系统分析。冯夏庭(2000)指出:"一般地,开挖结构都是难度自增殖系统,即随时间演化,如果不及时处理,难度就会自增殖,而且对外部扰动特别敏感。"而"解决难度自增殖系统问题,要采取快速适时、自适应的方法进行决策,这需要研究快速适时、自适应的决策方法,给出相应的控制措施,将开挖结构的难度控制在可处理的范围内。使用系统论的思想,将开挖结构的勘察、设计、施工三者视为相互依赖并又综合相成的一个整体系统,并做到信息化、可视化。对各部分、各过程间做协调研究,着重彼此间内在的相互联系及系统的整体性,利用控制论的思想,根据控制系统产生的输出,对施工对象进行有效的控制。"

现在人们已经普遍地认识到,任何岩体工程都不是一个单纯的技术问题,而是一项涉及到自然、社会、经济甚至政治的复杂系统工程。事实上,即使是建筑工程设计,数学力学分析也只是荷载确定后计算结构力学反应的一种手段,是工程设计所使用的工具之一。在工程设计中更重要的是必须进行很多运筹、决策和规划工作,这些工作具有软科学的特点。因此,王光远(1998)认为,要建立全面的工程设计理论,应该把硬科学和软科学结合起来。他设想,现代工程设计理论的核心是"工程项目的全系统寿命优化理论"。

17.3.1 控制性原则

控制论的研究对象是系统,它从定量的角度研究如何通过环境对系统的作用即控制来影响和改变系统的运动规律、系统的结构与功能,从而达到人们预定的目标。控制论的核心概念是控制,即按照预定的目的为改善系统的功能或行为而加于系统的作用。岩体工程勘察、设计、施工乃至运营期的维护是一个有机联系着的过程,使这过程按照经济安全的原则与要求进行是我们所期望的。因此,人们很自然地会考虑到控制论思想在岩体工程中的应用。

对系统控制的可能性取决于系统的可观测性和可控性。系统的可观测性反映由输出观测量识别和确定系统状态的可能性,系统的可控性反映控制作用对系统状态和输出影响的能力。随着科学技术的发展,人类控制的领域越来越广泛,涉及到工业生产领域的控制、工程领域的控制以及自然领域的控制。

控制论研究要求我们根据研究的目的,确定组成系统的元素及其相互关联、系统环境、系统的控制和观测量。从系统中抽象出并定义能够准确描述系统状态和发展过程的若干独立变量,即系统的状态变量并建立控制模型。控制模型是研究对象本质方面的表达形式,应能集中反映研究对象的主要特征和规律。基本的控制途径是通过调整系统中的信息双向运动实现的,这就是反馈。通过反馈可以实现系统的稳定性、平衡态的转变及系统的最优控制。

岩体工程系统虽然具有不确定性,但是其过程具有可控制性。岩体工程控制论研究岩体工程系统行为的控制,系统目标涉及到安全、经济、环境、社会等诸多方面。

17.3.2 最优化原则

传统设计方法是先假定结构尺寸,然后进行力学验算。如果满足,即可以采用。实际上,这样得到的只是一个可行方案,不一定是个最优的方案。如果多做几个方案进行比较,从中选择最好的方案,那也不是真正的最优方案。要想获得理论上的最优解,必须采用结构优化设计。优化设计就是从所有可用方案中找出最佳方案,也即在满足设计要求的各项约束条件下使目标函数(方案好坏的标准)最为满意的方案(王光远,1998)。岩体工程系统的整体以及所有环节都存在多种可用的方案,因此优化问题普遍存在。

岩体工程系统由相互关联的多个子系统组成,由多个或多级决策机构(或控制机构)进行决策或控制。为了实现对系统的优化和控制,必须对系统进行分解和协调。系统的分解就是将整个系统分解为相互关联的若干子系统,并将系统的目标分解成相应的子目标。系统分解以后,对各子系统单独进行优化与控制并不能保证整体目标的实现,因此还必须在分解的基础上协调系统各部分的工作,使局部目标服从整体目标。

就任何工程的整体而言,通常具有多个目标,例如经济效益、社会效益、工程安全、使用功能、美学功能等。因此,工程优化是一种复杂的多目标优化问题,而且这些目标只能在工程进程的不同阶段分别重点地进行考虑(王光远,1992)。目前,国内外的工程优化只局限于对单个结构的设计进行优化。针对现代土建工程设计理论,王光远(1998)提出了宏大的设想,其核心是"工程项目的全系统全寿命优化理论"。全局优化是从系统观点出发进行的多级优化。在处理整体和局部的关系时,应把整体优化作为优化的根本目标。优化本身的"最优"是绝对的,而优化的程度实则是相对的。因此,优化所追求的不是绝对的优化,只要求系统使各方面都满意,这就是优化问题的满意性原则。

岩体工程系统的优化涉及到很多方面,目前研究的很不充分,特别是岩体工程的全局优化问题甚至还没有被充分地认识到。

17.3.3 信息化原则

控制论以信息概念为基础,因为它把系统有目的的运动抽象为一个信息变换过程,而且信息反馈是对受控系统实施控制的基本方法之一。

任何事物都有自己特定的内部结构和外部联系,信息就是事物内部结构和外部联系的状态和方式。信息科学告诉我们,认识复杂事物要从信息的观点出发,从分析事物实际的运动状态和运动方式入手,考察它的内部结构及其外部联系状态和方式,以探明其间所包含的具体的信息运动过程,从而达到在整体上和逻辑上把握该事物的工作机制的目的。从不确定性观点出发,信息理论把信息源和干扰源都理解为某种随机的东西。

任何情况下的预测和决策都基于信息。地下工程施工中的变形监测与位移反分析是系统与功能方法在岩体工程中应用的最早实例,目前已发展成一种比较成熟的施工—监测—设计方法,特别强调系统的反馈机制,通过反馈实现对系统的最优控制,这显然是非常重要的一种方法论和思维方式。事实上,任何一个完整的认识和实践过程都包含着反馈机制,因此反馈思维揭示了人们的认识与行为的本质。

岩体工程特别是隧道工程的信息化设计与施工问题受到广泛关注(王建宇,1990)。施工过程中的监测和信息分析与反馈,使得我们能够及时地修改设计、调整施工方案。在对事物没有充分认识的情况下,任何决策都带有风险。有些情况不了解就会妨碍我们采取行动,信息的意义在于将接受者置于某种确定的状态。获得信息就意味着消除不确定性,获得的信息量越大,消除的不确定性就越大。将信息反馈到稳定性预测与控制中,当然会提高预测的精度和控制的效果。

岩体工程系统中的很多不确定性,只能在施工过程中通过不断地获得信息加以消除。因此,就岩体工程而言,定式化的设计与施工观念是行不通的。信息化设计与施工的关键是建立良好的信息获取、处理以及反馈机制。因此,贯彻信息反馈原则要求我们在施工过程中开展监测并进行地质条件和岩体稳定性预报。

岩体工程设计与施工的最大特点是比较容易变更设计方案,因此信息化设计与施工的思想是容易实现的。具体地说,岩体工程在施工前要进行设计,这种设计是根据地质勘察结果,在对岩体进行计算分析与稳定性评价的基础上进行的;利用施工开始后获得的信息,根据需要积极适宜地修改设计,不断地使各个时刻的设计都成为最佳设计。松尾(1990)把这种方法称为“动态设计法”。

17.4 动态设计与施工方法

岩体工程问题是数据有限的问题,需要采用与其他工程领域不同的设计与施工方法。

岩体工程从选址、勘察、设计、施工到运营各个环节都存在着显著的不确定性,工程师不得不在不确定性条件下进行设计与施工。将上述整个过程作为一个有机的动态系统考虑,无疑是很复杂的,但这种系统研究带给人们一种新的观点和方法来处理岩体工程问题。由于这个复杂的动态系统中包含着众多的不确定性因素,因此对这类系统进行确定性分析预测是不完善的,很多情况下也是不现实的。这样,对这类工程的系统可靠性研究与设计越来越受到人们的重视。不过,这是一个大问题,对其进行的可靠性分析与设计远未达到成熟的水平。正是因此,现在所进行的大型岩体工程活动就整体而言仍然主要是依靠经验,尽管科学分析方法不断地被引入分析设计当中。

在岩体工程设计中,工程师应该对全过程进行系统的研究,包括勘察的方法与精度、参数的试验方法及可靠性、各种参数对整个结构工程反应的影响、设计计算方法的精度、对施工中可能出现问题的估计、实际施工及运行过程中的观测以及观测资料的解释和反馈等,只有进行系统的研究才能较好地完成工程任务。R.B.Peck曾总结过岩土工程中贯穿于勘察、设计、施工全过程的称为观察法的系统研究方法;W.Hachich 和 E.H.Vanmarke 给凭经验处理不确定性的观察法赋予概率的含义;Matsuo 在研究深开挖的可靠性设计时提出了一个完整的动态系统方法,将系统方法的基本思想和可靠性设计理论紧密地结合起来。这个方法分为先期设计和动态设计两个阶段。开挖工作根据先期设计中得到的最优解来进行,在施工过程中进行现场观测以便估计施工现场的安全性并用来判断是否要修改先期设计。这种将动态观测的信息引入可靠性设计的方法被称为“动态可靠性设计”。目前在地下工程中广泛应用的新奥法正是信息化设计与施工的典型。根据R.B. Peck、W. Hachich、E. H. Vanmarke和Matsuo等人所发展的观念,我们可以形成如下的动态设计与施工方法。

17.4.1　动态设计法的基本程序

动态设计与施工法分为先期设计与动态设计两个阶段。显然,这种方法只适用于有可能在施工过程中观察反应并修改设计的场合。

(1)勘察测试:要有足够的勘察工作,至少要求能够确定岩体的大概情况,例如成因类型、结构构造、主要的工程性质,但是不一定要求很详细。用概率方法进行勘察设计,以及整理和解释勘察数据,即统计岩体参数和物理力学参数。

(2)总体评价:在勘察工作的基础上,对岩体的最可能情况做出评价,并且要求在基础资料不很充分的条件下,用概率方法估计在最不利的情况下实际条件对以上评价可能偏离多少。这一点是非常重要的,因为有些评价常常并不估计最不利条件下的偏离,而是盲目地信任勘察结果,将特定条件下得到的信息绝对化了。

(3)模型计算:根据以上两项资料,针对所估计的最可能的情况提出实用的分析模型,进行计算和设计,并对简化假设及不确定性因素对设计结果的影响提出定量的评价。设法找出因设计计算理想化而引起的分析误差。鉴于分析误差可能影响到失效概率值,分析误差作为概率分布来考虑,最后求得失效概率。

(4)现场观测设计:选择在施工或运行过程中要监测的量如沉降变形、孔隙水压力、围岩变形等。对观察量的选择以及仪表类型与安装位置的选择,通过决策分析及正确使用概率方法使之达到最佳状态。

(5)预估待观测量:按模型计算中的简化假设,预先估计这些待观测量的数值,并估计在可能的最不利情况下,这些待观测量的数值。同时还要预先估计到施工时所观察到的数据可能会偏离预先估计的值。因此,要考虑如果施工中出现了最不利的情况,应该如何选择补救措施或者改变设计。

(6)现场观测:进行现场观测,并用于指导施工。检查安全度,如果预测到失效的可能,那么就用观察到的结果来修正设计,并找到能避免失效的新的最优解。在施工中重复使用这种方法并不断修正上述的最优解。用这种方法,在安全和经济的条件下完成施工。观测数据需要用概率统计的观点与方法加以解释。

岩体现场观测具有不可替代的优点,因而日益受到人们的重视。观测数据综合反映整个系统的行为,包含着岩体的地质因素、岩体与结构相互作用,甚至施工影响等复杂因素。将数值分析结果与实测数据进行对照校验,这是促使数值计算走向成熟的重要途径。

(7)预测的检验:岩体或工程结构性状预测的可靠性需要经受工程实际的检验。由于计算模型和输入参数的不确定性,预测与实测结果之间出现差别是正常的现象,问题是能否事先估计到可能发生偏差的范围。在可靠性研究领域中,分析结果的检验是很重要的。由于我国有大量进行观测的有利条件,开拓和发展工程预测与检验方面的可靠性研究是很有发展前途的。

17.4.2　动态设计法的理论探讨

过多地依赖现场观测,过分强调从理论上找到普遍性规律的困难和危险,将不利于岩体工程设计理论的发展。因此,理论探讨是必要的。Resendiz 认为在地质工程领域内做出理论上的概括,同其他学科一样,要有四个过程。

(1)识别过程:即从现场观测的个别事例来识别哪些是有意义的变量。这一过程就是用反演方法来做系统辨识以识别参数的过程,这是从特殊到一般的第一步。

(2)归纳过程:即把有关的变量归并成最少数的独立变量。这里要舍弃一些无关的、次要的变量。归纳的过程就是去粗取精的过程,只有这样才能抓住问题的关键。

(3)模拟过程:即探求从归纳过程得到的诸独立变量之间的关系式。这是从实践上升到理论的阶段。有三种不同的模拟方法,即模型试验、数学分析和数值分析。

(4)验证过程:即将上述求得的关系式同现场事例比较,以验证理论与实际的符合程度。

17.4.3 岩体稳定性预报系统

现代岩体工程动态设计与施工法的核心是岩体地质条件和稳定性预报以及岩体改造。这里仅以隧道工程为例加以说明。

围岩稳定性对隧道工程具有控制作用,而地质条件对围岩稳定性起控制作用。问题是在隧道工程施工之前,地质条件很难查清,而且在地质条件清楚的情况下,地质灾害预测也并非没有困难。正因为如此,尽管人们做出了巨大的努力,事故仍然不断发生。根据国内隧道工程施工状况的最近统计,由于塌方、涌水等地质灾害造成的停工时间大约占总工期的30%。这是一个十分可观的数字,它表明地下工程中地质预报和地质灾害的预测与防治仍是亟待解决的重大课题。

现代隧道施工通过断层及其他不良地质区域的措施已相当成熟,只要地质条件预测准确并按设计施工,按标准作业,问题是不难解决的。但塌方等事故还是不断出现。研究表明,不可预见的不良地质是导致塌方的首要因素(邵根大,1997)。此外,塌方往往是由于反应不及时而未能采取合理的施工措施。事实上,隧道塌方或破坏性变形等通常是有前兆的,对这种可能导致地质灾害的信息必须高度注意并做出及时反应。

解决问题的一种思路是搜集大量的灾害事件的资料,并进行系统分析与综合，找出同类事件发生与发展的规律，在此基础上，建立一个有一定可靠程度的经验性地质灾害控制指导系统。这实际上是一种非优控制的思想。人们可以追求在“优化范畴”内实现系统控制所要达到的最优过程与结果，也可以追求避免在“非优范畴”内产生事故与不好的效果。系统非优控制方法的核心是对非优范畴进行系统考虑、分析与综合，构造出非优指导系统以实现对系统的非优控制。具体来说，于学馥(1995)将其概括为：尽可能地搜集非优范畴内的诸事件发生全过程的全部信息；对搜集的信息进行系统的分析、综合，找出同类事件发生与发展的规律；根据分析与综合的结果，构造一个具有一定可靠性的非优指导系统。非优思维与系统非优控制赋予成功、失败、事故等以新的价值和意义，可以为岩体工程提供一种认识客观事物的新方法。这种方法并不排斥在实践中追求最优化过程与结果。

总之，对岩体工程地质预报应该给予高度重视，特别是应作为整个工程必须开展的一个环节或一道工序并加以硬性规定。

第18章　岩体工程科学研究

18.1　前言

在岩体工程科学的任何研究领域中,要取得实质性的进展都是非常不容易的事情,对于刚刚从事研究工作的年轻学者就更是如此。这里有很多方面的原因。首先,岩体工程问题本身的复杂性是很多其他工程学科所不能比拟的,因此在具体的研究工作中困难重重;其次,岩体工程学科虽然比较年轻,却也已发展到了非常艰深的程度。我们感到最为头痛的也许是不知道究竟该怎样确定自己的研究方向。材料强度理论的发展很能说明学术进展的艰难。正如俞茂宏(1998)所指出的,从 Tresca(1864)提出单剪应力屈服准则到俞茂宏(1961)提出双剪应力屈服准则,这看似自然而简单的步骤却经历了长达97年的艰难过程。

本章对岩体工程科学研究的基本问题和原则进行简要地探讨。作者深知这里的论述远没有达到系统的程度,还是决定提出来供读者参考。

18.2　岩体工程学科发展问题

岩体工程学科还很年轻,尚未形成完整的理论和方法体系。表面上看很多问题都有待于深入研究,但是,到底抓住哪些课题进行研究才能更有效地带动岩体工程学科的发展却是值得考虑的重要问题。事实上,对于任何学科来说,发展方向都是至关重要的。我们能够期望近期在哪些方面有所突破?以下是一些不成熟的想法。

18.2.1　变形破坏的机制

岩体工程问题的核心是岩体变形与破坏的预测。在实际工程中,影响岩体变形和破坏的因素很多,首要的是岩体结构和变形破坏机制。只要岩体内部结构和变形破坏机制不清楚,那么变形与破坏的任何预测都只能是经验性的,而且岩体改造也将失去科学依据。因此,我们认为岩体变形破坏机理的研究仍然是最重要的课题。

18.2.2　变形破坏的规律

在弄清岩体变形破坏机制的情况下,研究各种因素单独作用或联合作用下,岩体变形和破坏的规律性。目前,有些人似乎具有否定细致研究的倾向,把希望寄托在位移反分析上。但通过对实际岩体的监测与分析,我们到底能够获得哪些信息?是岩体变形和破坏的机理和模式?是岩体材料的本构模型及其参数?还是岩体的地质特征及其参数?我们认为,要探索行为的内在机理,发现规律性的本质联系,一般性的基础研究是必需的。

18.2.3　岩体的基本特性

沈珠江(2000)认为现代土力学的核心问题是本构模型,那么现代岩体力学的核心问题是什么?显然,岩体工程问题的核心是提高岩体变性和稳定性预测的精度。因此,岩体工程中最重要、最困难的任务是搞清楚岩体的地质条件和岩体材料的基本物理力学特性。也就是说,最重要的还是搞清楚岩体的基本特性,只有这样才能加深对岩体变形破坏现象的本质理解。

众所周知,数值方法是解决岩体工程问题的重要手段。但关键是对于岩体基本性质的研究远远落后于计算技术的发展。由于不能提供准确的参数和恰当的边界条件,便在很大程度上降低了数值分析的使用价值。因此,应进一步加强岩体基本性质的研究(傅冰骏,1995)。

18.2.4 智能科学的应用

非线性动力学理论在岩体工程中的应用还处于研究的初始阶段,而且处理复杂岩体系统问题的能力可能是有限的。专家系统、神经网络和综合集成法等智能科学方法是传统经验方法的重要补充和发展,至少能够使定性的经验方法达到半定量的程度,具有巨大的应用价值。特别是综合集成法有可能成为岩体变形与稳定预测的主要工具。

18.2.5 理论研究的统一

建立系统性的统一体系是任何学科发展到一定阶段的必然要求。在岩体工程领域已经有所进展。例如,很多学者注意到边坡稳定、岩土压力和地基承载力都采用极限平衡分析方法,因此应该建立统一的理论体系。现在,学者们已经基于塑性力学的上下限原理、条分法以及非线性规划中的最优化方法,建立了统一的理论体系和具有广泛适用性的数值方法。在数值分析方面,流形元法也是一种统一分析连续和不连续问题的重要方法。

18.2.6 施工力学的研究

在建筑结构工程领域,例如桥梁工程施工中,变结构力学分析受到人们的关注。在岩体工程的施工过程中,岩体的受力条件甚至岩体本身也是不断变化的,变形也是逐渐发展的。对这种动态结构体系的力学过程进行模拟正逐渐受到人们的重视(朱维申等,1995)。甚至有学者提出岩体力学的科学主题是过程研究(于学馥,1996)。我们认为,过程研究不一定是岩体力学研究的全部和主题,但至少在有些情况下特别值得重视。

18.2.7 工程质量的评价

岩体工程结束后,如何评价岩体的整体稳定性?如何评价岩体工程的整体质量?如何检测安全方面的潜在问题,并在此基础上制定维修的方案?这些方面的系统研究还没有开始,但已经引起学者的关注(王思敬等,2001)。

18.3　岩体工程科学研究的原则

18.3.1　专家论证

在解决复杂的岩体工程问题中,专家群体的集体探究是任何专家、专家系统、神经网络、综合集成方法等不能替代的。专家们的交流与争论可以澄清很多问题,找到问题的关键。岩体工程问题即使是纯技术问题也很难完全一致,但重要的、关键性的问题必须取得一致,否则就应进行更加深入的研究,直到能够做出比较清楚的判断为止。

专家论证式的岩体工程决策方法通常采用著名的特尔斐法。美国兰德公司于1964年首先把特尔斐法用于技术预测。通过几轮函询,征得专家意见。经过汇总整理,作为参考资料再发给各位专家,供其分析判断,并做出一轮评价与论证。如此反复几轮,以期专家意见趋于一致。专家们的意见越是趋于一致,结论也越可靠。

18.3.2　事实与理论

在岩体工程科学领域中,研究工作大致可分为两种情况,即对特殊事例的研究和一般研究。一般研究旨在发现经验法则、确立科学定律或构造科学理论,这无疑是科学研究的显赫目标。事实上,每门科学的发展都依赖于事实资料的积累,也依赖于理论的发展。没有事实基础的理论是砂堆上的建筑物,而没有理论的事实则是一堆杂乱无章的资料,不能用于建设井然有序的科学大厦。因此,事实的收集和系统的解释正是一种互相补充的过程。

理论不仅有概括和阐释事实资料的作用,而且具有超越已知事实的预见功能。科学家们早就发现,理论框架的形成能够把大量的事实资料综合起来,使研究工作进入富有成果的渠道。达尔文的进化论曾使生物学革命化;牛顿体系使物理学在几个世纪中迅速发展;甚至其他科学中较局限性的小型体系如门德列耶夫的元素周期表也提供了充分的证据,说明一种有条理的系统的定向在探索知识中的巨大科学价值。因此,一般概念与普遍原理的探索似乎比个别工程实例的分析与解释具有较高的科学水平。就本质而言,科学研究是要探讨本性,而不仅仅限于既有的性状的认识。研究对象的每一性状都可能有若干个相关链条联系很多个因素,研究是要逐级摸清的。要提高岩体工程的科学性,必须遵循人们对科学的普遍要求和期望。我们看到,对规律性的兴趣导致实验室内仔细的试验研究。有人说岩体没有什么规律性的东西,如果真是这样的话,那么岩体工程科学就只能成为一门索然无味的描述性科学,因为这种知识库只能满足一般肤浅的好奇心,而不能满足理论探讨的需要。

那些认为科学的惟一目的就是发现法则或规律的人,对具体事例的研究可能不屑一顾。但是,要对岩体及其力学行为进行科学描述和预测,积累事实和经验资料是很重要的。岩体工程科学经常表现出对个别工程事例的巨大关心。人们相信积累大量经过详细分析的事例,有助于系统原理的建立。事实上,高水平的个别事例的研究往往具有不朽的价值,而建立在少数粗糙事例基础之上的理论概括则往往因以偏概全或空洞无物而被淘汰。因此,我们认为具体事例的研究同理论研究一样的重要,甚至更加重要。对于那些典型的重大工程事例必须加倍注意,应该给以全面描述和最大限度的解释。特别重要的是对工程经验进行系统总结,在理论上和方法上加以概括、深化和提高。这种事例和事实资料的积累能够使我们建立经验法则,提出科学理论。影响围岩稳定性的因素很复杂,实际问题的解决往往要依靠已有的经验。陈宗基(1990a)指出:“我国幅员辽阔,地球动力学问题和地质构造复杂,我们已经建设或正在建设大量的极为复杂的地应力作用下的工程。这在国际上,在不少国家中,根本没有碰到过这样的问题。在这方面,我们已经积累了许多宝贵的经验,但很可惜的是,我们没有认真地加以总结、交流与提高。”

岩体工程中经验的作用可以区分为两种情况。成功事例对其他工程的设计无疑具有指导意义,但是,从事故中也能体会出深刻的教训。自然界和工程中常常发生岩体结构失稳现象,如边坡滑动、围岩塌方等。对这种问题,我们可运用信息论和系统论进行系统考虑、分析与综合。其中的一种思维方式是非优思维:尽可能地搜集诸事件发生全过程的全部信息;对搜集的信息进行系统的分析、综合,找出同类事件发生与发展的规律;根据分析与综合的结果,构造某种具有一定控制作用的指导系统。显然,这种事故系统方法赋予成功、失误、失事以新的价值和意义。

樱井春辅(1997)指出:“某些青年人由于缺乏实际经验,只有书本知识,因此不清楚岩体工程的实际情况与理论假定到底有什么区别,不清楚理论计算如何更好地为工程服务。”傅冰骏(1997)也指出:岩体力学的发展必须与工程实践相结合。对于这样一个看来简单的问题,长期以来没有得到很好的解决。主要表现之一是:将国际岩石力学学会名称改为“国际岩石力学与岩石工程学会”的动议一直存在争论,直到 1996 年才获得共识予以通过。

18.3.3 理论与应用

岩体工程科学的发展是岩体工程实践的必然结果。现代巨大规模的岩体工程给岩体工程科学带来了新的机遇和挑战。结合生产课题特别是那些重大的岩体工程进行科学研究,这是岩体工程科学发展的关键。中国科学院在 1958 年就曾制定过这样的工作战略:以生产任务带动学科发展。研究工作必须交好两张卷,即生产卷和科研卷,不可偏废。遗憾的是很多人在工程项目的研究中,仅仅限于应付生产问题。事实上,岩体工程科学的应用不是简单地采用,而是具有探索性质的研究,因为它要求我们必须在各种理论和方法之间做出选择,或者必须根据各种不同分析结果做出决策。

基础理论研究是重要的,其目的是提供“基石”,这种基石能够使应用研究更加可靠和有效。岩体工程科学以发现简单的但却作为理解复杂现象基础的自然规律和实用规则为重要目标。但是,只有当我们充分了解现象错综复杂的各个方面以后,才可能用简单的公式和辞句去表达它。要达到这一目标,看来还要走很长的一段路。实际上,理论最终要解决实际问题,特别是像岩体力学这样的应用力学学科,理论研究也必须考虑工程应用问题。

将岩体力学有效地应用到工程问题的先决条件是将岩体力学性状的知识处理得易于为关心这些问题的工程师们所利用(Jaeger *et al*.,1979)。这就要求进行岩体力学的应用研究。应用研究的实质是对实际问题进行理论研究。在工程精度允许的范围内,对严密的方法和理论进行简化通常是其应用的必要前提。如果精致的理论与方法不能较好地解决实际问题,那么它们就只能停留在书本上,因为现场最关心的始终是理论和方法的实用性。王维纲(1992)指出:“应当认识到理论和实际工程的衔接处理和理论研究本身具有同等的重要地位,而应用的细节研究可能更困难些。只有解决这一问题才能使岩石力学理论得到广泛的应用,才能给岩石力学注入新的活力。”

樱井春辅(1997)指出:由于岩体力学预测精度和可靠性不足,今后我们必须更加注意如何将岩体力学理论更好地应用于工程实践。他强调说在这种研究中理论工作者与工程师相互配合协作是极为重要的。只有持续不断地密切合作,才能在设计、施工及监测方面有所突破。樱井不无抱怨地说:“国际岩石力学学会目前的状况令人担忧,关键问题在于不少科学家过分地注意基础理论的研究,而忽视了理论研究在工程实践中的应用。换句话说,当前存在的主要问题是理论未能很好地联系实践。”

18.3.4　分析与综合

近代自然科学的主导方法是分析或说分解,这种由繁化简的分析方法取得了很大的成功。但当我们试图说明系统整体行为的形成机制时,就遇到了“只见树木,不见森林”的困难。也就是说,即使对系统的每个部分都弄清了,对系统的整体行为可能还是不完全理解。事实上,在很多学科领域都得出这样的结论:把研究对象分析为许多组成部分的办法是行不通的,整体还有整体自己作为整体的性质。如果经典学科坚持专门知识惟我独尊,那么事物就会被分割成不同的碎片。自然现象不是支离破碎的,世界并不是适合于彼此和睦为邻但各自独立的园丁们进行耕作的一系列花园。对于综合性的复杂问题,单靠狭窄的专业知识不能解决,一个人要掌握所有相关的知识又不可能。因此,多学科联合攻关或跨学科地有机协同就是历史和实践提出的课题。

跨学科研究就是对于典型学科之间的问题的研究。人类跨越不同学科的界限进行跨学科的研究活动由来已久,但独立的跨学科研究则是从本世纪中叶才开始的。跨学科研究被提出后就受到人们的重视,这是因为它推动了被专业学科所忽视的领域的研究,打破了专业化的垄断现象;增加了各学科之间的相互交流与渗透;创造了以“问题解决”研究为中心的研究模式。显然,以问题为核心的研究可能冲破学科的传统界限。

岩体工程科学的研究对象十分复杂,影响岩体力学性状与行为的因素很多,要建立一种能适应各种条件的理论或方法,得到计及各种因素的定量解答,这几乎是不可能的。因此,现阶段比较合理的办法是将问题分类解决。对每种特征不同的课题,突出主要矛盾,将问题适当简化,使之得到近似的解答(朱维申等,1995)。例如,针对特定的边坡进行稳定性分析时,我们可以采用有限元模型、离散元模型、极限平衡模型等。采用多种模型、理论和方法对同一问题进行综合分析是必要的,因为这些不同的分析强调问题的不同方面,是相互补充的。事实上,岩体工程问题研究途径与方法的多样性与岩体的复杂性是一致的。由于岩体系统及其环境的复杂性和不确定性,要彻底搞清系统的状态和动态变化规律,就必须采用综合性的方法进行全方位研究,强调定性与定量相结合、经验与理论分析相结合、白箱与黑箱方法相结合、结构分析与要素分析相结合、直觉与逻辑相结合、试验与计算相结合等方法论原则,各种途径和方法相互结合、相互补充,以建立新的岩体力学体系。

18.3.5 宏观与微观

现代测试技术的高度发展使我们可以将宏观和微观方面结合起来对岩体进行仔细的研究。例如,我们可以利用扫描电镜(SEM)和计算机断层X射线技术(CT)对岩石材料的微观结构及其在受力变形过程中的发展变化进行研究。利用CT不但可以无扰动地、多方位地对各种材料进行损伤检测,而且可以通过对CT图像的分析及CT数分布规律的统计及其变化特征的研究,与材料的损伤及损伤的扩展联系起来(张梅英等,1993)。

很多情况下,只要弄清岩体的实际性状和力学反应就足以解决工程问题。但是,问题要获得更为完满的解决,还得理解这些性状与反应的内部机理。机理的研究能够加深我们对现象的理解,而且除非我们对事件发生的原因和内部机理都非常清楚,否则总会得不到"精神上的愉快"。当然,在没有充分理解之前,我们仍可以有所作为。正是因此,人们在系统论中创造了"黑箱"这个概念。但是,为了揭示黑箱的秘密,可以设想的惟一方法就是打开黑箱。事实上,人类一切科技成就都是由揭开一只只黑箱所取得的。

可见,搞清楚岩体宏观力学特性和行为的微观机理是必要的。目前观测岩石材料内部缺陷的技术逐渐完善。例如,岩石三轴加载设备与CT机配套可以动态、定量和无损伤地量测岩体材料在受力过程中内部结构的变化过程(杨更社等,1996;葛修润等,1999;李晓军等,2000)。此外,岩石破裂时,内部积聚的能量部分释放并以声波形式传播,这种现象就是声发射。现在,人们也可通过监测岩体声发射来了解岩体内部的破裂情况,岩体破裂时的临界值可作为预测岩体破裂的准则。

总之,为了加深对岩体力学行为的认识,需要我们从微观、细观和宏观层次上进行研究。只有这样才能使我们对岩体的力学性质和行为获得机理性的认识。但是,如何将不同层次上的力学现象联系起来,仍是整个力学界所面临的难题(郑哲敏等,1995)。

18.3.6　定量与定性

把数学方法应用于经验科学研究,被认为是现代科学的基本精神。这种科学精神最早始于阿基米德,最重要的发展则归功于近代的伽利略。因此,17 世纪是经验科学数学化的开始。那时的科学家们借助于数学进行描述,发现了一个量化了的世界。在现代科学中,数学方法所占的地位越来越重要,科学家越来越重视用数学方法来进行自己的探索工作。A. Renyi 认为:“甚至一个粗糙的数学模型也能帮助我们更好地理解一个实际的情况,因为我们在试图建立数学模型时被迫考虑了各种逻辑可能性,不含混地定义了所有的概念,并且区分了重要的和次要的因素。一个数学模型即使导出了与事实不符合的结果,它也还可能是有价值的,因为一个模型的失败可以帮助我们去寻找更好的模型。”

一般地说,在一门科学中引进数学方法,总被认为是重要的一步,因为这意味着走向严密和精确。定量模型使我们有可能对它所描述的现象进行时空定位。一个纯粹的不具体指明时间地点的定性预测,在实践中意义就不会太大。在岩体工程问题还不能严格定量的情况下,半定量的结果特别当它能够对工程设计提供科学的指导原则时,也是十分重要的。如果排除或脱离了力学分析的基本方面,研究工作的结果不会理想。但是,虽然定量方法是重要的,却不可盲目迷信。经验科学应用数学方法的实质在于用理想的数学关系近似地描述非理想的现实事物。因此,用数学描述事物时,本身就存在着一种“不合理的精确性”。此外,建立数学模型的本意就是将各种各样的实际问题化为数学问题。很显然,数学模型仅仅是一个实际问题的近似,必然要舍弃一些因素,而且还要做某些假定。

实际上,任何实在的事物都具有质和量的规定性,因此定性的描述和定量的表达都是必要且重要的。有些事物是难于用数量表示的,或现阶段还没有完全达到科学定量化的水平。因此,在处理实际问题时,对于没有入门知识的人来说,数字也许会使资料变成一种完全欺骗性的论据。更加严重的是,它的诱惑可使人集中注意力于那些容易和明显可以测量的事物或事物的某方面上,而忽视某些更重要的难于定量的方面。单纯的"数学游戏"可能给人以"真正科学"的印象。但是,这往往会带来毫无价值的结论。事实上,定性分析是定量描述的前提,有了"力"、"速度"和"加速度"这些物理概念,我们才能对物体的受力运动进行数学描述。在定性还没有把握的情况下,定量分析的可靠性很值得怀疑。因此,定性研究很重要,不能把定性当做非科学的东西,不能认为只有定量才是科学的。突变论表明,在科学中可能存在着数学的另一种用法,它将不是定量的,而是定性的。如果系统的行为不能用明确的定律来描述,则可先定性地对其进行刻画。

岩体工程问题异常复杂,如果认为任何现象都必须定量地加以刻画与预测,那就显得有些荒唐。实际上,目前的定量分析成果通常只能定性地加以应用。

18.3.7 系统与协调

在岩体工程问题中,涉及很多环节,其间存在许多不确定性问题,各环节所能达到的精度并不平衡。因此,在整个问题的分析中,应遵循协调原则:各环节的研究精度保持一致。不顾某些环节的局限性,而过分追求另外一些环节分析的精度是不必要的,甚至可以说,不适当的精确是故弄玄虚,这是对问题缺少全面认识的表现,实际上于事无补。

求解岩体力学问题主要包括岩体力学分析模型的确定、岩体材料的力学性质的确定、岩体力学分析方法的选择与计算、岩体稳定性的分析与评价、岩体力学现场监测等五个方面,这是一项系统性很强的工作,各个环节是相互关联的。例如,如果所研究的岩体被大型软弱结构面切割成典型的块裂结构,那么块裂结构体沿软弱结构面滑移将是岩体变形破坏的基本型式和机制,此时岩体为块裂介质,一般情况下只需组织软弱结构面的力学试验,并采用块体力学分析方法分析其稳定性。如果我们不注意到问题的系统性,不是分析结果不符合实际,就是事倍功半,造成巨大的浪费。

Gerrard(1977)强调总体研究方法,把研究的循环过程概括为:"假定材料性态(本构关系式),确定各种输入数据的数值。计算并观测工程结构物的实际表现,同时利用观测数据反复校核本构定律、输入数据和模拟方法是否正确。"现在的实际情况仍然和他那时抱怨的差不多:"很久以来人们要求用总体研究方法来完成科学研究的循环过程,但这种呼声仍未得到应有的重视。这就使这种研究循环的各个部分不能平衡发展,甚至其中某些部分遭到失败。"

18.4 研究方法与态度

毫无疑问,实质性研究的前提是首先深入到前沿领域。这项任务是非常艰难的,因为它要求我们仔细地进行学科思想史研究,熟悉学科的整体轮廓并清理出每个理论及其建基之上的经验事实。然而,人们往往在这一关键环节上匆忙而过,使得经验事实、已有理论和问题情境模糊不清。

任何科学工作者从事具体的科学探索都以当下的科学状况为基础和起点,他们总是面对着一定的问题情境、经验事实和科学理论。在学科发展的任何阶段上,已经获得的经验事实都组成信息域。现有的任何科学理论往往是以某些事实资料为基础建立起来的,因此至多可以较好地解释部分经验事实。那些具有敏锐头脑的学者,能够在事实资料之间,特别是在事实资料与现有理论之间发现矛盾,从而找到科学研究的突破口。

我们应该如何对某种现有理论进行研究呢?应该如何发展自己的理论呢?任何规范的科学理论都具有这样的典型结构,即科学事实、科学规律和科学理论。科学家需要从事实出发,经过归纳、猜测等方法探索规律性的东西;再按照假说演绎模式把经验规律组织为理论;最后是通过试验或实践对理论进行检验。

18.4.1 问题与课题

科学研究中首先碰到的问题是研究课题的选择,也就是发现并提出科学问题。对于年轻的科学工作者,选择课题是很重要的。有的课题没有多大意义,有的课题很难继续深入,选择这样的课题必将严重影响自己的学术前途。

研究对象的行为表现出来的就是我们通常所说的现象,它们是作为事实展现在人们面前的,而科学研究的发端则取决于人的问题意识及活动的介入。苹果坠地这是存在于一般人面前的事实,然而,只有把这一事实作为一个问题提出来的时候,才有科学研究的开端。

真正的科学研究工作是从问题开始的,科学研究人员最重要的是要有问题意识。科学哲学家赖欣巴哈说:“基本问题的发现,其本身就是对于智力进步的重要贡献。”爱因斯坦也曾指出:“提出一个问题比解决一个问题更为重要,因为解决问题也许仅是一个数学上或实验上的技能而已;而提出新的问题、新的理论,从新的角度去看旧的问题,却需要有创造性的想像力,而且标志着科学的真正进步。”科学探索总是向未知领域开拓,而深入未知领域意味着必须通晓已知领域。因此,提出问题并不是件简单的事情,而且提出一个带方向性的关键问题,能够吸引一大批科学工作者的注意力并最终导致问题的解决。

提出问题和选择课题应慎重对待。若考察问题的角度过于宽泛,在一些具体问题的处理上不可避免地陷入表面化和笼统化。要分析哪些方面已经得到了充分发展,哪些方面进展缓慢甚至成为整个科学体系的“瓶颈”。W·詹姆斯在《信仰的意志》中指出:可做出新发现的大领域总是未经分类的残留物。在每种科学中有规律的事实的周围,(要特别细心观察)还有着一类云雾状灰尘在浮动,它们偶然出现、不规则和难得遇到,总是颇易忽略而不易顾及。科学的理想是封闭和完善的真理系统,不能分类的现象是荒唐的,任何想要革新他的科学的人都得寻找这种不规则的现象并加以处理。

18.4.2　经验事实

科学事实本身就是科学知识的组成部分,并且是科学概念和理论构造的基础。科学事实是逐渐被发现、逐渐丰富起来的。在任何学科发展的初期,都不免在沙滩甚至流沙上从事学术建筑,岩体力学初期的情况就是这样。

科学事实就是对客观现象做出的描述或判断。举例来说,“铁受热后膨胀”这一现象就是科学事实;“光线通过太阳引力场发生弯曲”这一现象也是科学事实。事实本身是客观的,但需要我们去观察确认并表述出来,这样就有可能因主观的缘故而歪曲事实。因此,科学事实必须是可重复的,而且只有经过科学共同体鉴定的事实才能成为公认的科学事实。

科学概念和理论的构造基于科学事实。例如,没有贝纳德对流、化学震荡、激光等经验事实,耗散结构的概念和理论就不会建立起来。如果事实资料贫乏、事实质量低劣,那就不可能产生出高质量的理论研究。事实能够顽强地抵制概念框架的各种操纵,并要求这些框架为事实所调整,科学研究也必须对事实负责。尽管我们可以采用不同的假说或理论来描述事实,但是这种描述绝不是任意的,我们无法任意地摆布事实。

在具体问题的科学研究中,相关的科学事实必须被鉴别、组织起来形成理论研究的论域，科学哲学家夏皮尔称之为信息域。显然，对于科学理论而言，信息域是待说明与解释的对象；而对于客观事物来说，信息域又是人们认识与建构的产物。例如，我们可以把观察到的与物体运动有关的事实信息项作为信息域，而置物体的颜色、形状、构造等要素于不顾，便形成经典力学的论域。

在实践中人们会得到某些零星的片断信息以及基于经验的判断，这些信息之间可能出现矛盾或者要求进一步的理论解释。就这样，它们可能被集合在一起而成为科学研究的资料。夏皮尔指出："域是公认的信息项所缔合成的有待研究的领域。"域中的项与项之间具有某些联系，而且信息体中存在着要求解答的问题，科学界对于解决这些问题也是有所准备的，例如对理论的期望、能够准确地陈述该组信息及其中存在的问题、其他相关领域的研究为解决这些问题提示了有希望的研究路线等等。

信息域不可能是完备的，新的事实随时都可能被发现，因此与之相应的理论总是面临着被修正或推翻的可能性。事实上，随着研究工作的不断进展，域总会不断地发生变化。例如，在研究的某个阶段上，可能会把某些外在的东西当做"相关的"。但是，这些与研究主题不相关的项总是会被排除域外；先前被认为是无关此域的项，现在看来却属于此域，或者相反；先前认为是表面的联系，现在看来是根本重要的，或者相反；某些项可能被新的发现所修改甚至否定，某些项在新域中被重新解释。

岩体工程领域中的经验事实资料已经相当丰富，但是远远没有得到充分的交流、理解和理论概括。因此，我们认为岩体工程科学工作者特别需要掌握已有的经验事实，然后才是对现有理论进行研究，或者去发现新的科学事实以建构自己的理论。

18.4.3　科学理论

我们可以根据试验或观察得到的事实资料，总结出经验规律。这些经验规律可以是定性的，也可以是相关变量之间的定量关系。

显然,物理量之间的经验公式不属于理论知识,因为这种公式不是理论建构的,而是经验资料统计回归而得出的。如果仅仅获得这种知识,那就表明我们的认识仍停留在经验水平上。科学并不满足于经验定律,因为从本质上说科学追求理性的东西。实际上,经验拟合可能会把问题的真正性质、本质掩盖起来,使人们错过发现理论的机会。

科学家在构造科学理论时,往往要引入某些不属于该理论范围的东西作为基础,甚至引入无法用经验直接说明的基本假定。这种前提假定应被视为理论的一部分。沈珠江(2000)指出:“理论研究离不开假设。可以毫不夸张地说,没有假设就没有理论。”科学家都非常清楚理论得以建立的前提假定,而且这种假定最容易引起争论。

人们可能教条主义地墨守已建立的理论,也可能以批判的态度对待它们,在可能的情况下,以更好的理论代替它们。所谓较好的理论就是具有较多内容和较强解释力的理论。科学哲学家波普尔把科学理论逼近真理的程度叫做“逼真度”。一个理论在被经验确证后,其内容就具有一定的真理性。科学的任务就是找到越来越接近真理的理论,科学进步也就是理论逼真度的提高。我们虽然不知道距离真理有多远,但是我们能越来越接近真理。

18.4.4 科学态度

科学工作者的科学态度会直接影响到他的学术成就。科学探索也许是世界上最严肃的事业,它让参与活动的科学家感到敬畏,并在他们身上将谦卑和傲慢奇妙地混合起来。

从事科学要有实际精神,因为科学是与无情而不以人的意志为转移的事实建立联系。取得成功的前提是对事物本身发生兴趣,并进行冷静地观察与分析。心理学家警告自然科学家要小心,以免所隐藏的欲望和倾向影响他的思考和发现。

科学家的批判精神是科学健康发展的必要条件。科学领域中教条主义和盲从是非常有害的。我们应该批判性地研究前人的著作和思想,发现真知灼见和失败之处。蔑视过去是不明智的,而且,每种学术观点都值得严肃对待,否则完全可能为发现已有的思想而浪费时间和精力。

我们还应该懂得,在科学中无论某种概念或模式如何有感染力,或已被广泛接受,都应当使用多重工作假说的方法。任何一种理论或观念,可以赢得巨大的胜利,但也可造成很大损害。这是因为人类的思维中固有的一种经济性:人们总是习惯于用已确立的知识尽可能解释更多的现象。由于它易于解释一切,所以它使我们对理解极少的事实也轻率对待。

科学研究不是独白,事物不可能听任摆布地表现出我们正好喜欢的行为。科学研究需要的是脚踏实地的精神。蒋彭年告诫年轻的学者说:“切不可以在尚未认识客观世界的复杂性之前,就企图建立一个可以支配一切的理论体系;也不要以为可以不通过长期艰苦的努力,就可以一劳永逸地得到一个全新的成果。”(参见沈珠江,2000,序)。

参考文献

1 Attewell P B, Farmer I W. Principles of Engineering Geology. Chapman & Hall Ltd., 1976
2 [英]阿特韦尔 P B,法默 I W.成都地质学院工程地质教研室译.工程地质学原理.北京:中国建筑工业出版社,1982(1976 原版)
3 包承纲.谈岩土工程概率分析法中的若干基本问题.岩土工程学报,1989,11(4):94-98
4 包承纲,等.地基工程可靠度分析方法研究.武汉:武汉测绘科技大学出版社,1997
5 Barton N R, *et al*. Engineering Classification of Rock Masses for the Design of Tunnel Support. Rock Mechanics, 1974:198-236
6 [英]贝尔 F G. 汪时敏等译.工程地质与岩土工程.北京:中国建筑工业出版社,1990(1980 原版)
7 Bielenstein H U, Eisbacher G H. In-Situ stress Determination and Tectonic Fabric of Elliot Lake Ontario, Proc. of the Canadian, Rock Mech., Symposium, Montrel, May, 1970
8 Bieniawski Z T. Rock Mass Classification in Rock Engineering. In: Proc. Symp. on Exploration for Rock Engineering. Balkema, Rotterdam, 1976: 97-106
9 [英]波普尔. 科学发现的逻辑. 北京:科学出版社,1986
10 卡斯特奈 H.隧道与坑道静力学.同济大学《隧道与坑道静力学》翻译组译.上海:上海科学技术出版社,1980(1971 原版)
11 蔡美峰.地应力测量原理和方法的评述.岩石力学与工程学报,1993,12(3):275-283
12 蔡美峰,乔兰,李华斌.地应力测量原理和技术.北京:科学出版社,1995
13 昌乾,丁恩保.边坡稳定性评价结果的表达与边坡稳定判据.工程地质学报,1997,5(4):375-380
14 陈德基.问题与展望.见:聂德新,等.工程地质科学新进展.成都:成都科

技大学出版社,1989.54-58

15 陈良森,李长春.关于岩石的本构关系.力学进展,1992,22(2):173-182

16 陈生水.土的本构模型研究之浅见.岩土工程学报,1992,14(2):89-92

17 陈雨波等主编.中国土木建筑百科辞典·建筑结构卷.北京:中国建筑工业出版社,1999

18 陈子光.岩石力学性质与构造应力场.北京:地质出版社,1986

19 陈宗基.第二次全国岩石力学与工程学术大会开幕词.岩石力学与工程学报,1990a,9(2):85-87

20 陈宗基.岩石力学的发展方向.岩石力学与工程学报,1990b,9(3):175-183

21 陈宗基,康文法.岩石的封闭应力、蠕变和扩容及本构方程.岩石力学与工程学报,1991,10(4):299-312

22 陈宗基.应力释放对开挖工程稳定性的重要影响.岩石力学与工程学报,1992,11(1):1-10

23 孔宪立主编.岩体工程地质及其灾害.上海:同济大学出版社,1993

24 崔政权,李宁.边坡工程——理论与实践的最新进展.北京:中国水利水电出版社,1999

25 戴汝为,王珏.综合各种模型的专家系统设计.见:孙怀民主编.知识工程进展.武汉:中国地质大学出版社,1988.97-103

26 戴汝为.从定性到定量的综合集成技术.模式识别与人工智能,1991(4)

27 [美]德赛 C S,克里斯琴 J T 主编.岩土工程数值方法.卢世深,潘善德,王锺琦等译.北京:中国建筑工业出版社,1981(1977 原版)

28 邓聚龙.灰色系统的基本方法.武汉:华中理工大学出版社,1987

29 邓聚龙.灰色系统理论教程.武汉:华中理工大学出版社,1990

30 Dershowitz W. S. and Einstein H. H., Application of artificial intelligence to problems of rock mechanics, Proc. 25th U. S. Symposium on Rock Mechanics, 1984

31 杜永廉.边坡块体结构破坏机制的模拟试验.见:中国科学院地质研究所.岩体工程地质力学问题(三).北京:科学出版社,1980.114-132

32 [英]法默 I W.岩石的工程性质.徐州:中国矿业大学出版社,1988(1983 原版)

33 Fairhurst C, Lin D. Fuzzy methodology in tunnel support design. Proc. 26th. Symposium on Rock Mechanics, 1985

34 Fairhurst C,Juemin P.郭树棠译.应用不连续元法和有限元法对在节理岩层中洞室开挖稳定性分析的比较.隧道译丛,1992(1990原版),(7):1-8

35 冯夏庭,林韵梅.采矿巷道围岩支护设计专家系统.岩石力学与工程学报,1992,11(3):243-253

36 Feng Xiating and Lin Yunmei. An expert system for rock mass classification of underground engineering. Proc. 29th International Geological Congress, 1992

37 冯夏庭.岩石力学智能化的研究思路.岩石力学与工程学报,1994,13(3):205-208

38 冯夏庭,林韵梅.岩石力学与工程专家系统研究新进展.岩石力学与工程学报,1995,14(1):85-91

39 冯夏庭,王泳嘉.关于智能岩石力学发展的几个问题的讨论.岩石力学与工程学报,1998,17(6):705-710

40 冯夏庭.智能岩石力学导论.北京:科学出版社,2000

41 傅冰骏.岩石力学进展.石家庄铁道学院学报,1995,18(2):1-5

42 傅冰骏.国际岩石力学发展动向.岩石力学与工程学报,1997,16(2):195-196

43 高大钊.土力学可靠性原理.北京:中国建筑工业出版社,1989

44 高大钊.岩土工程领域中的可靠性研究.铁路地质与路基,1990(4)

45 高大钊.地基规范与工程勘察.工程勘察,1991(5)

46 高大钊.岩土工程设计安全度指标及其应用.工程勘察,1996(1):1-6

47 高大钊,史佩栋.岩土工程概论.见:高大钊主编.岩土工程的回顾与前瞻.北京:人民交通出版社,2001

48 高谦,岩质边坡工程的可靠度分析及其应用,博士学位论文,1989,中国科学院地质研究所

49 葛修润,任建喜,蒲毅彬.煤岩三轴细观损伤演化规律的CT动态试验.岩石力学与工程学报,1999,18(5):497-502

50 Gerrard C M.岩土力学数学模型的背景:结构构造与应力历史的作用.

见:[西德]哥德赫编.有限元法在岩土力学中的应用.张清,张弥译.北京:中国铁道出版社,1980(1977原版).21-83

51 龚晓南.21世纪岩土工程发展态势.见:高大钊主编.岩土工程的回顾与前瞻.北京:人民交通出版社,2001

52 顾宝和.关于《岩土工程勘察规范》的几个问题.工程勘察,1995(5)

53 GudehusG.有限元法与岩土力学之间的相互影响——述评.见:[西德]哥德赫编.有限元法在岩土力学中的应用.张清,张弥译.北京:中国铁道出版社,1980(1977原版).1-20

54 [美]古德曼 R E.不连续岩体中的地质工程方法.北方交通大学隧道与地质教研室译.北京:中国铁道出版社,1980(1976原版)

55 Goodman R E. Methods of Geological Engineering in Discontinuous Rocks. 1976, West Publishing Company

56 [英]古德曼 R E.岩石力学原理及其应用.王鸿儒等译.北京:水利电力出版社,1990(1980原版)

57 Goodman R E, Shi G H. Block Theory and its Application to Rock Mechanics. 1984, Prentice-Hall, N. J.

58 谷德振.地质构造与工程建设.科学通报,1963a.见:谷德振文集.北京:地震出版社,1994. 127-133

59 谷德振.岩体稳定的工程地质分析,1963b.见:谷德振文集.北京:地震出版社,1994.134-139

60 谷德振.水利工程建设中的地质构造问题.1965.见:谷德振文集.北京:地震出版社,1994.140-162

61 谷德振,王思敬.论工程地质力学的基本问题. 1979.见:谷德振文集.北京:地震出版社,1994.240-252

62 谷德振,黄鼎成.岩体结构的分类及其质量系数的确定.水文地质与工程地质,1979(2)

63 谷德振.岩体工程地质力学基础.北京:科学出版社,1979

64 哈秋舲.岩石(体)力学中的系统工程.岩石力学与工程学报,1992,11(2):209-214

65 哈秋舲,李建林,张永兴等.节理岩体卸荷非线性岩体力学.北京:中国建筑工业出版社,1998

66 韩文峰,张咸恭,聂德新,等.试论我国水利水电工程中推行岩土工程体制的必要性和可能性.见:聂德新,等.工程地质科学新进展.成都:成都科技大学出版社,1989.42-47

67 何广讷.土工的若干新理论研究与应用.北京:水利电力出版社,1994

68 何满潮,薛廷河,彭延飞.工程岩体力学参数确定方法的研究.岩石力学与工程学报,2001,20(2):225-229

69 何平,赵子都.突变理论及其应用.北京:大连理工大学出版社,1989

70 Hoek E, Bray J W. Rock Slope Engineering. The Institution of Mining and Metallurgy, London, 1974

71 Hoek E, Bray J W. 岩石边坡工程.北京:冶金工业出版社,1983(1977 原版)

72 Hoek E, Brown E T.岩石地下工程.连志升等译.北京:冶金工业出版社,1986

73 Hoek E, Brown E T. The Hoek-Brown Failure Criteria—a 1988 update. In. Proc. 15th Canadian Rock Mechanics Symposium. Ottawa, 1988

74 黄国明,苏文智.斜坡蠕滑预报的相空间理论.水文地质与工程地质,1996(4):1-4

75 黄宏伟,支国华.基坑围护结构系统的性态及其状态变量.岩土力学,1997,18(3):1-12

76 黄润秋.正确的思维方式是学科发展的源泉.岩石力学与工程学报,1994,13(3):283-287

77 黄文熙.为积极开展岩土工程学的研究而努力.岩土工程学报,1979(创刊号):1-3

78 黄文熙.土的弹塑性应力—应变模型理论.见:黄文熙主编.土的工程性质.北京:水利电力出版社,1983.1-59

79 黄兴棣.工程结构可靠性设计.北京:人民交通出版社,1989

80 胡政才.对修订隧道设计规范的几点建议.铁道建筑技术,1997(4)

81 Hungr O. An extension of Bishop's simplified method of slope stability analysis to three dimensions. Geotechnique, 1987, Vol. 37: 113-117

82 Jaeger J C, Cook N G W. Fundamentals of Rock Mechanics. Third Ed. Chapman and Hall London, 1979

83 蒋彭年.土的分类建议.岩土工程学报,1991(5)
84 姜启源.数学模型.第二版,北京:高等教育出版社,1993
85 景诗庭.地下结构可靠度分析研究之进展.石家庄铁道学院学报,1995,(2)
86 John K W. An Approach to Rock Mechanics, Journ. of the Soil Mech. and Found. Div. Proc. Americ. Soc. Civil Een., Vol. 88, 1962
87 Kuhn T S. The Structure of Scientific Revolutions, Third Edition, The University of Chicago Press, Chicago and London, 1996
88 [美]拉兹洛 O. 系统哲学引论. 北京:商务印书馆,1998(1972 原版)
89 Lee C, Sterling R. Identifying Probable Failure Modes for Underground Openings Using a Neural Network. Int. J. Rock Mech. Min. Sci. & Geomech. Abstr. Vol. 29, No. 1, pp. 49-67, 1992
90 雷晓燕.岩土工程数值计算.北京:中国铁道出版社,1999
91 冷伍明,赵善锐.土工参数不确定性的计算分析.岩土工程学报,1995,17(2):68-74
92 冷伍明.基础工程可靠度分析与设计理论.长沙:中南大学出版社,2000
93 李宁,Swoboda G.当前岩石力学数值方法的几点思考.岩石力学与工程学报,1997,16(5):502-505
94 李世辉.隧道稳定系统分析.北京:中国铁道出版社,1991
95 李世辉等.隧道支护设计新论——典型类比分析法的应用和理论.北京:科学出版社,1997
96 李四光.地质力学概论.北京:科学出版社,1973
97 李铁汉.岩体力学的学科属性及发展战略.岩石力学与工程学报,1993,12(3):286-289
98 李晓军,张登良.路基填土单轴受压细观结构 CT 监测分析.岩土工程学报,2000,22(2):205-209
99 李效甫,姚建国.回采巷道支护形式与参数合理选择的专家系统.煤炭科学技术,1990,(2)
100 李造鼎,宋纳新,贾立宏.岩土动态开挖的灰色突变建模.岩石力学与工程学报,1997,16(3):252-257
101 梁炯鋆,黄鼎成,邢念信等.工程地质体控制论.岩石力学与工程学报,

1992,11(2):117-129
102 廖野澜.监测位移的灰色预报.岩石力学与工程学报,1996,15(3):269-274
103 刘宝琛.矿山岩体力学.长沙:湖南科学技术出版社,1982
104 刘宝琛,张家生,杜奇中,等.岩石抗压强度的尺寸效应.岩石力学与工程学报,1998,17(6):611-614
105 刘汉东.边坡失稳定时预报理论与方法.郑州:黄河水利出版社,1996
106 刘汉东,路新景.岩石力学理论与工程实践.郑州:黄河水利出版社,1997
107 Liu Handong. A new approach to mid-long term forecasting occurrence of slope failure. 7th International IAEG Congress A. A. BALKEMA, 1994
108 刘汉东.水电工程边坡安全度标准研究.见:面向21世纪岩石力学与工程.北京:中国科学技术出版社,1996
109 刘汉东.边坡位移矢量场与失稳定时预报试验研究.岩石力学与工程学报,1998,17(2)
110 刘汉东.水泥粉喷桩在深基坑支护与防渗工程中的应用.水利水电技术,1998(5)
111 刘汉东.神经网络法在地下洞室围岩分类中的应用.华北水利水电学院学报,1998(2)
112 刘汉东.最优归类模型预测岩爆初探.地下空间,1999(5)
113 Liu Handong. Prediction study of rock mass deformation of the middle-isolation piers of permanent shiplock in the Three Gorges Project on Yangtze river. 2001 ISRM International Symposium, A. A. BALKEMA PUBLISHERS. Lisse, The Netherlands. 2001
114 刘汉东,王思敬.滑坡预测预报非线性动力学方法.华北水利水电学院学报,2001(3)
115 刘怀恒,熊顺成.隧洞衬砌变形监控及安全预测.岩石力学与工程学报,1990,9(2):91-99
116 刘锦华,吕祖珩.块体理论在工程岩体稳定分析中的应用.北京:水利电力出版社,1988
117 刘维宁.岩土工程反分析方法的信息论研究.岩石力学与工程学报,

1993,12(3):193-205

118 刘元雪,郑颖人.岩土弹塑性理论的加卸载准则探讨.岩石力学与工程学报,2001,20(6):768-771

119 洛伦兹 E N. 混沌的本质.北京:气象出版社,1997

120 [德]迈因策尔 K.复杂性中的思维.曾国屏译.北京:中央编译出版社,1999(1996 原版)

121 Mandelbrot B B.大自然的分形几何学.陈守吉等译.上海:上海远东出版社,1983(1998 年译)

122 Müller L 主编.岩石力学.北京:煤炭工业出版社, 1981(1974 原版)

123 Müller L. Rock Mechanics. Rotterdam: A. A. Balkema, 1974

124 Müller L.缪勒教授来华学术报告集.1981

125 Müller L.工程地质和岩石力学问题.长江科学院,1986

126 潘家铮.建筑物的抗滑稳定和滑坡分析.北京:水利出版社, 1989

127 潘别桐,井兰如.岩体结构概率模型模拟及应用.见:岩石力学新进展.沈阳:东北工学院出版社,1989

128 裴觉民.数值流形方法与非连续变形分析.岩石力学与工程学报,1997,16(3):279-292

129 钱学森,于景元,戴汝为.一个科学新领域——开放的复杂巨系统及其方法论.自然杂志,1990,13(1):3-10

130 秦四清,张倬元,等.非线性工程地质学导引.成都:西南交通大学出版社, 1993

131 任光耀,成雁翔,杨志安.干旱系统演化探索. 西安:陕西科学技术出版社,1998

132 Saito, M., Forecasting the time of occurrenceof slope failure. Proc. 6th Int. Conf. Soil Mechs. Found. Eng., Montreal, Vol. 2, pp:537-541

133 邵根大.国际隧道界围绕新奥法的激烈争论给我们的启示.铁道建筑,1997(9):2-5

134 沈明荣.应变破坏判据的试验研究.见:刘汉东主编.岩石力学理论与工程实践.郑州:黄河水利出版社,1997.25-30

135 沈珠江.土力学理论研究中的两个问题.岩土工程学报,1992,14(3):99-100

136 沈珠江.关于土力学发展前景的设想.岩土工程学报,1994,16(1):100-111
137 沈珠江.原状取土还是原位测试.岩土工程学报,1996
138 沈珠江.理论土力学.北京:中国水利水电出版社,2000
139 Shi genhua. Discontinuous deformation ananlysis, a new numerical model for the static and dynamics of block system. Department of civil Enjneering, University of California, Berkely, USA: 1988
140 斯塔格 K G,晋基维茨 O C.工程实用岩石力学.北京:地质出版社,1978(1969 原版)
141 Skempton, A. W., Long - Term Stability of Clay Slopes, Rankine Lecture, Geotechnique, 1964, 14:77-101
142 宋二祥.土工结构安全系数的有限元计算.岩土工程学报,1997,19(2):1-7
143 [日]松尾稔.万国朝等译.地基工程学——可靠性设计的理论和实践.北京:人民交通出版社,1990
144 Stagg K G, Zienkiewicz O C. Rock Mechanics in Engineering Practice. London: Allen & Unwin Ltd., 1969
145 Starfield, A. M., and P. A. Cundall. Towards a Methodology for Rock Mechanics Modeling, Int. J. Rock Mech. Min. Sci. & Geomech. Abstr. 1988, 25(3): 99-106
146 孙东亚,陈祖煜,杜伯辉等.边坡稳定评价方法 RMR - SMR 体系及其修正.岩石力学与工程学报,1997,16(4):297-304
147 孙广忠.碎裂岩体的变形参数分析.水文地质与工程地质,1982(5)
148 孙广忠,周瑞光,赵然惠等.劈岭工程边坡稳定性岩体力学研究.岩体工程地质力学问题(四).北京:科学出版社,1982
149 孙广忠.岩体力学基础.北京:科学出版社,1983
150 孙广忠.岩体结构力学.北京:科学出版社,1988
151 孙广忠.工程地质与地质工程.见:聂德新,等.工程地质科学新进展.成都:成都科技大学出版社,1989.18-22
152 孙广忠.工程地质与地质工程.北京:地震出版社,1993
153 孙广忠.地质工程理论与实践.北京:地震出版社,1996

154 孙广忠.地质工程文选.北京:兵器工业出版社,1997
155 孙钧.世纪之交岩石力学研究的若干进展.见:岩土力学数值分析与解析方法.广州:广东科技出版社,1998
156 孙明玺.现代预测学.杭州:浙江教育出版社,1998
157 孙卫军,周维垣.裂隙岩体弹塑性—损伤本构模型.岩石力学与工程学报,1990,9(2):108-119
158 孙玉科,牟会宠,姚宝魁等.边坡稳定性分析.北京:科学出版社,1988
159 [法]塔罗勃 J.岩石力学.北京:中国工业出版社,1965(1957 原版)
160 谭学术,等.复合岩体力学理论及其应用.北京:煤炭工业出版社,1994
161 谭云亮,王泳嘉,朱浮声,等.顶板活动过程的自组织演化研究.岩石力学与工程学报,1997,16(3):258-265
162 唐春安.岩石破裂过程中的突变.北京:煤炭工业出版社,1993
163 唐春安,徐小荷.岩石破裂过程的尖点突变模型.岩石力学与工程学报,1990,9(2):100-107
164 陶振宇.水工建设中的岩石力学问题.北京:水利电力出版社,1976
165 陶振宇.我国岩石力学研究的进展.见:陶振宇主编.岩石力学的理论与实践.北京:水利出版社,1981.1-21
166 陶振宇.试论岩石力学的最新进展.力学进展,1992,22(2):161-172
167 Terzaghi K. Erdbaumechanik auf Bodenphsikalischer Grundlage, Lpz. Deuticke, 1925
168 田野,徐平.岩体蠕变位移数据的处理和预测.岩石力学与工程学报,1991,10(4):327-330
169 [美]铁木辛可 S P.材料力学史.常振檝译.上海:上海科学技术出版社,1961(1953 原版)
170 [法]托姆 L.突变论:思想和应用.周仲良译.上海:上海译文出版社,1989(1983 原版)
171 Vanmarcke E H. Probabilistic Modeling of Soil Profiles. Journal of Geotechnical Engineering Division, ASCE, 1977, 103(11):1227-1246
172 王桂尧,孙宗颀.岩石张拉与剪切断裂的比较.力学与实践,1996,18(1):13-14
173 王光远.工程软设计理论.北京:科学出版社,1992

174 王光远.工程设计理论展望.哈尔滨建筑大学(研究论文),1998

175 王继光.岩体工程地质分析.成都:西南交通大学出版社,1988

176 王建宇.隧道工程监测和信息化设计原理.北京:中国铁道出版社,1990

177 王靖涛,丁美英,黄建孟.在地应力场中断裂传播的能量耗损.岩石力学与工程学报,1996,15(增刊):417-421

178 王启智.浅谈岩石力学与断裂力学.岩石力学与工程学报,1997,16(5):496-497

179 王仁,黄杰藩.地学中的岩石力学研究.见:陶振宇主编.岩石力学的理论与实践.北京:水利出版社,1981.277-320

180 王思敬.赤平极射投影方法及其应用.岩体工程地质力学问题.北京:科学出版社,1976.83-113

181 王思敬,杨志法,刘竹华.地下工程岩体稳定分析.北京:科学出版社,1984

182 王思敬.略论工程地质学思维.工程地质学报,1997,5(4):289-291

183 王思敬,李焯芬.三峡永久船闸岩石工程整体质量.岩石力学与工程学报,2001,20(5):589-596

184 王天思.在过去和未来之间.南昌:江西人民出版社,1993

185 王维纲.关于岩石力学与工程发展战略的几点看法.岩石力学与工程学报,1992,11(4):390-391

186 王亚同.类比推理.保定:河北大学出版社,1999

187 王泳嘉,邢纪波.离散单元法及其在岩土力学中应用.沈阳:东北工学院出版社,1991

188 王泳嘉,冯夏庭.关于计算岩石力学发展的几点思考.岩土工程学报,1996,18(4):103-104

189 王芝银,李云鹏.岩石力学数值分析进展与思考.见:刘汉东主编.岩石力学理论与工程实践.郑州:黄河水利出版社,1997.7-13

190 王钟琦.探讨工程地质勘察技术体制改革的必由之路——《岩土工程勘察规范》的编制设想.工程勘察,1987(5):1-7

191 魏群.散体单元法的基本原理——数值方法及程序.北京:科学出版社,1991

192 邬爱清,任放,董学晟.DDA数值模型及其在岩体工程上的初步应用研

究.岩石力学与工程学报,1997,16(5):411-417
193 吴刚,孙钧.卸荷应力状态下裂隙岩体的变形和强度特性.岩石力学与工程学报,1998,17(6):615-621
194 吴志勇,杨志法,胡樊勤.地下工程地质超前预报系统及其应用.见:围岩稳定及控制方法新进展.武汉:湖北科学技术出版社,1992.93-98
195 肖洪天,周维垣,杨若琼.岩石裂纹流变扩展的细观机理分析.岩石力学与工程学报,1999,18(6):623-626
196 肖树芳,李广杰,汪发武.岩体工程中非确定性问题的理论.岩石力学与工程学报,1992,11(3):314-316
197 谢定义.岩土工程与岩土工程学.地基处理,2000,11(3)
198 谢和平,高峰.岩石类材料损伤演化的分形特征.岩石力学与工程学报,1991,10(1):74-81
199 谢和平,刘夕才,王金安.关于21世纪岩石力学发展战略的思考.岩土工程学报,1996,18(4):98-102
200 许兵.关于岩体结构力学基本观点探讨.工程地质学报,1997,5(4):295-298
201 徐建平,胡厚田,张安松,等.边坡岩体物理力学参数的统计特征研究.岩石力学与工程学报,1999,18(4):382-386
202 徐健学等.人工神经网络非线性动力学及应用.力学进展,1998,28(2)
203 徐曾和,徐小荷,陈忠辉.孤立煤柱岩爆的尖点突变与时间效应.西部探矿工程,1996,8(4):1-5
204 薛守义.红土的结构与工程性质:[硕士学位论文].北京:中国水利水电科学研究院,1984
205 薛守义.岩体边坡动力稳定性研究:[博士学位论文].北京:中国科学院地质研究所,1989
206 薛守义,刘汉东.岩体力学的基本问题与科学方法论.岩石力学与工程学报,1996,15(4):405-406
207 薛守义.论岩体力学的基本概念.见:刘汉东主编.岩石力学理论与工程实践.郑州:黄河水利出版社,1997.14-19
208 薛守义.关于开展岩体工程科学方法论讨论的倡议.岩石力学与工程学报,1998,17(4):467-469

209 薛守义.论连续介质概念与岩体的连续介质模型.岩石力学与工程学报,1999a,18(2):230-232

210 薛守义.地质工程学的学术思维与基本理论.岩石力学与工程学报,1999b,18(3):357-359

211 薛守义,王俊奇,叶朝良.粘性土地基极限承载力标准值表及变异系数.石家庄铁道学院学报,1999,12(4):1-6

212 杨代泉.也谈土力学研究的理论与实践.岩土工程学报,1992,14(2):93-96

213 杨更社,谢定义,张长庆,等.岩体损伤特性的 CT 识别.岩石力学与工程学报,1996,17(1):48-54

214 杨光华.岩土类材料的多重势面弹塑性本构模型理论.岩土工程学报,1991,13(5):99-107

215 杨光华.21 世纪应建立岩土材料的本构理论.岩土工程学报,1997,19(3):116-117

216 杨志法,熊顺成,王存玉,等.关于位移反分析的某些考虑.岩石力学与工程学报,1995,14(1):11-16

217 姚宝魁.构造应力与岩体稳定.见:中国科学院地质研究所.岩体工程地质力学问题(三).北京:科学出版社,1980.20-36

218 姚建国.适用于采矿工程专家系统的不确定性推理方法.见:魏群主编.水电与矿业工程中的岩石力学问题.北京:科学出版社,1991.199-206

219 阎金安.专家系统在岩土工程中应用的评价.岩土力学,1991,12(3):71-77

220 仪垂祥.非线性科学及其在地学中的应用.北京:气象出版社,1995

221 易顺民,赵文谦.单轴压缩条件下三峡坝基岩石破裂的分形特征.岩石力学与工程学报,1999,18(5):520-523

222 耶格 J C,库克 N G W.岩石力学基础.北京:科学出版社,1981(1969 原版)

223 叶金汉,夏万仁主编.岩石力学参数手册.北京:水利电力出版社,1990

224 殷宗泽.土体本构模型剖析.岩土工程学报,1996,18(4):95-97

225 殷有泉,郑顾团.断层地质的尖角型突变模型.地球物理学学报,1988(6)

226 樱井春辅. 岩石力学理论要更好地应用于工程实践. 岩石力学与工程学报,1997,16(2):193-194

227 余定生,杜永廉. 露天矿边坡变形的模拟试验研究. 见:中国科学院地质研究所. 岩体工程地质力学问题(三). 北京:科学出版社,1980. 100-113

228 俞茂宏. 岩土类材料的统一强度理论及其应用. 岩土工程学报,1994,16(2):1-10

229 俞茂宏. 双剪理论及其应用. 北京:科学出版社,1998

230 于学馥,郑颖人,刘怀恒,等. 地下工程围岩稳定分析. 北京:煤炭工业出版社,1983

231 于学馥. 信息时代岩土力学与采矿计算初步. 北京:科学出版社,1991

232 于学馥. 实现突破口的首要问题是思维方式的变革. 岩石力学与工程学报,1994a,13(1):1-3

233 于学馥. 重新认识岩石力学与工程的方法论问题. 岩石力学与工程学报,1994b,13(3):279-282

234 于学馥,刘怀恒,郑颖人. 岩石力学新概念与开挖结构优化设计. 北京:科学出版社,1995

235 于学馥. 岩石力学的科学主体——第一层次科学方法论. 岩石力学与工程学报,1996,15(4):401-404

236 袁建新. 岩体损伤问题. 岩土力学,1993,14(1):1-31

237 袁勇,孙钧. 岩体本构模型反演识别理论及其工程应用. 岩石力学与工程学报,1993,12(3):232-239

238 湛垦华,沈小峰. 普利高津与耗散结构理论. 西安:陕西科学技术出版社,1998

239 赵锡宏,孙红,罗冠威. 损伤土力学. 上海:同济大学出版社,2000

240 赵震英. 节理岩体数值分析及模型试验研究. 岩石力学与工程学报,1991,10(1):55-62

241 张承福. 对当前神经网络研究的几点看法. 力学进展,1994,24(2)

242 章根德. 地质材料本构模型的最新进展. 力学进展,1994,24(3):374-385

243 张军胜,薛烨,陶纪南. 巷道和边坡的稳定位移与突发失稳时间预测. 岩土工程学报,1996,18(1):39-45

244 张梅英,袁建新.岩土介质微观力学动态观测研究.科学通报,1993,38(10):920-924

245 张清.岩石力学基础.北京:中国铁道出版社,1986a

246 张清.人工智能在岩石力学与岩石工程中的应用.岩石力学与工程学报,1986b,5(4):389-395

247 张清,宋家蓉.利用神经元网络预测岩石或岩石工程的力学性态.岩石力学与工程学报,1992,11(1):35-43

248 张清,田盛丰,莫元彬.隧道及地下工程岩溶危害预报的专家系统.岩石力学与工程学报,1992,11(3):230-242

249 张清.对岩石力学与工程发展战略的几点看法.岩石力学与工程学报,1993,12(3):284-285

250 Zhang Qing , Mo Yuanbin and Tian Shengfeng, An Expert system for classification of rock masses, Proc. 29th U. S. Symposium on Rock mechanics,1988

251 张咸恭.我国工程地质教育的发展.见:聂德新,等.工程地质科学新进展.成都:成都科技大学出版社,1989.12-17

252 郑哲敏,周恒,张涵信,等.21世纪初的力学发展趋势.力学进展,1995,26(4):433-441

253 张征,刘淑春,鞠硕华.岩石参数空间变异性分析原理与最优估计模型.岩土工程学报,1996,18(4):40-46

254 张卓民,等.系统方法.辽宁人民出版社,1985

255 张玉祥.岩土工程时间序列预报问题初探.岩石力学与工程学报,1998,17(5):552-558

256 郑颖人,刘兴华. 近代非线性科学与岩石力学问题. 岩土工程学报,1996,18(1)

257 郑颖人.岩土塑性力学基本理论探索.岩石力学与工程学报,1998,17(增):733-738

258 中华人民共和国国家标准.工程结构可靠度设计统一标准(GB50153—92).北京:中国计划出版社,1992

259 中华人民共和国国家标准.岩土工程基本术语标准(GB/T 50279—98).北京:中国计划出版社,1999

260 周萃英,晏同珍,汤连生.滑坡灾害系统非线性动力学研究.长春地质学院学报,1995(3)

261 周光泉,陈德华,席道瑛.岩石连续损伤本构方程.岩石力学与工程学报,1995,14(3):229-235

262 周美立.相似工程学.北京:机械工业出版社,1998

263 朱维申,王平.节理岩体的等效连续模型与工程应用.岩土工程学报,1992,14(2):1-11

264 朱维申,何满潮.复杂条件下围岩稳定性与岩体动态施工力学.北京:科学出版社,1995

265 周维垣,杨延毅.节理岩体的损伤断裂模型及验证.岩石力学与工程学报,1991,10(1):43-54

266 周维垣,杨若琼,杨强.复杂地基上二滩双曲拱坝整体稳定分析.岩石力学与工程学报,1992,11(1):25-34

267 周维垣,杨延毅.节理岩体力学参数取值研究.岩土工程学报,1992,14(5):1-11

268 朱永全,刘勇,张素敏.洞室大小和形状对极限位移的影响.岩石力学与工程学报,1998,17(5):527-533

269 祝玉学.边坡可靠性分析.北京:冶金工业出版社,1993

270 Zienkiwicz O C, Valliappan S, King I P. Stress Analyses of Rock as a "No Tension" Material, Geotechnique, Vol.18, No.1, 1968